# La Machine

# René Belletto

# La Machine

Roman

**FRANCE LOISIRS**
123, Boulevard de Grenelle, Paris

Èdition du Club France Loisirs, Paris,
avec l'autorisation de P.O.L. Èditeur.

© **P.O.L Editeur, 1990**
ISBN 2-7242-6235-2

# 1

Léonard attendrait que sa mère soit couchée pour la tuer.
Il la tuerait dans son lit.

Bientôt...

« En tout cas, je ne m'y prendrai pas comme ça », se
dit-il : en passant d'une chaîne à l'autre, il était tombé sur
une séquence de téléfilm dans laquelle un classique tueur de
femmes tuait une classique prostituée d'un coup de couteau
en plein cœur.

Lui, Léonard, il donnerait plusieurs coups.

La victime saignerait beaucoup, elle geindrait, se
tortillerait avant de mourir.

Dans un éclair, il se vit frappant en plein cœur. Oui,
pour finir, lui aussi frapperait en plein cœur !

— Ça t'intéresse vraiment ?

Le gamin sursauta.

— Non. Je préfère Zorro.

— Alors, remets Zorro, dit gentiment la mère.

Clac, il remit Zorro. Qu'il eût interrompu le film
quelques minutes avant le dénouement étonnait Marie

Lacroix. D'habitude, un tremblement de terre dans le jardin n'aurait pas fait battre un cil à son Léonard pendant la diffusion de sa série favorite. Elle repensa aux myrtilles à la Chantilly du dessert, qui n'avaient pas provoqué les glapissements de joie traditionnels.

Serait-il malade ?

Avec quelque brusquerie, Léonard jeta la télécommande à côté de lui. Sa mère lui prit la main. Il lui adressa un sourire, une espèce de sourire, puis retira sa main. Lui qui, à un moment ou à un autre, pendant les séances de télévision, avait coutume de se pelotonner contre elle, avide de câlins...

— Tu n'es pas malade ? demanda Marie Lacroix. Tu n'as mal nulle part ? Tu ne te sens pas de fièvre ?

Elle lui tâta le front. Il se laissa faire, réprimant un tremblement d'émotion. Il la tuerait. Il allait bientôt la tuer. Il pourrait bientôt exprimer toute la haine qu'il avait accumulée, qu'il accumulait encore à la minute présente, comme si sa mère faisait tout ce qu'il fallait pour porter cette haine à son comble.

— Non. Non, je t'assure, maaaman. Je me sens très bien.

Elle était trop inquiète, elle le savait. Elle s'était toujours efforcée de ne pas trop couver Léonard. Mais en ce moment, après tout, elle pouvait se le permettre. Les circonstances avaient changé leur comportement à tous.

Dans quel état Marc allait-il rentrer ?

Il était déjà surmené quand il avait cessé son travail, six jours auparavant – surmené et, selon elle, assez déprimé –, et depuis il y avait eu l'histoire avec Michel Zyto, si terriblement éprouvante. Sans parler de cette maladie qu'il s'était soudain découverte, et qui devait le préoccuper plus qu'il ne l'avouait. Elle regretta de ne pas avoir insisté, pour les vacances. Le 31 juillet au soir, elle aurait dû dire à Marc qu'ils partaient le lendemain ou le surlendemain, n'importe où, en avion s'il était trop fatigué.

C'était pareil toutes les années. Quand arrivaient les vacances, Marc était à bout de forces, mais il ne pouvait pas se détendre, son travail lui manquait, il avait du mal à s'en détacher. Il lui fallait plusieurs jours de transition. D'ailleurs, en allant à l'hôpital ce 31 juillet, qui tombait un lundi, il avait fait du « rab ». Il aurait dû s'arrêter le vendredi précédent. C'était significatif. Marie lui avait proposé début juillet de retenir quelque chose, quitte à annuler au dernier moment, mais il n'avait pas dit oui, et ensuite il n'en avait plus reparlé. Marie avait laissé tomber.

Un point positif, pourtant, et d'importance : pendant ces six jours, ils avaient recommencé à avoir des rapports sexuels. Marie ne pouvait s'empêcher de penser que les événements y étaient pour quelque chose. Il y avait un lien, elle ne savait trop lequel.

Mais Marc était retombé amoureux d'elle.

Elle reprit espoir. Après l'affaire Zyto, tout allait rentrer dans l'ordre. Il fallait avoir du courage et faire bonne figure à Léonard.

— Espérons que papa va téléphoner bientôt, dit-elle.

Pour la première fois depuis qu'elle était rentrée de chez les Cazanvielh, Léonard s'anima comme s'animent ordinairement les garçons de son âge. Elle le remarqua avec satisfaction. Il se tourna vers elle, les yeux brillants.

— Il a bien dit de ne pas se faire de souci !

— Oui, mon chéri.

Elle le serra contre elle. C'était vrai. Si Marc avait dit à Léonard de ne pas se faire de souci, il n'y avait pas à s'en faire.

« Là où il est, et dans l'état où il est, il ne risque pas de téléphoner », se dit Léonard, ce qui tempéra sa colère d'avoir le visage ainsi pressé contre le sein de sa mère.

Enfin, elle le libéra.

— Mon pauvre canard, je t'empêche de voir Zorro.

Scène finale de l'épisode: il apparaît aux yeux de tous que le justicier masqué traçant des Z sanglants sur le visage des mauvais et le caballero fortuné, parfumé et couard sont une seule et même personne. La révélation de cette double personnalité réjouit tous les enfants du monde en général, et réjouissait Léonard en particulier, sauf ce soir où il bâilla deux fois de suite en oubliant de mettre sa main devant sa bouche.

— Je crois quand même que tu es très fatigué, dit Marie Lacroix. On dormait mal, dans cet hôtel. On dort toujours moins bien, dans les hôtels.

Elle regretta aussitôt d'avoir fait allusion à l'hôtel. Quelle terrible frayeur ! Mais l'enfant ne releva pas.

— Allez, dodo! dit-elle.

Elle se leva. Le canapé de cuir reprit sa forme avec un soupir quasi animal, proche du sifflement, qui souvent faisait rire Léonard. Il arrivait même qu'il le provoquât exprès.

Elle traversa la grande pièce, effleura de la main une plante verte au passage, s'approcha de la baie vitrée.

On voyait le jardin, le ciel empli d'étoiles.

Demain serait une belle journée.

— Arrête la télé, tu veux ? C'est assommant, ces publicités. Tu ne trouves pas ?

— Si.

Léonard récupéra la télécommande qui s'était enfoncée entre les coussins (comme la plupart des objets qu'on posait sur ce canapé), tripota les boutons. Le poste s'arrêta avec un joli clac bien net. « Coupé le sifflet », pensa Léonard.

Le grand silence de la campagne se referma sur la maison. L'enfant ne bougeait pas, ne parlait pas. Marie Lacroix se retourna. Il la regardait d'un drôle d'air. Elle l'avait rarement vu aussi abattu.

— Au lit !

Ils montèrent. Elle laissa toutes les lumières du bas allumées, pour le retour de Marc.

Léonard la précédait dans l'escalier de bois, se forçant à exécuter quelques gambades et pitreries, pour la vraisemblance, faisant aller sa tête d'une épaule à l'autre et poussant de petits cris de chiot, à la grande joie de Marie.

Au premier, il entra dans sa chambre, puis dans son cabinet de toilette.

— A tout de suite, dit sa mère.

Elle continua en direction de sa propre chambre, au bout du couloir. Elle dépassa la chambre d'amis, puis le bureau de Marc. A l'origine, cette pièce devait accueillir un deuxième enfant. Elle y repensa ce soir. Jeunes mariés, Marc et Marie Lacroix étaient bien d'accord qu'il valait mieux avoir deux enfants qu'un seul. Puis, un an après la naissance de Léonard, Marie avait pris conscience que son désir de maternité avait été comblé une fois pour toute et qu'elle ne souhaitait pas être enceinte à nouveau. Quant à Marc, fils unique lui-même, il s'était vite accommodé et satisfait de cette trinité domestique qui lui était familière. Les bonnes raisons d'agrandir le cercle de famille avaient pesé de moins en moins lourd en regard de ce qui poussait secrètement le couple à laisser les choses en l'état.

Ils avaient évité de parler du sujet à fond. Le temps et l'habitude avaient fait le reste. Léonard avait eu dix ans. Il n'était plus question de rien changer.

Ils avaient un fils unique.

Marie tira les lourds rideaux marron des deux fenêtres de la chambre conjugale, côté campagne et côté jardin.

Elle se dévêtit entièrement et passa dans la salle de bains.

Elle prit une douche méticuleuse. Peut-être Marc aurait-il envie de faire l'amour, même s'il rentrait tard dans la nuit. Il s'était remis à la désirer d'une manière qui émouvait

Marie, avec des peurs et des élans d'adolescent, comme s'il n'avait jamais couché avec elle auparavant. Bien entendu, Marie n'avait fait aucun commentaire, elle était beaucoup trop pudique et discrète. Ces moments d'étrange passion l'avaient aidée à traverser la mauvaise période actuelle.

Elle sortit de la baignoire, se sécha devant la glace avec une serviette bleue qui allait bien à son teint de brune.

Elle hésita entre deux slips. Le blanc à rayures bleues. Elle se demanda pourquoi elle avait hésité, c'était le blanc à rayures bleues qu'elle préférait, même s'il commençait à être usé. Le tissu se tendit sur sa chair. Elle n'était pas large de hanches, plutôt étroite même pour sa taille, mais ses fesses étaient rebondies. C'était la première chose intime que lui avait murmurée Marc jadis, qu'il trouvait très excitantes ses fesses rebondies.

Elle peigna ses longs cheveux.

Elle n'avait pas changé. Son corps était aussi impeccable, ferme, élastique à trente-cinq ans qu'à vingt-trois, l'année de son mariage. Marc lui assurait souvent que c'était rare à ce point.

Elle enfila le peignoir bordeaux de Marc.

Léonard attendait dans son lit, vêtu d'un pyjama blanc à dessins rouges représentant des instruments de musique. Il détestait cet habit ridicule, qu'il avait passé à contrecœur. Il détestait les livres, les jouets, la chambre, tout ce qui se trouvait dedans.

Il repoussa du pied drap et couverture.

Il entendit un bruit de porte. Ça y était, sa mère avait fini sa toilette. Elle allait dire : « Voilà ! », et lui devrait répondre : « Voilà, voilà ! », et elle viendrait l'embrasser dans son lit. Quelle imbécillité !

— Voilà ! cria Marie Lacroix.

Léonard se redressa, prit appui sur ses coudes.

— Voilà, voilà !

Avec une ironie atroce, il imagina deux coups de couteau, voilà ! et voilà !

La porte de sa chambre s'ouvrit. Il eut un petit choc désagréable en reconnaissant le peignoir paternel.

— Tu as sommeil, mon chéri, hein ?

— Oui ! dit Léonard.

— Tu sens que tu vas dormir tout de suite ?

— Oh, oui !

Elle s'approcha du lit.

— Montre tes dents.

Il fit une grimace de squelette qui lui découvrit la dentition jusqu'aux molaires.

— Tu es joli, tiens !

Elle sourit. D'habitude, par jeu, il en montrait au contraire le moins possible, se contentant d'avancer et d'écarter les lèvres, ce qui permettait à sa mère d'examiner tout au plus les quatre incisives.

— Bravo, elles sont bien blanches.

Elles pouvaient être blanches, il se les était frottées avec la dernière énergie, comme pour les user, comme s'il voulait passer une partie de sa nervosité et de sa méchanceté sur la brosse à dents.

— Bonne nuit, mon chéri.

Elle l'embrassa sur les deux joues. Il sentit son parfum, ou plutôt, car elle ne se parfumait jamais, l'odeur de sa peau et du savon de Marseille. De sa main gauche, elle tenait le peignoir bien fermé vers le haut.

— Et toi, tu ne m'embrasses pas ? Tu peux arrêter de faire ton affreuse grimace, tu sais !

13

Elle s'allongea sur son lit et desserra la ceinture du peignoir. Elle avait chaud. Elle était épuisée.

Le téléphone, sur la table basse, était à portée de sa main, mais elle le rapprocha encore de quelques centimètres, à l'extrême bord de la table. Elle remit en place la photographie encadrée qu'elle venait de déranger dans sa manœuvre. Elle en profita pour la regarder. Vieille de onze ans, elle les représentait, Marc et elle, au moment de leur mariage. Marc portait encore une moustache, par admiration pour le chercheur américain moustachu Jay Mortimer. Il l'avait rasée peu après, Marie n'aimait pas trop tout ce qui était barbe et moustache. C'était l'année où il avait terminé ses études de médecine. Et où elle avait renoncé à passer l'agrégation de lettres classiques, qu'elle aurait certainement obtenue, mais qui l'aurait obligée, par contrat avec l'Éducation nationale, à enseigner un certain nombre d'années.

Il lui arrivait de se demander quelle aurait été sa vie si elle avait été enseignante. Professeur de français-latin-grec dans un lycée, à Versailles... Mais elle ne regrettait rien. Elle avait pu se consacrer entièrement à Léonard.

Elle tendit le bras vers *l'Odyssée*. Elle était heureuse de constater qu'elle pouvait facilement relire le livre en grec. Elle avait presque fini. Il ne lui restait que quelques pages. Elle ôta le fin signet de cuir.

Elle eut du mal à se concentrer sur sa lecture. Elle bougeait, elle se passait la main sur le front. Elle était agitée. Elle repliait une jambe, puis l'autre. Elle pensait à Léonard. Il irait mieux demain, quand il aurait fait le tour du cadran.

Le peignoir s'était complètement ouvert sur son beau corps.

Après vingt minutes d'immobilité totale, Léonard alluma et se releva.

Il tira à lui le dernier tiroir de la commode. Il en sortit un drap, qui dissimulait la paire de gants, les deux revolvers, le long couteau de cuisine. Ses yeux brillèrent.

Il passa les gants, le droit, le gauche, et prit le couteau dans sa main droite.

Il sortit de sa chambre. Le silence était total. Pieds nus sur la moquette, il ne faisait aucun bruit. Il s'avança dans le couloir obscur. Il se déplaçait vite. Il s'arrêta devant la chambre de sa mère.

Il lui sembla alors entendre un faible cri. Il n'était pas certain. L'un des deux autres, à la cave ? Qui aurait réussi à se défaire de son bâillon ? Sûrement pas. Plutôt un animal, dans la campagne. La porte de la cave était bien fermée. Et d'ailleurs il allait bientôt s'occuper d'eux. En attendant, ils pouvaient toujours crier !

Il dissimula le couteau derrière son dos.


Marie Lacroix crut aussi entendre quelque chose, un chien qui aurait hurlé au loin. Elle se redressa et prêta l'oreille. Plus rien.

Elle entendit frapper à la porte, pas très fort. En même temps, elle vit bouger la poignée. Elle se redressa davantage.

— Léonard ? dit-elle d'une voix anxieuse.

# 2

Après la tournée de ses malades, dans la matinée du 31 juillet, le docteur Marc Lacroix quitta le service de l'hôpital Sainte-Anne où il exerçait les fonctions de chef de clinique en psychiatrie trois jours par semaine.

L'idée de ne plus revenir pendant un mois l'attristait. Tout en se livrant à la recherche pure, il aimait le travail «sur le tas» à l'hôpital. Spécialiste du cerveau, à la fois physicien, biologiste et clinicien, il tentait une synthèse constante entre des domaines qui n'avaient que trop tendance à se séparer et même à s'opposer, et il s'intéressait à toutes les étapes de l'activité cérébrale, de la cellule au comportement. Et il n'aurait su dire ce qui le passionnait le plus.

En tout cas, le rapport direct, vivant avec les malades lui était indispensable. Avec eux, il avait l'impression d'approcher le mystère de la pensée sous sa forme la plus diffuse, la plus opaque, mais aussi la plus excitante. Il était sans cesse étonné par leur diversité. C'est pourquoi, malgré ses travaux proprement scientifiques, il répugnait aux étiquettes et aux classifications, et il était curieux de chaque malade particulier, comme si du contact avec l'un d'eux pouvait jaillir un jour la solution du mystère.

Son Nissan Terrano était garé dans la cour à l'ombre d'un noyer, ainsi qu'il le savait depuis trois semaines seulement – qu'il s'agît d'un noyer. Le véhicule, un tout terrain qui venait d'être élu « 4 x 4 de l'année » aux USA, sentait encore le neuf. Démarqué du fameux Patrol, reprenant le châssis et en partie la carrosserie du King Cab, doté d'une curieuse vitre latérale triangulaire, il possédait, par rapport à la Range Rover et aux 4 x 4 du même genre, une petite originalité qui avait immédiatement séduit Marc. Ses collègues ne s'étaient pas privés de le plaisanter le jour où il avait débarqué à l'hôpital avec ce petit tank rouge aux pneus énormes, lui demandant s'il avait sollicité un poste à Nouakchott, Sahara mauritanien, ou s'il pensait l'aménager en clinique ambulante de huit lits avec bloc opératoire et salle de réanimation, et autres finesses du même genre. Aimables, la plupart de temps. A peine un peu pincées parfois, car il leur arrivait d'être agacés par la personnalité originale, voire marginale du docteur Lacroix.

C'était un homme de trente-neuf ans, grand et maigre, qui paraissait plus jeune que son âge malgré pas mal de cheveux blancs. Il avait des mains fines et bien faites, et un beau visage émacié qui évoquait de façon frappante certains Christ du Greco. Il monta dans le splendide 4 x 4, démarra, mit la radio. Les quatre haut-parleurs diffusèrent du Schubert, une symphonie. Il ne raffolait pas de Schubert, mais en voiture aucune musique ne l'ennuyait.

Il sortit de l'hôpital Sainte-Anne, répondit au petit signe d'Hervé, le type roux du bureau des entrées qui lui adressait toujours de petits signes.

Il lui fallut à peine vingt minutes pour aller de Sainte-Anne à Lariboisière. Paris s'était en partie vidé. Il ne faisait pas trop chaud, plutôt frais même, c'était agréable de foncer, vitre entrouverte. Et le Terrano, malgré les apparences, n'était pas plus volumineux que beaucoup de voitures de ville qui paraissaient deux fois plus petites, il se faufilait et se garait n'importe où, enfin presque, se disait Marc Lacroix, amusé de sa propre mauvaise foi. Il savait qu'il s'était passé un caprice en faisant l'acquisition de ce 4 x 4, qu'il s'était offert un jouet, et que rouler entre Paris et Versailles n'exigeait pas de façon impérieuse un véhicule capable d'escalader la tour Eiffel, comme il disait à son fils pour le faire rire, ou de remonter à cent vingt le cours d'un torrent de montagne.

Il prit le boulevard de Sébastopol, qu'il trouvait toujours sinistre. Il se concentra sur la conduite du Nissan. Il s'appliquait à avoir le plus de feux verts possible.

De temps en temps, une petite bouffée d'anxiété lui serrait la gorge. Il ne se rendait pas à l'hôpital Lariboisière en tant que médecin, mais pour y subir un examen. Cette année, il avait souffert à deux reprises de vertiges, de bourdonnements d'oreille, avec l'impression que son oreille gonflait, devenait énorme. Il avait pensé à une affection banale, due à une mauvaise pression des liquides de l'oreille interne. Il avait attendu, tout en sachant que ces symptômes, s'ils se répétaient trop et avec trop de violence, pouvaient avoir des causes plus sérieuses.

Fin juin, à la suite d'une troisième crise, il avait consulté son ami Cédric Houdé, patron du service O.R.L. de Lariboisière, qui avait proposé un scanner de dépistage, par précaution, quand Marc voudrait. Juillet avait passé sans nouvelle alerte.

Boulevard de Magenta, il fut dépassé par un véhicule analogue au sien sur lequel il lut les mots «Transforest Car M 4 x 4». Il aurait presque aimé faire la course, s'assurer qu'il pouvait rejoindre et dépasser ce rival. Il renonça. De toute façon, la rue Ambroise-Paré était toute proche. Il la prit à droite, freina pour laisser un chien placide traverser à son aise.

Il se gara en talon devant l'entrée de Lariboisière.


— Salut, grand chef ! dit Marc en entrant dans le cabinet de consultations.

— C'est toi, le grand chef, mon beau !

Cédric Houdé ne plaisantait pas. Outre la sympathie que lui avait toujours inspirée son jeune collègue, il l'admirait pour son audace professionnelle, et ses intuitions de chercheur (par exemple sa mise au point d'un nouvel antidépresseur, le Minotaryl, sur le marché depuis trois ans : Marc avait fait exécuter par un laboratoire sceptique un tripatouillage moléculaire complexe d'un antidépresseur déjà existant et avait obtenu un nouveau produit beaucoup plus précis et spécifique, qui pouvait calmer les ruminations harcelantes de certains obsessionnels).

Les deux hommes se serrèrent la main. A soixante-sept ans, le professeur Cédric Houdé était à peine plus corpulent que Marc. Quant à son visage, selon l'expression juste et drôle de Marie Lacroix, Cédric avait « une sale gueule de bon bougre » : il ressemblait à tout sauf à un médecin, ses traits, disait encore Marie, étaient ceux d'un homme qui aurait toujours été tenté par le pillage des banques mais n'aurait jamais franchi le pas, l'honnêteté et la bonté l'emportant au dernier moment.

Marc aimait l'humour de sa femme. Ils avaient beaucoup ri ensemble dans leur vie.

— C'est la campagne, en cette saison, dit Marc.

Il regardait la vaste cour intérieure sur laquelle donnait le cabinet de Cédric Houdé, gazon, arbres, haies. Cédric jeta un coup d'œil par la fenêtre.

— Si on veut, dit-il. Assieds-toi. (Il s'assit lui-même).

C'est vrai que c'est agréable. Mais tu connais mon rêve, une petite clinique O.R.L. dans le Midi, loin des grandes villes. Je vais aller un peu prospecter, pendant la deuxième quinzaine d'août. Et vous, vous ne savez toujours pas si vous partez ?

— Non, dit Marc. Pas de projets. Je vais me reposer chez moi. On verra. Peut-être une semaine en Grèce ou en Italie. Pour la Grèce ou l'Italie, Marie est toujours partante.

— Elle va bien ?

— Ça va.

— Léonard aussi ?

— Oui. Il est de plus en plus formidable.

— Je n'en doute pas, dit Cédric avec un sourire un peu contraint.

Ils étaient gênés l'un et l'autre de se rencontrer dans ces circonstances inhabituelles. Ils comprirent qu'ils auraient du mal à se parler avant d'en avoir fini avec la corvée du scanner. Marc regarda sa montre, une belle montre de marine héritée de son père.

— On y va ? dit-il avec un sourire également contraint. C'est l'heure.

Cédric Houdé se leva aussitôt de son fauteuil.

— On y va !

Un ascenseur les conduisit au quatrième sous-sol. Ils marchèrent le long de couloirs orange, dont certains tournaient à angle droit, d'autres selon des courbes interminables où leurs pas et les rares mots échangés résonnaient étrangement, soit devant eux soit derrière eux. Après cinq bonnes minutes d'un trajet labyrinthique, ils arrivèrent devant la salle du scanner.

Un malade en sortit, sur un chariot, privé de connaissance, la tête entourée de bandages. Deux Noirs poussaient le chariot. La porte se referma. Marc et Cédric attendirent. Un voyant s'alluma, ils pénétrèrent dans la salle de radiologie.

La sphère du scanner trônait.

Ils s'en approchèrent.

On se serait cru dans une salle, au cœur de la planète, où se commandait le sort des hommes.

Tout fut prêt pour les clichés.

— Quand tu veux, dit Cédric.

Marc Lacroix enfouit sa tête dans le scanner.

# 3

« *Michel Zyto, trente-sept ans.*

*Psychopathe ? Oui et non. Oui. Bizarre.*

*Moustache très soignée. Un mélange d'amour et de haine de soi-même, ça se voit très vite. Superbes cheveux châtain foncé, épais, ondulés. C'est ce qui frappe d'abord, cheveux et moustache.*

*Traits irréguliers. Quelque chose de simiesque, à peine, dans l'allure générale, taille moyenne, forte mâchoire, bras longs, une pointe de maladresse, d'imprécision, dans les gestes et la démarche.*

*Tout ça pour dire qu'il ressemblerait presque (pas mal) à Martin Vérapoutsimila. Mais Zyto a un atout que n'a pas Vérapoutsimila le silencieux, c'est son sourire, étonnant, charmant, qui le transfigure, l'illumine. Il ne sourit pas souvent, mais longtemps, d'un sourire qui dure, c'est curieux.*

*Bonne attitude pendant le procès. Un vernis d'autodidacte. S'exprime bien, avec de petits accès de vulgarité. A lu toutes sortes de livres.*

*Anamnèse classique. Éléments habituels, parfois cari-*

*caturaux de la constitution de la personnalité psychopa-*
*thique : père infirme et débile tôt disparu (que la mère insul-*
*tait et battait), ladite mère alcoolique, relations de type in-*
*cestueux avec Michel sans passage à l'acte cependant (est-*
*ce sûr ?), bref, négation totale du père, c'est-à-dire de toute*
*loi, une partie de lui-même est susceptible de transgresser*
*les interdictions sans le moindre scrupule, de l'inciter à faire*
*le mal, blesser, tuer (?). Et il ignore (est-ce sûr ?) tout lien*
*affectif, tout attachement. Classique classique. Classique*
*aussi la tentative de suicide au cours de son premier interne-*
*ment. Enfin, plus que classique : il est vraiment très suici-*
*daire.*

*Mais. Mais mais mais mais... Nombreux éléments aty-*
*piques, voire contraires à la psychopathologie normale (ha,*
*ha !) de ces gugusses. Exemples :*
*— Il ne ment pas. Ou peu. A mon avis, il dit la vérité de*
*bout en bout. En tout cas, à mon avis il ne ment pas sans*
*cesse, impossible.*
*— Tout sentiment de culpabilité ne lui est pas étranger,*
*il s'en faut de beaucoup.*
*— Pas de réelle instabilité professionnelle. Intelligent,*
*études techniques non négligeables. Très intelligent même.*
*Commence à travailler après la mort de sa mère (en Solex,*
*écrasée par un bus tard la nuit dans une grande avenue à*
*Pantin, horrible). Ce décès ne l'affecte apparemment pas.*
*Recueilli par un vague oncle célibataire à peine plus présent*
*que son père, mais qui lui procure un semblant de foyer.*
*Exerce douze métiers en quinze ans, très variés, la faute aux*
*difficultés du monde du travail, pas à Zyto, ce n'est jamais*
*lui qui est parti, à deux exceptions près, et encore, il avait de*
*bonnes raisons. D'une certaine façon, le contraire d'un in-*
*stable, curieux. Il habite à Pantin chez son oncle jusqu'à*

vingt-huit ans et s'installe ensuite dans un petit appartement très convenable, 30, rue des Maronites, dans le vingtième. Il y vit seul et n'en bouge plus pendant des années. Pas d'amis, pas d'amies. Vie neutre, sans relief, sans événements. Notons pourtant les cours du soir : il prend l'habitude de suivre des cours du soir, et comme c'est un homme d'habitudes, il insiste et acquiert quelques connaissances en biologie et en informatique.

— Autre élément surprenant, à vérifier celui-là : j'ai bien observé Zyto pendant ce procès, je suis persuadé qu'une relation thérapeutique valable est possible avec lui.

— Le désastre commence à trente-cinq ans, c'est-à-dire tard. Jusque-là, pas d'actes de violence, rien, ce qui est exceptionnel chez les psychopathes, qui commencent à sévir tôt dans la vie, c'est presque une règle. Petite délinquance tout de même dans sa jeunesse et son adolescence, genre bris de machines à sous. (Il se vante au passage d'avoir été un as au flipper. Il est vantard.)


Voilà. Accusé donc d'avoir poignardé quatre femmes, plusieurs coups de couteau chacune, la quatrième est morte. Il avoue pour les trois premières, en insistant sur le fait qu'il ne les a pas tuées et ne voulait pas les tuer, que ce n'était pas ce qu'il recherchait, il voulait seulement leur faire du mal. Il nie pour la quatrième, même si on l'a trouvé sur les lieux du crime. D'ailleurs, si c'était lui le coupable, on ne l'aurait pas trouvé sur les lieux du crime justement, il était en fuite depuis des semaines, il ne serait évidemment pas resté dans cet hôtel sordide où on l'a arrêté au matin. De plus, dit-il encore, ce dernier coup de couteau en plein cœur... Non, quel qu'ait pu être son égarement dans les moments calamiteux où il s'en est pris à des femmes, il n'aurait pas frappé au cœur. Il sait que ce n'est pas lui. Voilà ce que soutient Zyto, *et je le crois. D'ailleurs, pas de vraie preuve contre lui, des présomptions, pas d'empreintes, pas de témoin... Au moment de son arrestation, porteur d'un Colt.38 dont il ne s'est jamais servi.*

*Question : pourquoi à trente-cinq ans, pourquoi si tard? Peut-être (pure hypothèse pour l'instant) parce que : 1) le cocon maternel a été d'une étanchéité quasi absolue 2) l'identification de toute femme à la mère a été quasi absolue 3) la haine de cette mère (qui ne lui a pas permis d'accéder à l'existence) et la peur de la mère (peur d'être détruit, peur de l'inceste) ont été quasi absolues 4) donc jusqu'à trente-cinq ans il a évité l'approche de toute femme, peur et haine ont été plus fortes que désir et curiosité. Mmmm. Il faudrait voir de plus près 5) à trente-cinq ans, dans telle et telle circonstance, il est en contact avec une femme (une prostituée ivre et entreprenante). La part « «mauvaise » de lui-même qui était en sommeil s'éveille soudain, sursaut de panique, il cogne, assomme, va chercher un couteau, il frappe (blessures peu profondes) sans tuer. Sans intention de tuer. Est-ce sûr ? Et pourquoi ? Voir de près, voir de près.*

*Conclusion : j'ai envie de voir de près. Michel Zyto m'intéresse. Je vais tout faire pour que l'excellent Hugues d'Oléons le prenne dans son Centre excellent, ensuite je demanderai à cet excellent homme le libre accès à son Centre excellent, tentative de psychothérapie avec Zyto, etc. »*

Le docteur Hugues d'Oléons, patron du Centre psychiatrique de l'avenue Stéphen-Mornay, rangea les notes qu'il venait de lire dans l'épais dossier « Michel Zyto ».

Au moment précis où il se retournait et glissait le dossier à sa place, la dernière, à droite des quatorze autres, on frappa à la porte. Il cria « Entrez ! » sans se lever. Il se levait le moins possible, à cause de son poids. Il était énorme. Il avait organisé son existence autour de cette énormité : quitter le moins possible son siège pivotant, en savoir le plus possible sur ses malades sans forcément les visiter quatre fois par jour, apprendre les dossiers par cœur.

Il fit pivoter son siège en direction de la porte. Marc Lacroix entra dans le bureau. La pièce, grande, moderne, donnait, comme les chambres des malades, sur un jardin à la française entretenu avec minutie.

Marc avait presque l'air malheureux derrière son bref sourire. Mais Hugues d'Oléons avait-il jamais vu Marc Lacroix complètement apaisé ? Sans doute jamais, se dit-il en lui tendant la main.

— Coïncidence, Marc ! Je viens de revoir à l'instant les notes que vous aviez prises sur Michel Zyto à la fin du procès. La première pièce de son dossier chez nous...

— Un simple griffonnage, dit Marc. L'équivalent d'une de ces caricatures qu'exécutent sur le tas les dessinateurs d'audience, vous savez ? Coïncidence aussi (il sourit d'un air un peu moins malheureux), je venais justement vous parler de votre psychopathe modèle. J'aurais souhaité tenter une sortie avec lui. Le première a été une telle réussite !

S'évader de Stéphen-Mornay était facile. Et, depuis quelque temps, Michel Zyto avait la permission de quitter le Centre à volonté, tous les jours s'il voulait. Mais il ne l'avait jamais fait, sauf une fois, avec Marc. D'ailleurs, il vivait en reclus dans sa belle chambre. Il ne se mêlait pas aux autres pensionnaires de l'établissement. On ne le voyait que rarement dans la salle commune. Il semblait attendre les visites du docteur Lacroix.

Marc avait pris place dans un siège près de la fenêtre, un

authentique et splendide fauteuil Louis XV qui détonnait dans cette pièce tout de métal, de bois laqué et de lignes droites, mais l'effet était plaisant. Le fauteuil appartenait à Hugues, il l'avait hérité de son frère. Marc jeta un coup d'œil dehors. Le jardin semblait lumineux plutôt qu'ensoleillé, comme s'il recevait le soleil de plusieurs côtés à la fois.

— Sortez-le tant que vous voulez, dit Hugues. Vous savez à quel point je vous fais confiance. Depuis le début, vous ne vous êtes trompé en rien concernant notre matador maison.

Marc ressentit un petit pincement au cœur. Oui, il savait à quel point l'excellent d'Oléons lui faisait confiance. Et cette confiance, d'une certaine façon, ne s'apprêtait-il pas à la trahir ? Hugues avait soutenu Marc de son influence dès après le procès. Au terme de mille démarches, véritables acrobaties administratives qui avaient duré deux mois, Michel Zyto avait été accueilli après sa tentative de suicide au Centre récent mais déjà célèbre de l'avenue Stéphen-Mornay. Son état d'anxiété et d'agressivité, aggravé par le procès et les deux mois d'asile dur (médicaments inutiles, mauvaises relations avec le personnel, portes verrouillées, barreaux aux fenêtres), s'était amélioré en moins de trois semaines.

Conformément à l'intuition de Marc, un lien psychothérapique avait pu se créer. Marc savait maintenant beaucoup de Michel Zyto. Pas tout. Quelques zones obscures subsistaient, que Marc ne désespérait pas d'éclaircir – et Zyto non plus, car sa bonne volonté était grande, évidente, touchante parfois. Lui aussi voulait se connaître, savoir ce qui s'était passé en lui à certains moments.

Le docteur d'Oléons était un homme sérieux, pondéré, au langage mesuré et raisonnable. Au contraire de Marc, plaisanteries et facéties ne lui venaient pas spontanément à l'esprit, mais il forçait parfois sa nature pour se mettre sur le ton de son confrère, témoin son « matador maison », destiné à faire écho au « psychopathe modèle » de Marc.

— Picador serait plus approprié, dit Marc. Nombreux coups de couteau peu profonds, mais pas de mise à mort.

Hugues passa la main dans ses cheveux – rares déjà, bien qu'il fût à peine plus âgé que Marc, et qui blanchissaient, ou prenaient une légère teinte jaune pâle – et se gratta l'arrière de la tête. La science, songea Marc, expliquerait-elle jamais pourquoi l'être humain, de l'âge de pierre à nos jours, porte la main à son cuir chevelu en cas de perplexité, et se le gratte volontiers ?

— Rien de nouveau à ce sujet ? dit Hugues, perplexe.

C'est-à-dire : au sujet de la culpabilité réelle de Michel Zyto dans le meurtre de Marie Poterjnikof, question qui les préoccupait tous deux depuis le procès.

— Oui et non, dit Marc. C'est de cela aussi que je voulais vous parler. Vous savez combien il s'est attaché à moi. Trop, à mon avis. Il faudra que je m'arrange pour prendre une certaine distance, si on ne veut pas que la psychothérapie piétine. S'il y avait eu quelque chose de nouveau à savoir du point de vue des faits, je l'aurais su. Je crois vraiment qu'il m'a tout dit. En revanche, j'ai moi une conviction dont je voudrais vous faire part. Hypothèse de psychiatre, bien entendu, qui ne pèserait pas lourd devant un jury, mais enfin aucune importance. Ce qui nous importe, c'est de le guérir.

— Allez-y, dit Hugues, très excité au fond , mais se forçant à une apparence digne et calme.

— En fait, j'ai deux convictions. La première, c'est que Michel Zyto n'a pas vraiment commis d'inceste. Il n'y a pas eu passage à l'acte. Ce qui revient à dire qu'il n'a jamais eu de rapports sexuels avec aucune femme. La seconde, c'est qu'il n'a tué personne. Ces deux convictions, vous les connaissez. La nouveauté, c'est que je les crois liées. Je vous explique. Je crois que le fonctionnement mental de Zyto est

28

très simple, comme étaient simples et peu nombreux les éléments dont il a disposé au début de sa vie pour se constituer une personnalité. Il hait sa mère, donc les femmes, à proportion de l'agression sexuelle dont il a été la victime. Autrement dit, s'il y avait eu passage à l'acte à l'époque, il aurait tué aujourd'hui. L'acte sexuel représente dans son imagination une perte d'être, une sorte de vol par la femme d'un peu de lui-même, d'un peu de son existence. Il s'en venge en dérobant à la femme par la violence, physiquement, l'équivalent quantitatif exact, si l'on peut dire, de ce qu'on lui a pris. On pourrait presque établir un pourcentage. Telle est ma façon de voir les choses aujourd'hui. Ces dix-huit mois d'entretiens avec lui m'ont permis de porter cette espèce de diagnostic, et, je pense, de supprimer provisoirement les symptômes. En ce moment, il est normal. (Marc insista sur le mot.) A part son hypocondrie, bien entendu, mais ça... Il prend toujours ses antibiotiques ?

Marc ne put s'empêcher de sourire. Zyto, d'une résistance physique hors du commun, capable de fuir la police pendant des semaines dans des conditions de survie parfois très dures, capable aussi d'essayer de mettre fin à ses jours en se jetant tête première contre un mur de briques, était craintif et douillet comme un poussin dès qu'il s'agissait de sa santé. L'idée de maladie le terrorisait, une simple démangeaison l'inquiétait. Actuellement, il se plaignait d'un vague mal de gorge et d'oreille, du côté gauche. On avait fini par lui donner des antibiotiques, mais pour avoir la paix. On n'avait rien décelé du tout.

— Oui, répondit Hugues, souriant lui aussi.

Ses dents étaient presque aussi jaunes que ses cheveux, bien qu'il les frottât plusieurs fois par jour avec les pâtes les plus blanchissantes du marché. Sa large face était luisante de graisse. Hugues d'Oléons était très laid. Trop laid pour se faire réparer les dents, il disait ou laissait entendre : au point où j'en suis... Et pourtant, il ne déplaisait pas. Marc le trouva si attendrissant qu'il eut envie de le serrer dans ses bras.

— Toujours rien de prévu pour ce mois d'août ? dit Marc.

Il connaissait la réponse. Hugues ne prenait pratiquement jamais de vacances. Le Centre était toute sa vie. Il était célibataire. Il ne quittait l'avenue Stéphen-Mornay que pour aller dormir dans son appartement de la rue Saint-Dominique. En exagérant un peu. Et en supposant qu'il n'avait pas d'activités cachées, de vie secrète, ce que Marc ne pouvait imaginer.

— Non. Et vous ?

— Non.

Le «non» était catégorique. Une sorte de refus des vacances, plus net qu'il ne l'avait manifesté avec Cédric Houdé. Le résultat du scanner, pas très réjouissant, l'avait un peu démoralisé.

De toute façon, il était hors de question qu'il parte.

Les deux hommes restèrent silencieux, chacun plongé dans ses pensées. Puis Marc revint à Zyto :

— Pour ce qui est de traiter le fond, d'arriver à décoller de lui, des femmes, et sans doute du monde en général cette image maternelle destructrice...

— Que vous commencez à représenter pour lui en ce moment, mais d'une manière bénéfique, c'est bien ça ?

— Vous êtes malin comme tout, Hugues. Malin comme tout. Oui, c'est ça. C'est pourquoi je crains malgré tout d'interrompre le face-à-face au cours des entretiens, et de commencer quelque chose qui ressemblerait à une vraie psychanalyse.

Au début de sa carrière, Marc avait été psychanalyste un an dans une clinique de Fontainebleau, ayant été lui-même analysé durant le temps de ses études par le célèbre Martin Vérapoutsimila.

— S'il va aussi bien que nous l'espérons, pas de problème, dit Hugues.

— Oui. Mais sinon, c'est délicat. Je crois qu'il vaut mieux attendre. Et qu'il sorte de temps en temps. Le laisser se cloîtrer comme il le fait, c'est un peu le maintenir dans les conditions de départ qui ont engendré ses difficultés.

— Je repense à votre hypothèse, elle est épatante, dit Hugues.

— Comment vérifier ? Il faudrait voir fonctionner tout ça de l'intérieur. (Marc se tut un instant, les yeux dans le vague). En plus, on aurait la certitude absolue de son innocence. Etre à sa place un moment. Etre un témoin de lui-même, plus complet et plus lucide que lui-même.

— Eh oui. Aller faire un petit tour dans sa tête. Un rêve de psychiatre. Impossible, hélas.

— Oui, impossible.

Marc regarda à nouveau le jardin. Impossible ? Peut-être pas. Et même son intention, dans les jours à venir, était très précisément d'aller faire un petit tour dans la tête de Michel Zyto.

# 4

Pour la vingtième fois au moins depuis son réveil, Michel Zyto alla s'examiner la gorge dans la glace de la salle de bains.

Il ferma la porte et le vasistas pour faire l'obscurité, alluma la lampe électrique, tira la langue. Horreur ! Cette fois, c'était grave, à coup sûr. De petites plaques blanches tapissaient sa gorge, il en avait même sur le palais, sur la luette, partout. Son angoisse se transforma en panique. L'ancien symptôme subsistait, cette douleur dans l'oreille et dans le cou, lui semblait-il, quand il avalait, et maintenant il y avait en plus cette sensation de sécheresse et de brûlure dans toute la gorge. S'agissait-il de deux choses différentes, ou du même mal qui gagnait en se diversifiant ? Les antibiotiques n'avaient donc servi à rien, l'infection avait été la plus forte ! Ou bien c'était autre chose, pire qu'une infection ?

Panique. Il posa la lampe et retourna dans la pièce. Il cessa d'être agité. Il connaissait le phénomène : trop de peur le vidait de toute énergie et lui donnait une espèce de calme apparent. Pas n'importe quelle peur. Une seule, une peur bien particulière, celle de la maladie, de quelque chose qui serait en lui sans être lui et lui ferait du mal, le détruirait. Pour le reste, il n'avait peur de rien.

Il alla s'asseoir sur le bord du lit, dos rond, mains entre les genoux. Il n'aurait su dire s'il était aussi content qu'au début d'être à Stéphen-Mornay, ou s'il en avait assez, assez à hurler. Les deux, peut-être.

Il jeta un coup d'œil à sa montre. Marc était en retard. Zyto l'attendait, de tout son être. Il n'était qu'attente. Lacroix saurait porter un diagnostic, maintenant qu'on voyait quelque chose. Et comment, qu'on voyait quelque chose ! Le docteur Lacroix ne pourrait plus lui dire qu'il se fixait sur une douleur de rien du tout au point de l'augmenter, de l'entretenir. Et il le soignerait. Si seulement Zyto avait été médecin, lui aussi ! Il ne connaîtrait pas ces moments affreux. Il saurait tout de suite interpréter les symptômes. Et il évoluerait dans un milieu de médecins, il s'arrangerait pour devenir ami avec des spécialistes de toutes les parties du corps.

Un bruit de pas dans le couloir interrompit ses rêvasseries. Mais il ne reconnut pas la démarche de Marc Lacroix. Non, ce n'était pas lui. Le bruit décrut.

Il déglutit, ce qu'il s'était retenu de faire pendant quelques instants. Ouille !

Dans la salle de bains, après avoir une fois de plus regardé sa gorge, il essuya son front humide de sueur avec un gant de toilette, peigna sa moustache et ses beaux cheveux châtains, ajusta le col de sa chemise bleu pâle et la glissa mieux dans son pantalon, un jean bleu foncé tout neuf qu'il avait étrenné le matin même. Il aimait être impeccable lors des visites de Lacroix. D'une façon générale, il avait toujours été très soigneux de sa personne.

Un quart d'heure de retard ! Il n'y tint plus et alla ouvrir la porte de sa chambre. Il fit un pas dans le couloir, souhaitant de toutes ses forces voir le docteur, mais en même temps gêné à l'idée d'être pris en flagrant délit d'impatience. Pas de chance – ou bonheur suprême –, Marc apparut au bout du couloir, venant du rez-de-chaussée par l'escalier, très élégant dans son costume d'été. Il fit un signe à Michel Zyto. Il marchait à grands pas souples.

Il se rendit compte immédiatement que son fou préféré n'allait pas bien. Mais il n'en laissa rien paraître, offrant son sourire et sa poignée de main habituels, et s'excusant pour le retard. Michel Zyto le fit entrer, avec l'attitude du médecin introduisant un patient dans son cabinet. Il lui arrivait de s'imaginer que Marc Lacroix était un malade venant le consulter, il retirait un vif plaisir de cette petite mise en scène secrète.

La pièce, tapissée de toile vieux rose, ressemblait plus à une chambre d'hôtel de bonne catégorie qu'à une chambre de clinique, avec son mobilier de bois sombre et ses rideaux de tissu provençal vert foncé. Une chambre d'hôtel dans laquelle, de plus, le client vivrait depuis assez longtemps pour l'avoir arrangée à son goût, modifiant des détails, entassant des livres, installant une petite chaîne stéréo. Michel Zyto s'était mis en effet à écouter de la musique, surtout du Vivaldi. Un jour, il avait dit à Marc, naïvement et finement, que cette musique le faisait penser au jardin de Stéphen-Mornay, mais sans l'impression d'étouffement que pouvait donner le jardin, trop régulier, tandis que Vivaldi – Marc l'avait aidé à formuler ses idées confuses – le surprenait par des envolées d'instruments solistes qui rompaient des symétries trop strictes.

Ils s'assirent à leurs places habituelles, deux petits fauteuils disposés face à face entre la fenêtre et une table servant plus ou moins de bureau.

— Alors ? dit Marc.

Zyto n'attendait que le moment de placer son couplet hypocondriaque.

34

— J'ai mal à la gorge, dit-il. Elle est très vilaine, j'ai vu avec la lampe électrique.

— Vous en avez parlé au docteur Fabricant ?

— Non.

Marc se leva d'un mouvement décidé.

— Venez, on va regarder.

Dans le noir de la salle de bains, Zyto se prêta avec une docilité d'enfant à ce que lui demandait Marc. Il s'assit, pencha la tête en arrière – pas tout à fait assez, Marc lui posa la main sur les cheveux et appuya légèrement. Quelle épaisseur ! Il pensa à ses propres cheveux, qui le désolaient.

— Tirez bien la langue, faites : aaaa, voilà... D'accord, refermez. Attendez, non, ne rouvrez pas, au contraire, serrez les dents...

Michel Zyto maintint ses dents serrées. Marc lui retroussa alors les lèvres sur toute la largeur de la bouche, devant, sur les côtés.

— Excusez-moi, je vous traite comme un cheval. Parfait. J'ai tout vu, tout compris, vous n'avez rien. Je vais vous expliquer.

« Il a plus de chance que moi avec mon oreille », se dit Marc.

Installé à nouveau près de la fenêtre, Zyto avait changé de visage. Les paroles de Marc lui avaient rendu la vie, il n'était plus le même homme.

— Ce que vous avez ce matin, c'est une candidose. De vulgaires champignons.

— Des champignons ?

— Oui. Une candidose provoquée par l'antibiotique, figurez-vous. C'est banal, ça arrive très souvent. C'est spectaculaire, mais ça part aussi vite que c'est venu.

— Mais l'autre douleur ? dit Zyto, maintenant partagé entre l'anxiété et l'espoir.

— J'allais vous en parler, dit Marc d'un ton rassurant.

Je viens de comprendre en voyant vos dents. Je savais que ce n'était rien de toute façon, mais j'ai l'explication. C'est encore mieux, non ?

Il lui sourit. Zyto aussi eut envie de sourire, mais ça ne vint pas. Plus tard, après l'explication.

— Oui.

— Les muscles des mâchoires sont les muscles du corps qui fournissent les plus gros efforts. Ils exercent des pressions incroyables, de l'ordre de quatre cents kilos par centimètre carré. Or les gens nerveux comme vous ont tendance à serrer les dents, à crisper les mâchoires.

— Vous croyez ?

— J'en suis sûr. Même si vous ne vous en rendez pas compte. La nuit, par exemple, pendant le sommeil. De plus, vous grincez des dents, je l'ai vu à leur usure. Bref, cette douleur est une douleur musculaire, purement mécanique, mais qui peut aller jusqu'à l'inflammation. Les mouvements de la déglutition font mal dans l'oreille et au niveau de la gorge, comme une douleur ganglionnaire. Je le sais, ça m'arrive à moi.

L'espoir gagnait dans l'esprit de Zyto. Si ça arrivait à Marc Lacroix, alors...

— C'est un peu l'équivalent de la tendinite des sportifs. Vous qui regardez tous les matches de tennis à la télé, vous avez dû en entendre parler. C'est la même chose.

— Ça va passer ?

— Évidemment. Surtout si vous fixez moins votre attention dessus. Excusez-moi de vous répéter cette phrase...

— Donc je n'ai pas de souci à me faire ?

— Aucun. Vous n'avez rien.

— Mais ces champignons?

« C'est reparti pour un tour », se dit Marc.

— Les champignons, on en a tous dans l'intestin. Des armées, des hordes. Normalement, ils se détruisent entre eux, et l'équilibre est assuré. Vous savez que les antibiotiques sont mauvais pour l'intestin. Ils perturbent cet équilibre. Une armée en profite pour prendre le pouvoir. Elle envahit tout l'appareil digestif, remonte dans l'œsophage, parfois jusque dans la gorge. Candidose digestive, c'est exactement ce que vous avez.

Tout en parlant, il s'était tourné vers le téléphone sur le bureau et avait composé un numéro.

— Allo ? Bonjour, Mademoiselle. Lacroix. Vous avez du Maktarin ? D'accord. Vous pouvez en apporter au 6 ? Merci.

Il raccrocha.

— Vous en prendrez tout de suite trois comprimés, et trois ce soir. A partir de demain, deux avant chacun des trois repas, six en tout. Pendant trois semaines. Et vous arrêtez l'antibiotique, bien entendu, puisque vous n'avez rien.

— Trois semaines ?

— Oui, pour éviter une rechute. L'ennemi est craintif, mais tenace. Ce que je peux vous assurer, c'est que vous serez soulagé au bout de quelques heures. Plus de symptômes.

— C'est sûr ? Tout ce que vous me dites est certain ?

— A cent pour cent. Ne pensez plus à votre gorge, vous n'avez rien.

Michel Zyto ne put retenir un long soupir de soulagement. Il aurait embrassé Marc. Son regard clair brilla de gratitude.

— Merci. Je vous remercie.

— A part la gorge ? dit Marc plaisamment.

Zyto se concentra un instant, puis changea de ton, d'attitude.

— J'ai eu du mal à me procurer une arme. C'est difficile. Il faut éviter les fausses pistes, les tuyaux foireux, et je vous assure que ça ne manque pas. On tombe sur des demiclochards qui vous demandent d'abord de l'argent, et après ils vous envoient n'importe où, vous vous retrouvez dans un quartier désert, personne à l'adresse indiquée...

Curieusement, incongrûment, Michel Zyto était passé sans transition à la suite de son récit. Depuis quelques séances, il avait entrepris de raconter à Marc, par le menu, ses semaines de fuite après sa troisième agression, c'est-à-dire à partir du moment où on l'avait repéré. Rassuré sur sa santé, il avait repris ce récit là où il l'avait laissé la dernière fois, et cela avec tant de spontanéité, de laisser-aller, de confiance que Marc en fut ému.

Il se tut, il écouta. Zyto était soulagé de pouvoir tout avouer à quelqu'un. Le plus pénible avait été le récit des trois agressions. Maintenant, il n'éprouvait plus que du soulagement à parler, à accumuler les détails.

— Le plus dur est de trouver la bonne filière. Après cinq jours de balades dans Paris, je l'ai trouvée. On m'a indiqué un type qui passe sa vie dans un bar près de la place Blanche, *Le Terminus*. On l'appelle Raton, à cause de son physique, je pense. Il a de drôles de moustaches, des yeux tout petits et tout ronds. Il ne fait rien d'autre, c'est son métier. Il sert d'intermédiaire pour les gens qui cherchent une arme, un revolver, certains des couteaux, des mitraillettes, des grenades, tout. Il ne demande pas d'argent. Il doit être payé au pourcentage par l'armurier, c'est ce que je me suis dit. On est obligé de passer par lui. Il téléphone à l'armurier, et voilà. L'armurier m'a eu à la bonne, je ne sais pas pourquoi. Par lui, j'ai trouvé une planque rue Piat, à Belleville, dans une petite maison d'un étage avec jardin. Tout petit. Tout est petit. La chambre est au premier. Une belle petite chambre. On est tranquille. Le propriétaire habite au rez-de-chaussée. Il s'appelle Jacquot, un nom de perroquet. Ça doit être parce qu'il ne parle jamais. Il n'aime pas non plus qu'on lui parle. Il a une soixantaine d'années. Chez lui, on est à l'abri.

On frappa à la porte. Une femme blonde et laide entra, sourit aux deux hommes, posa sur la table deux boîtes de médicaments et repartit.

— J'en prends tout de suite, alors ? dit Michel Zyto.

— Oui, allez-y.

Il avala ses trois comprimés avec un peu d'eau, revint s'asseoir en face de Marc.

— On est sûr que s'il arrive quelque chose, en tout cas, ce ne sera pas de sa faute. Il a cette réputation. J'ai pu me reposer, dans la petite chambre, souffler un peu.

Il se tut. Quel plaisir d'être débarrassé du souci de sa gorge !

Il regarda Marc bien en face. Il lui sourit soudain, de son sourire fin et charmeur d'acteur de cinéma.

Marc baissa les yeux, les releva en souriant également, juste une seconde, puis les baissa à nouveau.

## 5

Marc quitta les Champs-Élysées et prit l'avenue Marigny à droite. Il tourna prudemment. Une nuée de mobylettes semblait l'encercler.

Un motard d'aspect redoutable, vêtu de noir des pieds à la tête, examina d'un œil approbateur le Nissan Terrano, puis Marc. L'animosité qui existe traditionnellement entre deux-roues et automobilistes est moins virulente, et peut même se transformer en complicité, lorsque ceux-ci conduisent des véhicules un peu spéciaux, des jeeps par exemple, Marc l'avait souvent constaté. Comme si le fait d'être au volant d'un 4 x 4 suffisait à faire de son conducteur un grand sportif, songea-t-il avec amertume. Il se reprochait de négliger son corps. Il se trouvait plus mou qu'avant, les biceps, les pectoraux, la taille. Il avait pris un peu de ventre. Un tout petit peu.

Mais être dur ou mou dépendait-il uniquement de la pratique ou non d'une activité sportive ? Non. Michel Zyto ne faisait pas de sport, et il était dur comme de l'acier. Et lui-même, Marc, à part deux ou trois petits endroits... Qu'il

40

pourrait redurcir par le sport, justement...

La recherche d'une place de stationnement mit fin à ces considérations. Un petit bout d'avenue Marigny, la rue de Ponthieu à gauche, la rue Jean-Mermoz à gauche... Rien. Si, coup de chance, une longue Citroën démarra et libéra une place en plein devant le restaurant *Le Dragon Rouge*, ce que Marc interpréta comme un signe favorable. Il avait un fond de superstition, dont il se moquait lui-même.

Il se gara facilement. On aurait pu garer là trois Terrano, se dit-il, toujours avec une mauvaise foi amusée.

Le 4 x 4 attirait l'attention des gens, surtout les enfants, à cause de son volume imposant et de sa couleur rouge, et des petites vitres latérales triangulaires. Si bien que Marc, plutôt timide dans la vie quotidienne, descendait généralement de sa voiture comme un comédien débutant sous les projecteurs.


Marie Lacroix, qui guettait l'arrivée de son mari, se leva dès qu'elle l'aperçut dans la rue. Marc et elle avaient conservé l'habitude de déjeuner seuls au restaurant de temps à autre, sans Léonard, comme avant la naissance de l'enfant.

Il entra dans la salle. Elle lui sourit, rejeta en arrière ses longs cheveux noirs. Elle était vêtue d'une robe claire sans manches. Elle était belle, fraîche, presque gamine d'allure malgré ses formes et sa haute taille.

« Comment ne pas être amoureux à vie d'une personne aussi délicieuse ? » se dit Marc en l'embrassant. Mais le fait est qu'il avait cessé d'être amoureux d'elle, et qu'il en était tourmenté vingt-quatre heures sur vingt-quatre.

Elle se rassit. Marc ôta sa veste et s'installa en face d'elle.

— Tu n'as pas froid ? Frais ? dit-il.

— J'ai ma veste rouge, mais je l'ai laissée dans l'Austin. Non, ça va.

— Pourquoi pas la table habituelle ?

— J'avais envie d'être près de la vitre. Voilà deux ans qu'on retient la même table, tu te rends compte ?

— Tu as raison. Les habitudes me guettent. Je suis l'esclave des habitudes, dit Marc.

— Leur esclave préféré, dit Marie.

— Leur souffre-douleur...

Il avait toujours aimé plaisanter avec Marie, parler avec elle, elle était intelligente, stimulante. Deux ans déjà qu'ils étaient des habitués du *Dragon Rouge*. Et plus de trois mois qu'ils n'avaient pas fait l'amour. Depuis sa rencontre avec Marianne ? Oui, au jour près. Mais Marianne n'avait été qu'un révélateur. Déjà avant, bien avant, il avait perdu tout désir pour sa femme. Plus de trois mois... Il connaissait Marie, il savait qu'elle n'aurait abordé le sujet pour rien au monde. Et lui non plus. Le moment n'était pas venu d'en parler.

— Léonard va bien, depuis ce matin ?

— Très bien. Je l'ai laissé chez les Cazanvielh. Tu as remarqué, ils se sont encore plus attachés à lui, depuis que Marie-Thérèse a la certitude de ne pas avoir d'enfant. La pauvre ! J'irai moi aussi un moment cet après-midi, ajouta-t-elle après un silence.

Marc avait les traits tirés. Marie se demandait parfois comment il tenait le coup, sollicité qu'il était par trente-six activités diverses, ses malades, ses recherches en neurobiologie à l'hôpital, en informatique au Centre Dumesnil, en physiologie et physiopathologie cérébrovasculaires au Centre de l'avenue de Verdun, plus des travaux occasionnels dont il ne parlait pas toujours de façon précise, plus ses visites régulières deux fois par semaine à Michel Zyto, plus les trajets, plus un minimum de vie familiale... C'était trop, il n'avait plus une seconde pour respirer. Et elle comprenait bien que tout arrêter d'un coup pût le perturber et le déprimer. Le mettre dans l'état où elle le voyait maintenant.

Il avait les traits tirés, mais elle le trouvait plus beau que jamais.

— Marie-Thérèse sera là, cet après-midi ? dit-il.

— Non. Elle a des courses à faire à Paris.

— Tu seras seule avec Martial, alors ?

— Et avec Léonard. Toujours jaloux ?

— Toujours, dit Marc.

— Tu sais que c'est idiot ?

— Oui.

Il lui prit la main. Il essayait de ne pas montrer qu'il était désespéré. Tout devenait trop compliqué. Il se sentait encore plus jaloux de Martial Cazanvielh depuis qu'il trompait Marie avec Marianne. Il avait plus besoin de Marie que jamais, un besoin total.

Elle dégagea sa main pour la poser sur celle de son mari. Il lui faisait un peu de peine. Bien sûr, elle avait pensé à une autre femme, une rivale, et même à une femme précise, sa copine Marianne, qui avait cessé de lui téléphoner. Mais, outre qu'elle n'arrivait pas à y croire, elle sentait que le vrai problème était ailleurs. Marc lui échappait, et sans doute s'échappait-il un peu à lui-même. Il allait mal.

Ils vivaient une crise. Tous les couples en connaissaient. Cela passerait, elle s'accrochait à cette quasi-certitude.

Elle sortit de son sac un petit flacon de gélules et en avala deux. Elle avait parfois les jambes lourdes. Problème de circulation, Marc lui avait prescrit un traitement léger mais d'une durée illimitée.

Elle n'arrêtait pas de lui sourire gentiment.

— Tu penses à ce soir ? Ne t'en fais pas, on ne restera pas longtemps. Et à partir de demain, il faudra te distraire, te reposer. Même si on ne part pas. On a la chance d'habiter une maison agréable à la campagne et tu n'en profites jamais.

Marc apprécia le « même si on ne part pas ». Marie était adorable. Il savait qu'elle serait déçue d'être privée de vacances. S'il profitait peu de la maison de Versailles, elle, en revanche, y passait sa vie. Ils ne parlaient même pas de la dernière semaine d'août, où ils allaient habituellement à La Colle-sur-Loup, chez les parents de Marie. Marie n'était pas en très bons termes avec eux et considérait ce séjour comme une corvée.

— Tu as quand même eu une bonne matinée ? dit-elle.

— Pas mauvaise. Et toi, qu'est-ce que tu as fait ?

— La routine. Pas seulement, je relis l'*Odyssée* en grec. Tu as un souci ? Un nouveau ? Ce matin ?

Adorable, et maligne. Fine, plutôt, elle n'avait pas pour deux sous de malignité. Ou bien se trompait-il complètement ? Elle était au courant de tout, de sa liaison avec Marianne, de son laboratoire de Louveciennes, elle le trompait tous les après-midi avec Martial, elle le laissait patauger dans sa folie naissante, elle devinait tout, c'était une sorcière destructrice, acharnée à sa perte... Il crut en effet qu'il devenait fou. Cela dura une fraction de seconde.

Il avait d'abord décidé de ne pas parler de son passage à Lariboisière. Il changea d'avis.

— Oui, un petit. J'ai vu Cédric, ce matin.

— Et alors ? dit Marie, aussitôt alarmée. Tu as fait cette radio ? Tu ne m'avais rien dit !

— Oui. C'est un peu plus sérieux que prévu. Mais rien de grave, je t'assure. (Elle avait pâli.) Cédric a repéré une petite grosseur, bénigne évidemment, sur le nerf acoustique. Je comprends que j'aie eu des vertiges. Ça s'appelle un neurinome du nerf acoustique. C'est une affection bien connue.

— Qu'est-ce qu'il faut faire ?

— Rien. Je peux vivre cent cinquante ans avec. Je te répète ce qu'a dit Cédric.

— Ça ne peut pas grossir ?

44

Il hésita.

— Si.

— Et alors ?

— Si ça grossit trop, on opère. Il y a un petit risque de surdité. C'est assez délicat, comme intervention.

Un gros risque, en réalité, et bien d'autres, plus graves, beaucoup plus graves. Il espérait qu'une opération ne serait jamais nécessaire.

— Ne t'en fais pas. Je dois l'avoir depuis longtemps. Il n'y a aucune raison que ça grossisse. Il faudra surveiller, c'est tout. Je t'assure, ne sois pas contrariée. D'accord ?

— Je vais essayer...

Il affectait d'étudier la carte.

— Comme d'habitude? dit-il.

Elle sourit.

— Oui, comme d'habitude.

Ils ne raffolaient pas particulièrement des restaurants chinois, sauf du Dragon rouge, où ils trouvaient la cuisine délicieuse.

Connie Huong, la patronne, aperçut Marc. Chaque fois qu'il la voyait, Marc pensait à l'expression «être tout sourire», cette petite Chinoise gracieuse était tout sourire, un sourire qui se déplaçait.

— Tu as de la chance de pouvoir lire Homère tranquillement, dit Marc à sa femme.

Lui-même avait fait du grec au lycée. Il avait tout oublié. Il le regrettait. Marie n'eut pas le temps de lui répondre, car déjà Connie Huong leur tendait une main souriante.

# 6

Cookie, un west highland white terrier vraiment très mignon (ils le sont tous), goba avec étonnement le sucre que lui tendait sa maîtresse. Le sucre lui était presque interdit. Mais il avait bien compris qu'aujourd'hui était un jour exceptionnel. Première chose, sa maîtresse attendait quelqu'un, c'était évident. Elle avait sorti les belles tasses à café, confectionné un gâteau, et elle était fébrile, elle ne tenait pas en place, malgré ses jambes malades. D'autre part, il lui arrivait de pleurer. Cookie se mettait alors à couiner en posant les pattes avant sur ses genoux, mais ces démonstrations ne la calmaient pas, au contraire, elle le serrait contre elle et pleurait davantage.

Oui, une drôle de journée pour Cookie. Et ce n'était pas fini.

Germaine Halbronn, une très vieille dame continuellement essoufflée, sortit du réfrigérateur le gâteau de riz au chocolat, une recette qu'elle tenait de sa grand-mère, et elle alla à petits pas le poser sur la table de la salle à manger.

Elle occupait depuis bientôt quarante ans cet appartement propre, triste, modeste du 12, rue de Budapest, rez-de-chaussée gauche. Et elle allait devoir le quitter. Mais chaque chose en son temps. Le plus dur, c'était Cookie. Après, on verrait. Elle ne manquait pas de courage.

N'empêche, se séparer de Cookie !

Elle retint ses larmes. Il était trois heures vingt-cinq. Elle s'assit et caressa le chien du bout des doigts. Il n'osa rien manifester de trop net, de peur de la faire pleurer. Impossible pourtant de ne pas étirer la tête vers l'avant en ouvrant des yeux très ronds.

Il avait à peine un an.

Au téléphone, le docteur-qui-voulait-un-chien-très-gentil avait dit trois heures et demie, à trois heures trente-trois la sonnette retentit. Germaine Halbronn se leva et alla ouvrir. Il lui fallut du temps pour se déplacer. Elle traînait les jambes, elle respirait mal.

D'un coup d'œil, Marc comprit la situation, l'essentiel de la situation : une dame très âgée, un deux-pièces sans soleil, des photos du mari partout (un moustachu plus petit que sa femme), l'obligation de se séparer de son chien alors qu'il faisait partie de sa vie...

Marc avait bon cœur. Il en fut remué. Il se dit aussitôt qu'il rendrait vite Cookie à la brave dame, dût-il lui verser une pension, si c'était une question d'argent, une histoire de maison de retraite.

Dix minutes plus tard, Marc Lacroix, Germaine Halbronn et Cookie étaient grands amis. Marc buvait du café, le chien sur ses genoux. Mais il devait aussi avaler une part de gâteau de riz au goût mal identifiable, les yeux fermés il aurait eut du mal à définir ce qu'il avait exactement dans la bouche, une poignée de chevrotines liées par un plâtre frais et douceâtre, dirait-il plus tard à Léonard. Après le succulent menu à la vapeur du *Dragon Rouge*, c'était une épreuve.

Il avait très vite détecté l'asthme sévère dont souffrait Madame Halbronn. Hélas, elle devait vraiment renoncer à la compagnie de Cookie. Tout l'argent du monde n'y changerait rien.

Cela dit, Cookie serait parfait pour l'expérience....

— Vous aimez ?

— Très bon, dit Marc. Très bon.

— Tant mieux. Tout le monde n'aime pas, vous savez. C'est ma grand-mère qui m'a appris. J'avais seize ans. Qu'est-ce que j'ai pu en faire à mon mari, le pauvre ! Et à mon fils ! Vous en reprendrez bien une petite portion ?

— Non, merci. Sans façon. Comme je vous l'ai dit, je sors de table. Vous avez raison, ça se mange sans faim, mais... Le chien n'en veut pas ?

— Non, il n'a jamais beaucoup aimé. Pourtant, il est très gourmand. Hein, Cookie ?

Le chien la regarda, inclina drôlement la tête sur le côté: l'invite était-elle assez pressante pour quitter les genoux confortables et hospitaliers de Marc ?

— Eh oui, je dois me séparer de ce trésor. Mon asthme s'est encore aggravé. Le spécialiste m'a dit : interdit de vivre sous le même toit qu'un chien. En plus, je ne peux plus me débrouiller toute seule. Les jambes, la circulation du sang. Mon fils et ma belle-fille veulent bien me prendre chez eux. Ils habitent à Montmartre. Pourtant, ils sont petitement logés. Mon fils est tuyauteur. Tant pis. Ça va nous faire bien de la peine à tous les deux. Hein, Cookie ?

Cette fois, l'animal fut d'un bond contre sa poitrine et lui lécha le visage. Elle se dégagea, prise entre l'amusement et le chagrin. Elle était toute ridée, mais elle n'était pas répugnante comme certains vieux, se dit Marc. A cause des mains. Elle avait conservé de belles mains, pas trop abîmées par l'âge.

Marc réfléchissait. Le chien était assez jeune pour s'habituer à un nouveau maître. Mais qui ? Léonard ne voulait plus de chien depuis la mort de Bébé, son berger allemand. Plus tard, avait-il dit. Peut-être. Et un chien de chasse. Pas une boule de poils, il n'aimait pas les boules de poils. Alors qui ? Ce grand serpent vertical de Marie-Thérèse Cazanvielh, pour son anniversaire, ce soir ? En plus du splendide chapeau ancien que lui avait trouvé Marie ? Pourquoi pas ? Elle voulait précisément un chien de quelques mois, pas un bébé chien, cela lui ferait trop de peine, disait-elle.

Cookie chez les Cazanvielh. Oui, pourquoi pas ?

— Je circule pas mal dans Paris, je pourrai vous l'amener, de temps en temps.

Était-ce une bonne idée ? Germaine Halbronn, le visage tendu, fut sur le point de fondre en larmes à l'idée de retrouvailles épisodiques avec son chien. Elle se domina. Elle était forte. Elle savait voir le bon côté des choses, le côté positif.

Ses yeux brillèrent de gratitude.

— Oh ! merci, merci ! Vous croyez que vous le ferez ?

— Promis, dit Marc.

Elle se tut un moment, troublée, mâchant ses gencives, le regard dans le vague, en direction de la cour intérieure qui ressemblait à une cour de prison.

— Vous verrez, vous serez content de Cookie. Les westies sont les plus gentils des chiens. Et Cookie le plus gentil des westies. Et le plus beau, regardez-le. On m'a proposé plusieurs fois de le présenter à des concours.

« Et quand je reviendrai vous voir avec lui, ce sera peut-être le chien le plus célèbre du monde », pensa Marc.

— Ça doit coûter cher, un westie pure race comme Cookie ? Au moins trois mille francs, non ?

— Bien plus. Presque cinq mille. Mais j'étais heureuse. Je n'ai pas regretté.

Marc avait son carnet de chèques à la main.

Madame Halbronn fut stupéfaite et presque indignée.

— Ah ! non, sûrement pas ! J'avais bien mis dans l'annonce : « Donne westie ». Ça ne se vend plus, à un an. Les gens les veulent bébés.

— Eh bien moi, dit Marc, commençant à remplir un chèque, j'en voulais un d'un an, alors vous voyez. Sinon, je ne vous aurais pas téléphoné.

— Non, Monsieur, non. Je serais trop gênée.

Elle était d'une sincérité absolue. Marc s'arrêta d'écrire, la regarda.

— Moi aussi, je suis gêné. Sûrement autant que vous. Essayons d'être simples tous les deux. Je voulais exactement un chien comme ça, je vous le paie, c'est normal. Si ma femme était là, elle vous dirait la même chose.

Germaine Halbronn n'en revenait pas que des gens aussi aimables que Marc puissent exister. Elle se pencha sur sa chaise, avança le bras droit. Il comprit ce qu'elle souhaitait. Il s'y prêta. Il devait avoir l'âge de son fils. Tuyauteur. Il n'avait jamais entendu parler de cette profession.

Il se pencha presque en même temps qu'elle, avança le bras droit. La vieille dame déposa un baiser sur sa joue.

# 7

Tous deux regardaient par la fenêtre.

Marianne Matys était blonde et grande. Elle avait de longues jambes, à peine un peu lourdes de forme, des bras minces, un torse presque gracile à l'exception de gros seins bien dessinés. Ses genoux n'étaient pas dans l'axe absolu de la jambe, ce qui lui donnait des attitudes et une démarche un peu alanguies. Marc adorait ces « imperfections » de Marianne – il y en avait d'autres, petites irrégularités et dissymétries, par exemple dans le sourire, dans les yeux –, qui la rendaient attirante, et dans lesquelles résidait son type de beauté et de séduction.

Elle habitait un petit trois-pièces, 14, rue du Faubourg-Saint-Honoré, au sixième étage. Ses fenêtres donnaient sur une vaste cour qui desservait également d'autres immeubles. Au milieu de la cour, il y avait un arbre énorme.

Elle se serra plus contre Marc, le prit par la taille, l'embrassa sur la tempe. Marc glissa la main sous la jupe de la jeune femme. Il la caressa entre jupe et slip, puis entre l'habit et la chair. Il eut aussitôt envie de faire l'amour avec elle.

Il n'avait connu personne (il est vrai qu'il avait connu peu de femmes) avec qui les rapports physiques aient été aussi faciles, aussi naturels, aussi excitants qu'avec Marianne. Et il en avait été ainsi dès leur première rencontre, dans le bureau de Marc, avenue de Verdun, sur un petit divan jusqu'alors réservé à la sieste. Merveilleux souvenir.

Marc avait connu Marianne par Marie. Marianne était la fille d'un professeur de français-latin-grec, Édouard Matys, dont Marie avait suivi les cours au lycée Édouard-Herriot, à Lyon, en classe de khâgne. Marie avait alors dix-neuf ans et était excellente élève. Édouard Matys, qui était veuf, l'avait prise en affection et l'invitait parfois à déjeuner chez lui. Il habitait avec sa fille Marianne, toute jeune fille de quatorze ans aux allures déjà candidement lascives.

Quinze ans plus tard, un soir que Marie avait réussi à traîner Marc au théâtre voir *Le Songe d'une nuit d'été*, elle avait reconnu Marianne Matys dans la comédienne qui jouait (très bien) le rôle de Titania, la reine des fées. Ils étaient allés dans sa loge à la fin du spectacle. Les deux femmes s'étaient retrouvées avec plaisir. Édouard Matys était mort. Marianne s'était lancée très tôt dans le théâtre. Elle commençait même à avoir une petite notoriété, les débuts difficiles étaient passés, on la sollicitait. Ce soir-là, dans la loge, elle avait beaucoup regardé Marc, et Marc l'avait beaucoup regardée. Marie et Marianne s'étaient un peu fréquentées par la suite, il leur était arrivé d'aller ensemble faire des courses dans Paris. Marie l'avait plusieurs fois invitée à Versailles.

Un dimanche matin que Marianne avait téléphoné, Marc, seul à la maison, avait répondu. Ils étaient devenus amants le lendemain.

Depuis, elle avait revu les Lacroix en couple une seule fois. Les rencontres avec Marie s'étaient espacées, peu à peu elle n'avait plus appelé. Un soir, Marie en avait fait la constatation étonnée. Marc s'était borné à répondre : «Tu sais, les comédiennes... Elle est peut-être en tournée ?», et il n'en avait plus été question.

Marc avait craint d'abord d'être tombé sur une « femme à hommes ». Mais il n'en était rien. Marianne avait aussi peu d'« expérience » que lui, la question n'était pas là, simplement elle avait été ainsi avec lui, leur intimité charnelle avait été immédiate, elle avait été merveilleuse de simplicité, d'innocence, les mots de « paradis terrestre » avaient traversé l'esprit de Marc, il avait eu une impression exaltante de première fois, de vie nouvelle, de joie totale, de découverte absolue. Coucher avec elle lui était devenu nécessaire comme une drogue. Le reste du monde s'était mis à moins exister. Même sa famille, constatait-il avec horreur...

Peut-être était-il vraiment amoureux à trente-neuf ans pour la première fois de sa vie.

Le reste du monde, à une exception près : son laboratoire de Louveciennes, la machine qu'il y avait construite au fil des années, ses projets grandioses avec Michel Zyto dans ce laboratoire. De cela il n'avait parlé à personne. C'était son secret. Marianne aussi était son secret. Deux secrets, deux planches de salut qui lui permettaient de ne pas sombrer, de rester en vie.

Marianne Matys et Michel Zyto.

Et aussi, un tout petit peu, son véhicule rouge à traverser déserts, mers, fleuves et montagnes, songea-t-il, amusé, lorsque Marianne évoqua le Nissan Terrano.

— Toujours aussi amoureux de ta belle voiture ?

— Plus que jamais.

Marianne n'avait vu que deux fois le 4 x 4. Marc aurait pu le garer dans la cour, mais il ne le faisait pas. Il tenait le plus caché possible sa liaison avec Marianne. Il ne se montrait pas avec elle. Par prudence, mais aussi par besoin profond. Il fuyait en Marianne, comme il se réfugiait dans son laboratoire, et tout mouvement contraire, aller vers le monde avec elle, aurait diminué les bienfaits de la fuite.

Il ne la rencontrait, dans le cocon bien clos de l'appartement, que pour faire l'amour. Pour l'instant, Marianne ne s'en plaignait pas.

Il ne lui avait pas parlé de Cookie. Le chien était-il très malheureux dans la voiture ? Aboyait-il ? Non, ce n'était pas un aboyeur. Peut-être gémissait-il. Couinait-il. A un an, il semblait avoir hérité déjà du caractère solide et philosophe de sa maîtresse. Il attendait avant de s'affoler. Et avec un peu de chance, il ne s'affolerait pas. Marc y veillerait, il aimait le toutou, ses yeux bons et étonnés.

Sa main descendit le long des jambes de Marianne, puis remonta entre ses cuisses. La respiration de Marianne changea, elle se tourna vers Marc et l'embrassa, pendant qu'il continuait de la caresser. D'un même élan, ils interrompirent baiser et caresses et se serrèrent avec fougue l'un contre l'autre. Marianne aussi était très amoureuse de Marc, plus qu'elle ne l'avait jamais été de quiconque. Elle aimait son beau visage aux expressions intenses, son intelligence, ses dons, son désarroi d'enfant perdu – sa peau, d'une grande douceur, le désir qu'il avait d'elle, son émerveillement d'adolescent devant elle, oui, elle était amoureuse, flattée, conquise, ce qui la rendait encore plus séduisante et désirable, elle, aux yeux de Marc.

Elle le lâcha, ôta en quelques gestes le peu de tissu qu'elle avait sur le corps. Puis elle s'allongea sur le lit, les yeux tournés vers Marc, encore frappée par son visage de Christ, superbe en cet instant, à contre-jour.

Il s'approcha et s'agenouilla près d'elle. Il lui replia doucement une jambe, offrant ainsi le sexe de la jeune femme à son baiser.

Après un dernier baiser sur les seins, le droit puis le gauche, Marc sortit du lit.

Surtout le gauche. Le gauche était le plus éloigné de Marc, qui se tenait allongé à droite de Marianne dans leurs moments de repos ou de discussion. Et ce sein n'était pas exactement parallèle à l'autre, ce qui mettait son téton à moins accessible portée des baisers de Marc. Par conséquent, il était moins choyé. Petits propos d'amoureux. Donc il fallait de temps en temps s'occuper davantage de lui. Pour compenser, disait Marianne.

Marc prit une douche dans la salle de bains sans baignoire où on se cognait partout tant elle était exiguë. Tout était trop petit chez Marianne, toutes les pièces. Une sorte de débarras avec lucarne avait été qualifié de deuxième chambre par la personne de l'agence. Sans doute une chambre pour bébé, avait dit Marc un jour. Pour les premiers jours de son existence, avait-il ajouté, cherchant à faire rire Marianne. Un bébé pygmée. Particulièrement chétif. Même pour le prématuré qu'il était. Marianne, rieuse de tempérament, adorait les plaisanteries de Marc. Même quand il était tendu et déprimé, il la faisait rire.

Certes, le petit appartement, refait à neuf juste avant l'emménagement de Marianne, était ravissant, mais Marc n'aurait pas vécu là enfermé des jours de suite, comme le faisait la jeune femme. Il aurait étouffé. Marianne au contraire s'en accommodait bien. Elle aurait pu s'offrir dix fois plus grand, elle avait du travail, elle jouait souvent, sans parler des pièces radiophoniques et des doublages pour le cinéma, elle gagnait bien sa vie. Mais elle avait du goût pour ces logements d'étudiant fortuné, jolis, malcommodes et forcément provisoires. Par ailleurs, elle adorait les boutiques de luxe, et elle en avait avait mille à ses pieds, dans le quartier du Faubourg Saint-Honoré.

Elle restait étendue sur le lit, jambes écartées. Elle

ferma les yeux. Elle ne prenait jamais de douche tout de suite. Elle laissait aller Marc le premier. Elle pensait à lui, elle se disait qu'elle l'aimait. Elle ne voyait pas encore de problème dans le fait qu'il était marié et peu disponible. Elle était insouciante et heureuse.

Elle eut sommeil. Le bruit de la douche la berçait. Marc prenait des douches interminables.

Le bruit s'arrêta. On entendit alors un choc (un coude ou un genou, ou peut-être un crâne, heurtant une cloison sonore) suivi d'un « merde ! » énergique.

— Oh ! pauvre chéri, dit Marianne. Encore cogné ?

Marc arriva dans la chambre, nu. Il n'avait pas honte de ses petits défauts physiques devant Marianne, il se savait trop aimé par elle. Tout de même, il rentrait le ventre, mine de rien, et tenait ses épaules bien droites. Marianne lui sourit. Elle était calme, comme bien installée dans ses cheveux blonds épais, dans son envie de dormir, dans son bien-être physique. Marc s'appuya des deux mains sur le lit, l'embrassa sur les yeux.

Leurs visages étaient tout proches. Marianne lui caressa l'épaule en un geste de pure tendresse. Son regard aussi était de pure tendresse. Pendant un bref instant, Marc se sentit aussi heureux qu'elle.

# 8

Martial Cazanvielh et Marie Lacroix buvaient un petit verre d'armagnac.

Martial avait manigancé une manœuvre habile pour que Léonard n'ait pas envie de les accompagner, Marie et lui, dans leur promenade habituelle de la maison au château.

Aujourd'hui, la bonne était là. Léonard ne serait pas seul. Et il aurait de quoi jouer. Pour ça oui, il aurait de quoi jouer, bien des enfants auraient aimé être à sa place !

Martial, retraité de l'armée, avait soixante ans. Il était chauve (mais la calvitie lui allait bien), solide, séduisant, bronzé toute l'année, passionné d'équitation, de tir, de jeu d'échecs, grand amateur de films d'action américains, et collectionneur d'objets anciens ou curieux. Une pièce entière de sa villa du centre de Versailles était destinée à ses achats dans ce domaine, sauf les statues, qu'il disposait dans son immense jardin.

Il était très casanier, contrairement à sa femme, Marie-Thérèse, qui avait toujours quelque chose à faire quelque part. Rien, à vrai dire, mais il fallait qu'elle bouge, qu'elle remue de l'air comme disait Martial. Et quand elle était à la maison, elle bougeait encore d'une certaine façon en téléphonant à ses innombrables amis et connaissances. Elle était de onze ans plus jeune que Martial. Marc et Marie la trouvaient un peu légère, un peu « fofolle », mais généreuse et amusante. Et elle adorait Léonard.

Le couple en effet, Martial aussi bien que sa femme, s'était pris d'affection pour Léonard, et ils le gâtaient comme l'enfant qu'ils ne pouvaient avoir.

Marie finit son verre, le posa sur une table basse en bois à la marqueterie fine et complexe. Elle essaya d'apercevoir Léonard par une fenêtre qui donnait sur le jardin, la fenêtre du « coin-téléphone ». Ce coin-téléphone, rendu confortable et attrayant par Marie-Thérèse, consistait en un espace délimité par des bacs emplis de plantes vertes, sorte de mini-salon dans le salon, avec un fauteuil en cuir près de la fenêtre, une table basse en chêne à six pieds, sur la table un téléphone vert aux formes tarabiscotées, véritable gadget de science-fiction, des paquets de cigarettes, trois cendriers, un immense, un moyen et un tout petit, et un bloc de feuilles carrées sur lequel Marie-Thérèse Cazanvielh notait des futilités, il fallait toujours qu'elle note quelque chose quand elle téléphonait.

Marie aperçut Léonard. Dix secondes plus tard, il entrait dans la pièce. Plutôt maigre, mais grand et costaud pour son âge, et très beau, il ressemblait à ses deux parents, sans qu'on puisse dire exactement ce qui revenait à l'un ou à l'autre.

Martial vida son verre, se leva et mit à exécution la première partie de son plan. Il avait attendu l'instant de la promenade. Le choc de la surprise, l'attrait de la nouveauté radicale joueraient en sa faveur, et l'obstacle Léonard serait réglé.

— Il faut que je vous montre quelque chose qu'on m'a livré hier, dit-il à la mère et au fils. Je suis sûr que ça vous intéressera. Surtout Léonard...

Ce « surtout Léonard » fit briller les yeux du gamin. Si Martial le disait, ça devait valoir le coup.

La pièce, au premier étage, était bourrée d'objets hétéroclites, mais tout de même le « flipper » détonnait. Car c'était d'un flipper qu'il s'agissait, très ancien, un des premiers à fonctionner à Paris, avait dit à Martial le cafetier en retraite de la rue des Lyonnais. Il était décoré de scènes de western. Le panneau vertical représentait la scène traditionnelle du duel, deux hommes face à face dans la grand-rue pour le règlement de comptes final, colt au poing, ils vont tirer, l'un des deux sera bientôt allongé dans la poussière, mort.

— Wouaillou ! s'écria Léonard, son onomatopée des bonheurs suprêmes.

L'appareil était astiqué, rutilant, en parfait état de marche. Muni de jetons en quantité, Léonard s'installa devant avec l'intention manifeste, très clairement exprimée par chaque centimètre carré de son corps et de son visage, de ne plus en décoller jusqu'à la rentrée scolaire de septembre.

Il portait un short bleu marine, une chemisette blanche. Une jolie frange de cheveux retombait sur son front. On avait envie de l'embrasser.

A la question pleine de sollicitude de sa mère, il répondit en substance : non, ça ne m'embête pas du tout du tout de rester seul ici avec le flipper pendant que vous allez vous promener.

Il était malade de joie.

Marie et Martial sortirent de la maison côté cour, une superbe villa 1900 qui avait coûté une fortune, mais Martial et Marie-Thérèse Cazanvielh étaient riches, ils avaient tous deux une fortune personnelle au moment de leur mariage.

Comme Martial ouvrait la grille qui donnait dans l'impasse des Soldats (la coïncidence l'avait amusé en son temps), Martine, la bonne, une femme rousse d'une cinquantaine d'années, apparut à une fenêtre du premier. Elle cria :

— Est-ce que Monsieur est toujours d'accord pour des pommes dauphine surgelées, ce soir ? Je vais aller faire des courses.

Martial, par ailleurs fin gourmet, qui bannissait de son alimentation conserves et surgelés, avait néanmoins un faible pour les pommes dauphine surgelées.

— Toujours d'accord. Vous n'oublierez pas de les laisser au four quatre minutes de plus que le temps indiqué sur la boîte.

— Je sais, Monsieur, ça les dégraisse. Est-ce que j'ai déjà oublié ?

— Jamais, Martine, jamais. Vous êtes formidable.

Elle rit, un peu trop fort, et referma la fenêtre un peu trop fort également.

L'impasse débouchait sur l'avenue de Paris, et l'avenue de Paris menait droit au château, un kilomètre et demi environ.

Ils marchèrent d'un bon pas. Un petit vent soufflait, pas très chaud pour un 31 juillet. Marie avait passé sa veste rouge. Martial portait un pull noir de fine laine à même la peau, ce qui lui donnait l'air très sportif.

Marie Lacroix avait bien compris qu'il s'était débarrassé de Léonard. Il avait donc quelque chose à lui dire. Elle attendait calmement. Pour l'instant, ils parlaient de choses et d'autres, du temps, de la tristesse des rues de Versailles par tous les temps. De quoi vous rendre casanier.

— A moins que les gens casaniers ne s'installent volontiers dans ce genre d'endroits, dit Marie avec un brin de malice. Ils n'y font même pas attention.

Martial sourit. Elle avait raison. De plus, il habitait à dix minutes de chez les Lacroix, et voir Marie régulièrement avait pris une importance notable dans sa vie. Les rues de Versailles pouvaient bien être sinistres...

Il était tombé amoureux de Marie à la première seconde. Mais, chose surprenante chez cet homme équilibré, solide, et même terre à terre, il l'aimait d'un sentiment romanesque et quasi adolescent. Elle représentait la part de rêve dont il continuait d'avoir besoin dans la vie, et peut-être n'en désirait-il pas davantage au fond de lui, même s'il le croyait et même si aujourd'hui il était décidé à faire comme si.

D'ailleurs, il était profondément attaché à sa femme. Il la trouvait parfois un peu sotte, un peu inconsistante, mais il l'adorait et faisait l'amour avec elle avec passion, dans leur ahurissant lit à baldaquin du XV$^e$ siècle.

Les Lacroix avaient rencontré Martial dans une agence immobilière de Versailles, des années auparavant, à l'époque où ils cherchaient à quitter Paris. Martial était un ami du directeur de l'agence, comme lui ancien militaire, et il était présent au moment du passage des Lacroix. Ils avaient lié conversation, ils s'étaient plu. Marc n'était pas très doué pour certaines démarches pratiques. Martial avait proposé de les aider. Peu à peu, il avait pris les choses en main. Il les avait accompagnés dans leurs visites de maisons, ou même s'y était rendu seul, pour leur éviter des déplacements.

La cour qu'il faisait à Marie était toujours d'une discrétion et d'une dignité infinies. Il la vouvoyait, lui serrait la main pour la saluer ou pour prendre congé. Jamais il n'avait eu une parole déplacée, ou même ambiguë. Marie appréciait cette attitude, et n'était pas insensible à ses avances, tout en sachant qu'elle ne tromperait jamais Marc.

Et Marc, lui, la trompait-il ? Non, bien sûr... Mais cet après-midi, par exemple, que faisait-il ? Il lui avait dit qu'il serait débordé, qu'il avait une foule de choses à régler. Marianne Matys ? C'était idiot. Mais elle se sentit un peu désemparée.

Elle jeta un coup d'œil à Martial. A ce moment, elle n'aurait pas détesté qu'il mette son bras sur ses épaules. Elle se serait dérobée, mais l'idée et l'image ne lui déplaisaient pas.

Le noir allait bien à son teint bronzé.

Martial sentit le regard de Marie posé sur lui. Puis elle détourna les yeux. Maintenant ? se dit-il. Non, un peu plus tard, sur la place d'Armes, quand ils seraient arrivés. Au milieu des gens, ce serait plus facile. La foule supprimerait un peu de gêne, créerait une complicité.

— Toujours pas de nouveau chien en vue ?

— Non. Il n'en parle pas. Mais il continue de parler de Bébé. Il en rêve la nuit. Il me raconte ses rêves.

Elle avait l'air tout émue. Et Martial pensa qu'il lui aurait volontiers passé le bras autour du cou à ce moment...

Le chien n'était pas mort de mort naturelle. Il avait été écrasé par une voiture. Léonard avait eu ce chien très jeune, à une époque où, à part « papa » et « maman », il ne savait prononcer distinctement que le mot « bébé », et on avait appelé le berger allemand Bébé.

— Je me suis souvenu que j'ai un ami qui tient un chenil, au Vésinet. Encore un militaire en retraite. Nous constituons une véritable maffia, vous savez, dit-il en souriant.

Il parlait peu de son ancien métier. Il était colonel, ce qui étonnait toujours Marie. Il ne correspondait pas à l'idée qu'elle se faisait d'un militaire. Trop intelligent, trop fin, trop doux.

Ils arrivèrent à la place d'Armes. Beaucoup de visiteurs, comme d'habitude. Des cars de touristes bruyants, des exclamations variées, des bribes de discours en langues étrangères.

Ils ne restaient généralement pas longtemps. Un coup

62

d'œil sur le château, et ils repartaient. Aujourd'hui, Martial se mit bien en face de Marie et ne bougea plus. Elle soutint son regard. Une déclaration, se dit-elle. Il y a mis le temps !

— Marie, j'ai quelque chose à vous dire...

Il se tut. Impossible de continuer.

— Je serais malheureuse de vous blesser, Martial. Vraiment malheureuse. Je vous aime beaucoup. Il ne faut rien gâcher.

Il baissa la tête, penaud comme un enfant.

— Excusez-moi. Ne m'en veuillez pas pour ces quelques mots de trop.

— Je vous jure que je ne vous en veux pas.

Il la regarda dans les yeux.

— Remarquez, je ne regrette pas. C'était le moment. Si je l'avais laissé passer, je me connais, j'aurais été de mauvaise humeur tout l'été.

Une fois de plus, Marie le trouva drôle et sympathique. Elle s'approcha de lui, lui posa la main sur l'épaule et lui fit un baiser rapide sur la joue. Puis aussitôt, prenant son bras, elle l'entraîna sur le chemin du retour.

Ce baiser était la plus exquise des réponses négatives. Martial en resta tout songeur et émerveillé. Quelle femme formidable ! Il pensa qu'il ne coucherait sans doute jamais avec Marie Lacroix, mais il en fut encore plus amoureux qu'avant.

# 9

— Voyez, pas une seule tache noire. La tache noire est un critère de disqualification. De même que les yeux vairons. Regardez ses beaux yeux noisette. Les yeux doivent être sombres ou noisette. Mana est un pure race. Pour vous donner une idée, il y en a une trentaine en France, des dogos de cette qualité.

Beaux yeux, beaux yeux, c'est vite dit, pensa Marc. Le dogue argentin l'effrayait et le dégoûtait un peu, avec cette robe d'un blanc de neige, et ces vagues rougeurs autour de la gueule, à l'intérieur des oreilles et sur les testicules.

Comprenant qu'on parlait de lui, le chien s'était mis sur ses pattes et les regardait froidement. Parfois, il grognait un peu.

— Couché, Mana, couché !

John Joseph avait murmuré. Le chien obéit à la seconde, il s'allongea sous la fenêtre et se désintéressa de tout.

Au loin, Marc voyait la tour Eiffel.

— Il n'est pas méchant ? dit Marc. J'ai entendu dire que les dogos...

En fait, il s'était renseigné avec soin sur les dogues argentins avant de répondre à l'annonce. John Joseph l'interrompit.

— Ils sont comme on les élève. Il est vrai qu'à l'origine, le docteur Antonio Nores Martinez a voulu créer un chien destiné à chasser le puma et le pécari. La couleur blanche devait servir à le repérer de loin dans la pampa. Après beaucoup de tâtonnements, il a opté pour un croisement entre le dogue allemand, le boxer, le pointer et l'irish wolfhound. Certes, il a obtenu un animal capable d'agressivité. Mais l'éducation est déterminante. Beaucoup de Français ont élevé leur dogo pour en faire un tueur, c'est pourquoi il a mauvaise réputation. Si on l'élève comme un tueur, il devient un tueur. Mais pas si on l'éduque en douceur, et sans le battre. Surtout sans le battre. Tenez, en 1972, le professeur Diego Rosa a publié un article sur le comportement des dogos. Il explique et prouve que le chien est calme et obéissant si on évite les punitions corporelles.

De son fauteuil, John Joseph (qui parlait français sans le moindre accent, bien qu'il ne vécût à Paris que depuis trois ans et demi) tira d'une bibliothèque derrière lui une épaisse revue, la feuilleta, trouva l'article de Diego Rosa.

— Si vous voulez lire...

— Non, dit Marc, je vous fais confiance. Si vous m'affirmez que ce n'est pas une mauvaise bête. J'ai un fils de dix ans, vous comprenez.

Au fond de lui, il ne faisait au contraire aucune confiance à John Joseph.

— Je vous l'affirme. Dans des conditions normales, c'est une bonne bête. Il grogne de temps en temps, mais ce grognement ne signifie rien de particulier.

— D'accord, dit Marc en sortant son carnet de chèques.

Il avait hâte de s'en aller. Il n'aimait pas ce salon surchargé ni ce demi-fou pédant au langage trop châtié qui possédait une bibliothèque entière sur les chiens, et qui avait l'air très faux jeton.

« Deux mille francs pour un chien adulte, et en plus un dogue argentin ! Cet hypocrite doit me prendre pour une vraie nouille », se dit Marc en remplissant le chèque.

Il le tendit à John Joseph.

— Est-ce que je peux vous demander... oh, c'est sans importance, mais pourquoi vous vous en débarrassez ?

Il y eut quelques secondes de silence (John Joseph lisait le chèque), puis une porte s'ouvrit, un enfant d'environ treize ans apparut, laid, l'œil aussi froid que celui du dogo.

— Parce qu'il a mordu maman, dit l'enfant.

Marc ne fut pas mécontent. Il voulait précisément un animal obéissant mais désagréable et hargneux.

Ses recherches n'avaient pas été trop longues. Il avait maintenant les deux chiens idéaux.

# 10

Marc tenait Cookie sous le bras. Le chien pliait comme un morceau de caoutchouc, ce qui semblait l'amuser.

Chose extraordinaire, le docteur d'Oléons n'était pas dans son bureau. Marc confia Cookie à mademoiselle André, la vieille dame aux cheveux violets affectée à la bonne tenue de toute la paperasserie de la maison.

Elle fut ravie. Elle-même était propriétaire de deux caniches.

Marc avait préféré ne pas laisser Cookie en tête-à-tête dans la voiture avec Mana, le dogo grognon, qui n'avait pas cessé de grogner pendant la route. Cookie s'était tenu serré contre Marc, tremblant. A deux reprises, Marc avait caressé Mana. Le dogue s'était aussitôt calmé. Sans doute ce grondement quasi perpétuel n'était qu'une habitude sans signification, comme avait dit John Joseph, mais mieux valait ne pas prendre de risque.

— D'où sort ce trésor ?

— C'est un cadeau d'anniversaire pour une amie, dit Marc. Comment vous le trouvez ?

— Très joli. Très très joli. (La voix de mademoiselle André vibrait d'admiration sincère.) C'est un des plus jolis westies que j'ai vus. Et croyez-moi, je m'y connais. J'en ai même eu un, quand j'étais plus jeune. C'est mon chien préféré après le caniche. Tiens, il va faire un orage.

La dame aux cheveux violets s'était un peu trémoussée au niveau du torse, puis avait déclaré qu'il allait faire un orage.

— Vous croyez? dit Marc, sceptique. Il ne fait pas très chaud, le soleil brille...

— Je le sens. J'ai des douleurs entre les omoplates. Chaque fois que j'ai des douleurs entre les omoplates, il y a un orage.

— Vous nous aviez caché ça? Pas les douleurs, les prévisions météorologiques qu'elles vous inspiraient. Ce sera vers quelle heure?

— Vous vous moquez de moi, hein? Dans pas longtemps. Une heure, deux heures... Regardez, on voit déjà les nuages.

Marc s'approcha de la fenêtre. Cookie aussi, il se dressa sur ses pattes arrière.

C'était vrai. Il y avait au loin de gros nuages dans le ciel, et ils arrivaient à grande allure sur Paris.


— Spectaculaire, dit Michel Zyto, un verre de jus de raisin à la main. Trois heures après, j'ai commencé à avoir moins mal. Si vous saviez comme je vous remercie!

L'efficacité du Maktarin, qui avait fait battre en retraite ses champignons digestifs, le mettait en joie. Mais il était heureux aussi de revoir Marc. Et heureux de sa sollicitude. Marc aurait pu passer un simple coup de fil, non, il était venu, deux visites dans la même journée.

Hélas, dès demain...

— Vous partez en vacances?

Ce long mois d'août à venir inquiétait Zyto. Marc lui manquerait. Et lui, manquerait-il à Marc? Il éprouvait une sorte de jalousie.

En tant que psychothérapeute, Marc était d'une souplesse théorique absolue. Il accordait du prix aux résultats immédiats et, dès son deuxième entretien avec Michel Zyto, il avait estimé que son nouveau patient avait besoin d'un rapport de type amical avec son thérapeute. C'était contraire aux règles, peut-être dangereux, mais il avait décidé de prendre le risque. Zyto devait éprouver qu'un lien affectif pouvait se créer entre lui et quelqu'un qui ne soit pas une femme, donc une mère, se rendre compte que des hommes existaient autres que son père inexistant, et que des contacts profonds avec eux pouvaient le protéger des femmes – autrement dit, pouvaient émousser sa formidable haine contre elles.

A la question de Michel Zyto, Marc répondit non, très naturellement, comme il avait répondu naturellement à tant de questions de son protégé sur sa famille, sa maison, ses amis, sa vie en général. Il contribuait ainsi à lui donner l'impression d'être un homme à part entière, un égal, un interlocuteur dont il était légitime de satisfaire la curiosité.

Une autre question, non formulée celle-là, pesa aussitôt dans la pièce.

— Je vais me reposer chez moi, à Versailles. Je suis surmené. Mais j'aurai l'occasion de repasser au Centre, je viendrai vous voir et prendre de vos nouvelles.

— Ça me fera très plaisir, dit Michel Zyto.

Rien en effet ne pouvait lui faire autant plaisir. Il ne chercha pas à cacher son soulagement.

— J'ai même pensé que nous pourrions sortir un peu. C'était une réussite, la dernière fois.

— Oui. J'ai très envie de recommencer.

— Vous verrez ma nouvelle voiture, le 4 x 4 dont je

vous ai parlé. Et la radio. Quatre haut-parleurs de quarante-cinq watts.

Jamais Marc n'était allé aussi loin dans le genre « copain ».

— Ça me fera très plaisir, répéta Michel Zyto.

Il ne savait que dire d'autre. Quelqu'un s'occupait de lui, le protégeait, l'aidait, quelqu'un qui n'était pas sa mère, qui n'était pas non plus un infirmier d'une amabilité affectée, une seringue de tranquillisants à la main, quelqu'un qui l'aimait sans arrière-pensée.

Il but avec délectation, reposa son verre sur la table, à côté du livre qu'il lisait en ce moment, *Le Comte de Monte-Cristo*, et à côté du téléphone.

Marc était dans l'annuaire. Mais il ne lui avait jamais donné son numéro. Zyto ne lui en voulait pas, bien sûr, c'était normal. Le lui donnerait-il un jour ? Quelle marque de confiance ce serait !

La première longue étape du travail psychologique de Marc avec Michel Zyto était terminée. Le « tueur maison » allait bien. Tel qu'il était aujourd'hui, il n'aurait agressé personne. Nouer avec une femme un rapport physique et affectif convenable, c'était une autre histoire. Mais en tout cas il ne l'aurait pas transformée en passoire à l'aide du premier couteau venu. N'importe quel expert psychiatre, le soumettant aux questions et tests habituels, l'aurait trouvé normal, mis à part les symptômes d'hyponcondrie encore excessifs.

La « méthode » de Marc avait pour l'instant fait merveille.

Et maintenant ? Maintenant, d'autres problèmes se posaient, des problèmes virtuels, mais il fallait être très prudent. Le premier, Marc l'avait déjà évoqué avec Hugues d'Oléons : comment modifier l'attachement de Zyto pour Marc, la fixation, le transfert particulier qu'il avait fait sur lui, comment empêcher le début de « maternisation » de Marc par Zyto ?

Sans doute par sa libération, sa réinsertion progressive dans la vie active – à supposer qu'il le désire, ce qui ne semblait guère être le cas. Le couver à Stéphen-Mornay avait de moins en moins de sens, on risquait même de perdre une partie du bénéfice acquis. Il pourrait revenir au Centre deux ou trois fois par semaine, par exemple pour une tentative de psychanalyse.

Le faire sortir.

Ce qui soulevait le deuxième problème : Michel Zyto était guéri, mais que signifiait la guérison dans son cas ? Une rechute était-elle possible, dans combien de temps et dans quelles circonstances particulières, que personne ne pouvait prévoir ?

Dieu seul le savait. Dieu, et peut-être Marc, bientôt. Si son expérience réussissait...

Troisème problème, à l'usage particulier de Marc : le docteur Lacroix n'était-il pas coupable d'avoir gardé secrète la préparation de cette expérience ? Pourquoi cette attitude ? Les bonnes raisons ne lui manquaient pas. Le milieu scientifique est souvent sans pitié pour la nouveauté, l'originalité, l'invention véritable et radicale, et le chercheur ambitieux a parfois intérêt à se tenir à l'écart. Mais les mauvaises raisons ne manquaient pas non plus : l'orgueil, un orgueil démesuré, fou, devenir un des grands noms de la science, à l'égal de Pasteur, d'Einstein, un plus grand nom encore... Et cela au prix d'une expérimentation humaine, dont Marc était certain qu'elle était sans danger – mais un homme seul avait-il le droit de prendre ce genre de décision ?

De plus, une question le torturait maintenant que l'heure de l'expérience approchait : par son attitude de séduction amicale à l'égard de Zyto, n'avait-il pas cherché à faire de lui un sujet consentant, à qui il ne viendrait pas à l'idée de refuser ? Et même cette visite, cet après-midi, alors qu'un simple coup de fil aurait suffi...

71

Non. Question torturante, mais en toute bonne foi Marc pouvait répondre non. Expérience ou pas, son attitude de thérapeute n'aurait pas été différente.

Que l'expérience réussisse. C'était sa grande idée, son obsession, le moteur de sa vie, l'espoir qui lui permettait de résister à ses peurs, de ne pas trop s'effrayer même de cette pointe de chair qui avait eu le mauvais goût de pousser sur son nerf acoustique.

Un calme apaisant régnait dans la pièce rose. Les arbustes du jardin, comme figés par le soleil, ne bougeaient pas une feuille. Un orage ! La vieille était folle, avec ses omoplates.

Zyto savourait son jus de raisin. Marc se vit soudain à sa place, loin des soucis, protégé de tous côtés, à la moindre difficulté on appuie sur une sonnette et quelqu'un accourt, le docteur Marc Lacroix lui-même...

Puis cette vision lui fit horreur, elle s'évanouit, il la chassa.

Michel Zyto enviait aussi Marc, en cette veille de vacances. Mais lui ne chassait pas les images que cette envie suscitait, au contraire. Il pensait que Marc allait rejoindre sa femme et son fils et ne pas les quitter de journées entières, qu'il allait voir des amis, prendre du bon temps, rouler mille kilomètres en voiture s'il le souhaitait, faire tout ce qui lui passait par la tête, connaître toutes sortes de plaisirs.

Il se sentit étouffé par un accès de jalousie.

Cette jalousie, cette espèce de jalousie n'était pas nouvelle. Mais aujourd'hui elle le transperça avec une violence meurtrière – une violence qui le tuait, ou lui donnait envie de tuer. De tuer Marc. De le frapper, de l'étrangler, de se venger de l'injustice du sort qui l'avait mis dans la peau d'un misérable. Ou qui lui donnait envie de se tuer lui-même, par dépit contre cette même injustice.

Ce fut dans son esprit un moment de confusion totale,

destructrice, mais un moment si bref qu'il en eut à peine conscience, qu'il en garda à peine le souvenir, comme une douleur terrible qui s'en va aussitôt, on ouvre la bouche pour crier mais déjà la douleur est partie, et on ne crie même pas.

Il était bien, ici, avec Marc, qui allait revenir le voir malgré les vacances.

Ils se sourirent. Cette fois, Marc ne baissa pas les yeux.

# 11

Pendant les trois premières années de leur mariage, Marc et Marie Lacroix avaient vécu chez les parents de Marc à Louveciennes. Les deux couples habitaient, au bout de la rue du Général-Leclerc, une vaste et luxueuse demeure de deux étages. Entièrement construite en bois, toute brillante d'épais vernis, avec des balcons sculptés comme de la dentelle, la maison ressemblait à un bijou. André Lacroix, le père de Marc, consacrait à son entretien une partie notable de son temps, et beaucoup d'argent.

La vie commune n'avait posé aucun problème jusqu'à la naissance de Léonard. Certes, Gertrude n'aimait guère Marie et ne lui témoignait pas une affection débordante : un exemple de plus de la bonne vieille animosité qui dresse la mère de l'époux contre celle qui lui a succédé auprès de son fils. Mais rien de pénible pour Marie, et, dans d'aussi grands espaces, on ne se gênait pas. Le jeune couple sortait beaucoup le soir. La journée, Marc avait du travail, Marie continuait de suivre des cours à la fac. Souvent, ils se donnaient rendez-vous dans Paris en fin d'après-midi et rentraient ensemble à Louveciennes, où ils dînaient seuls au deuxième étage, alors que les parents étaient devant la télévision ou déjà couchés.

Les choses s'étaient gâtées quand Léonard était venu au monde. Gertrude avait soudain manifesté des tendances agressives et possessives, connues de Marc, mais dont il ne soupçonnait pas la virulence souterraine. Possessive à l'égard de Marc, qui lui échappait en tant qu'enfant, puisqu'il devenait père lui-même, agressive à l'égard de Marie, l'intruse, la voleuse – et, ce qui était plus grave, agressive à l'égard du bébé. Gertrude Lacroix leur avait rendu la vie impossible. Paradoxalement, elle voulait toujours Léonard avec elle, elle s'en occupait sans cesse, une façon pour elle d'exercer une domination, d'empêcher la plus grande union du couple qu'aurait dû entraîner la naissance d'un enfant, de maintenir un état passé en leur enlevant pour ainsi dire le petit.

Marie décida de déménager. Marc fut d'accord. Mais survint une petite catastrophe : André Lacroix mourut. Alors que Gertrude était atteinte de plusieurs maladies sérieuses, ce fut lui, en pleine santé et en pleine forme, qui partit le premier, victime d'une attaque cérébrale (aggravée d'une chute : il se trouvait alors au sommet d'une échelle, occupé à revernir les plus hautes balustrades de la maison côté jardin, et il tomba de deux étages, mourant peut-être pendant le trajet).

Les trois mois qui suivirent furent infernaux. Gertrude vivait pratiquement avec eux. Il n'était pas question de la laisser seule. Marc était malheureux et embarrassé, une vieille culpabilité dont il se croyait affranchi à tout jamais se réveillait en lui. Il se sentait tiraillé entre sa femme et sa mère. Il terminait alors son analyse didactique avec Martin Vérapoutsimila, auquel bien entendu il parla de la situation. Mais le vieux maître de la rue des Arquebusiers avait lui-même les pires ennuis avec sa propre belle-mère pourtant centenaire. Sachant combien de tels problèmes résistent aux efforts les plus farouches de l'esprit humain, il opposa à Marc le mutisme et l'impassibilité de minéral qui l'avaient rendu célèbre dans le milieu psychanalytique.

Bref, une crise de diabète eut raison de Gertrude trois mois plus tard, tout rentra dans l'ordre et les Lacroix allèrent aussitôt habiter Paris, dans une impasse du XVI$^e$ arrondissement. Marie n'aurait pu passer un mois de plus à Louveciennes. Elle n'y retourna d'ailleurs plus, à de rares exceptions près, et Léonard fut coupé de sa maison natale. On lui expliqua plus tard que sa mère y avait de très mauvais souvenirs. Quels souvenirs, on ne le lui disait pas, et la phrase demeura mystérieuse pour lui.

Marc hérita de la maison. Bien entendu, il ne la vendit pas. Il n'avait pas besoin d'argent. Et il y était attaché pour des raisons sentimentales. C'était sa maison natale, la maison de son enfance. Il eut à cœur de la conserver dans l'état de bijou où l'avait laissée son père, et la fit entretenir comme il convenait.

Un jour, peut-être, Léonard y vivrait.

De plus, elle comportait un sous-sol de quatre-vingt-dix mètres carrés, déjà aménagé par André Lacroix à des fins scientifiques, dont Marc avait fait son laboratoire secret.

André Lacroix, un homme maigre, petit (Marc mesurait exactement quinze centimètres de plus que lui), doux de caractère, très effacé dans la vie courante, avait été un chercheur assez connu en physique et en informatique, avant de se consacrer à la direction d'une usine de produits pharmaceutiques. Dans les dernières années de sa vie, le goût de la recherche l'avait repris. Il s'était mis à travailler deux ou trois heures par jour dans son sous-sol. Il avait tenté, en vain, de mettre au point une sorte de mouvement perpétuel, presque perpétuel, puisqu'une simple pression du doigt tous

76

les vingt-six jours aurait dû suffire à assurer le fonctionnement du mécanisme. Surtout, il avait modifié un ordinateur déjà complexe de manière à lui donner la possibilité de traiter des informations inhabituelles, voire fantaisistes, non dans leur contenu, mais dans la forme sous laquelle on lui offrait ces informations, par exemple en l'associant à d'autres appareils de type tout différent, électriques ou électromagnétiques. Là non plus, pas de résultats probants. Mais il avait exercé son esprit créatif dans une direction qui avait passionné Marc, dans laquelle celui-ci s'était engagé à son tour – et dans laquelle il s'était engagé, lui, avec un plein succès.

Il avait réaménagé le sous-sol à sa convenance, électricité (la puissance dont il allait avoir besoin en kilowatts était considérable), climatisation, système de fermeture. Il avait conservé une partie du matériel en place, s'était débarrassé du reste et avait acquis de nouveaux appareils, en particulier un ordinateur Umay 12, le dernier de la série des Umay, splendide objet d'un autre monde, simple, cylindrique, brillant, d'où curieusement s'échappaient lorsqu'il était en activité de petites fumées grises toutes bêtes.

Marc avait donc travaillé en secret. Parfois, il disait à Marie qu'il avait fait un saut à Louveciennes pour vérifier l'état de la maison, parfois il ne disait rien. A quelques reprises, Marie n'avait pas réussi à joindre Marc en des lieux où elle savait qu'il devait être, mais il avait toujours été facile à Marc de donner des explications après coup. Quant aux gens de Louveciennes, rien de plus normal qu'ils aperçoivent à l'occasion le docteur Lacroix se rendre dans la maison de ses parents. Il aurait fallu une surveillance étroite et durable pour avoir des soupçons. D'ailleurs, soupçonner quoi ? Que Marc avait un laboratoire personnel ?

Il avait joui d'une parfaite tranquillité. En quelques années, il avait conçu, réalisé et mis au point une machine qui devait faire date dans l'histoire de la science.

# 12

L'expérience décisive était toute proche. Le cœur de Marc battait à une vitesse folle, ses mains tremblaient. Il s'en rendait compte quand sa main droite lâchait le volant pour empoigner le levier de vitesses.

La maison des Lacroix était la dernière de l'interminable rue du Général-Leclerc, au 101, isolée du reste du village. Elle tournait le dos à la rue. Comme d'habitude, Marc entra dans le parc et se gara devant le perron. Ainsi, la voiture était invisible de la rue.

La façade, une curiosité artisanale, donnait sur un parc de douze mille mètres carrés avec au milieu un étang entouré de saules. Marc descendit du Nissan Terrano, tenant Cookie sous le bras et Mana en laisse. Les poches de sa veste étaient bourrées de sucres. Il respira à fond plusieurs fois, pour calmer son cœur. Les deux chiens étaient dociles et le suivaient sans difficulté, Cookie par gentillesse naturelle, Mana par une sorte d'indifférence hautaine.

Les nuages avaient cessé de filer, ils pesaient sur Paris et sa région. Le ciel avait pris une teinte gris foncé. La température avait baissé de quelques degrés en une demi-heure. Les omoplates de Mademoiselle André auraient-elles vu juste ?

Encore une inspiration profonde, une tendre injonction aux bêtes, et Marc, faisant cliqueter l'énorme trousseau de clés qui déformait toutes ses poches droites de vestes, pénétra dans la maison de bois.

Il descendit l'escalier de la cave.

Il se trouva devant une porte en bois qu'il ouvrit avec une grosse clé, après avoir posé Cookie derrière lui et l'avoir embrassé en plein sur le museau.

Derrière la porte en bois, à une vingtaine de centimètres, une autre porte, en lourd métal celle-là. Sur le côté, entre les deux portes, à hauteur d'homme, un clavier électronique avec chiffres et lettres.

— Tout va aller bien, hein, les chiens ? Après, Mana ira dans une pension pour toutous où il sera traité comme un roi, hein, corniaud ? Et petit Cookie ira chez cette grande maquillée de Marie-Thérèse. Marie-Thérèse Cazanvielh. Hein, petit Cookie toutou ?

Marc s'exprima avec une telle douceur, une bienveillance si évidemment sincère que Mana lui-même en fut impressionné et que sa queue dévia de plusieurs millimètres de son axe habituel, signe chez lui d'un intense élan amical.

A.2.B.3.4.

La lourde porte coulissa sans bruit, elle sembla disparaître dans le mur.

Marc manœuvra un interrupteur sur sa droite. L'immense sous-sol s'illumina.

Ils entrèrent. Il appuya sur un bouton. La porte se referma derrière eux.

Marc avait hérité de son père le goût du bois. Il était passionné par les techniques modernes, et séduit par la beauté fonctionnelle et sophistiquée des appareils qui incarnaient ces techniques. Mais il les avait sous les yeux à longueur d'année, et, dans son laboratoire, il avait voulu comme son père avant lui que le bois prédomine, le bois, matériau primitif, riche, noble, chaleureux, humain. Quand on pénétrait dans le sous-sol, on était frappé par les boiseries claires qui garnissaient les murs, par la solide cloison de chêne plus foncé qui divisait la pièce en deux parties, par deux belles cabines, également de chêne foncé, collées à la cloison. Ces deux cabines, identiques, distantes l'une de l'autre de deux mètres environ, ouvertes sur un côté, se faisaient face par ce côté ouvert. On les voyait donc de profil en entrant, et de chacune d'elles dépassaient légèrement des pieds de fauteuil galbés.

Dans l'angle à droite de la porte d'entrée, quelques mètres carrés avaient été aménagés pour la détente, le repos : deux fauteuils de chaque côté d'une table ronde, un petit placard, un petit réfrigérateur lui-même recouvert de plaques de bois, un petit meuble début de siècle qui était en réalité une pharmacie contenant divers produits tranquillisants. Un lavabo, des serviettes.

Au-dessus du lavabo, à gauche de la glace, on remarquait une aquarelle fixée au mur. C'était un autoportrait de Marc jeune, très reconnaissable, son visage mince, son regard intense, un petit tableau bien dessiné, bien peint, dans des couleurs où dominaient le bleu et le gris. Entre quatorze et dix-neuf ans, Marc s'était adonné avec passion à la peinture et au dessin. Puis il avait renoncé à cette activité du jour au lendemain. Il n'avait conservé de sa production que cet autoportrait. Le reste, il l'avait jeté.

Le sol était recouvert d'une épaisse moquette marron.

Outre des raisons esthétiques, une autre considération avait déterminé les choix décoratifs de Marc : ici aurait lieu une expérience – bientôt, le plus vite possible, demain si tout allait bien ! – une expérience portant sur des hommes, sur leurs cerveaux – portant sur lui-même, Marc, et sur Michel Zyto – et il était bon que le lieu soit accueillant, confortable, apaisant.

Derrière la cloison se trouvait la machine de Marc, l'œuvre de sa vie.

On accédait à cette espèce de double fond du laboratoire, un tiers environ de la surface totale, par une porte située à l'extrémité droite de la cloison de chêne.

Un froid et une semi-obscurité obligatoires régnaient.

Là étaient réunis les appareils luisant dans l'ombre, l'imposant Umay 12, deux ordinateurs Cray 6 moins volumineux pilotant deux aimants supraconducteurs de grande puissance, deux appareils destinés à enregistrer l'activité cérébrale au repos et à la suite de divers stimuli électromagnétiques, et quantité d'autres appareils plus petits mais impressionnants de complexité apparente. On aurait dit un bric-à-brac de grenier, mais du grenier d'un habitant d'une planète lointaine, un rassemblement d'objets incompréhensibles, inutiles, mis au rebut – et non le cerveau que Marc avait conçu, magnifiquement organisé, un cerveau supérieur capable de gérer le fonctionnement d'autres cerveaux.

Les deux cabines étaient parfaitement symétriques par leur forme, leurs dimensions et leur contenu, d'ailleurs réduit : un fauteuil, un brassard fixé à l'extrémité de deux gros fils sortant de la cloison. Et, au-dessus des fauteuils, donc de la tête du sujet qui y serait installé, la cabine se rétrécissait en forme d'ogive d'un métal presque blanc. On aurait dit l'intérieur d'un gigantesque obus.

Et c'était tout, dans cette partie du sous-sol. Aucun branchement n'était visible.

Entre les cabines, sur la cloison, apparaissaient six petits cadrans superposés en deux rangées de trois. Chaque cadran était surmonté d'un voyant circulaire lui correspondant. Les cadrans 1, 2 et 3 étaient en liaison avec la cabine de droite (et concerneraient le petit et joli cerveau de Cookie), les 4, 5 et 6 avec la cabine de gauche.

Seule exception à la symétrie : dans la cabine de droite, dépassant de la cloison de chêne à droite du fauteuil, trois longs boutons noirs eux-mêmes surmontés de voyants.

L'ensemble, cabines et salle des appareils, constituait un système complexe et révolutionnaire de manipulation du cerveau dans ses manifestations les plus scientifiquement mesurables, système que Marc avait appelé provisoirement – mais il savait qu'il aurait du mal à trouver un autre nom, maintenant qu'il y était habitué – « psycho-ordinateur ».

Une fois refermée la porte coulissante, les chiens commencèrent à montrer des signes de légère inquiétude chacun selon son tempérament, Cookie en couinant et donnant de petits coups de patte dans le vide, le dogue argentin en émettant des grognements de ménagerie à l'heure du repas, sans hostilité déclarée contre Marc cependant.

Marc leur donna du sucre et s'apprêta à mener l'expérience le plus vite possible. Lui-même tremblait comme une feuille.

Il commença par Mana. A l'aide de sucre, de caresses et d'un flot ininterrompu de paroles douces, il le fit monter et asseoir sur le fauteuil de la cabine de gauche, puis lui passa le brassard autour du cou. Le dogo avait l'habitude des colliers, et, sur le point de l'obéissance tout au moins, John Joseph n'avait pas menti : le chien ne broncha pas, il avait même l'air plutôt content, son vrombissement d'escadrille au décollage diminua de moitié, il bâilla et s'installa mieux sur le fauteuil. A Cookie, maintenant, qui lui se serait bien laissé scotcher au plafond par les oreilles sans manifester la moindre révolte. Tout en l'installant, Marc continuait de surveiller Mana, de lui débiter des gentillesses parmi lesquelles il glissait parfois une insulte ordurière. Ça l'amusait et le détendait un peu.

Tout était prêt.

Il s'assit entre les deux chiens et appuya sur le premier bouton. Le voyant correspondant s'alluma en rouge. Un léger ronronnement se fit entendre, venant de derrière la cloison.

L'incroyable aventure commençait.

Il s'agissait d'abord d'analyser ce que Cookie et Mana « avaient dans la tête », ce qui était comme stocké dans la matière cérébrale, selon deux modes : le premier sous forme de concentrations de certaines espèces moléculaires dans certaines cellules cérébrales, le second sous la forme de la « facilitation » du passage de l'influx nerveux dans des circuits neuronaux fréquemment utilisés. Les cadrans 1 et 4 s'allumèrent, trois lignes lumineuses orange apparurent, s'allongèrent, se raccourcirent, s'allongèrent à nouveau, indiquant que l'analyse, effectuée par spectroscopie multinucléaire de résonance magnétique nucléaire, se déroulait. Les ogives de métal dirigeaient sur le crâne des deux bêtes un champ magnétique de plusieurs teslas, et, derrière la cloison, sous le contrôle général du tout-puissant Umay 12, un petit ordinateur Cray 6 réalisait une sorte de cartographie tridimensionnelle minutieuse de la matière cérébrale, chaque type de molécule présentant des résonances pour des fréquences déterminées de rayonnement électromagnétique, ce qui permettait de les différencier.

Après encore quelques modifications de longueur plus ou moins spasmodiques, les lignes orange se stabilisèrent au même moment, et à ce moment précis les voyants correspondant aux cadrans 1 et 4 s'allumèrent en orange.

Fin de la première partie.

Les deux chiens restaient calmes. Marc était généreux

en sucre. Il était parvenu à les maintenir dans l'immobilité que l'analyse par R.M.N. exigeait. Il s'en réjouit, il évitait ainsi le retard et les petites difficultés qu'auraient entraînés l'usage de tranquillisants.

Dès les voyants orange allumés, les cadrans 2 et 5 s'éclairèrent à leur tour et s'animèrent de deux lignes lumineuses marron clair, signe du déroulement de la deuxième phase, la plus simple. Des électrodes placées à l'intérieur des brassards transmettaient des stimuli électromagnétiques (non seulement indolores, mais à peine perceptibles, l'équivalent d'une chatouille) qui permettaient d'enregistrer l'activité cérébrale des deux chiens, de manière à reconstituer pour chacun ses circuits neuronaux préférentiels.

Marc ne cessait de les caresser, de leur parler, de les gaver de sucre. Cookie et Mana étaient en train de comprendre que s'ils étaient sages, ils allaient pouvoir assouvir jusqu'à la béatitude la gourmandise propre à leur espèce canine.

Stabilisation simultanée des deux lignes marron, éclairage simultané des voyants les surmontant...

Et déclenchement immédiat de la brève troisième phase – la plus délicate, la plus incertaine, celle qui échappait à la pure technique, celle qui allait vérifier le bien-fondé de l'hypothèse créatrice de Marc, ou révéler son caractère de spéculation toute théorique, illusoire, folle –, apparition de quatre lignes bleues sur les cadrans 3 et 6.

Le plus important, le plus extraordinaire, le plus incroyable commençait peut-être à s'accomplir. Le deuxième aimant supraconducteur – était-ce encore un aimant ? Marc le nommait pour l'instant N.F.B. –, piloté par les deux Cray 6, le tout continuant d'obéir à la lettre au programme implacable de l'Umay 12, ce deuxième appareil électro-magnétique entra en action. Il modifiait radicalement les fonctions des ogives métalliques au-dessus du crâne des chiens et des brassards fixés à leur cou : si tout se déroulait comme prévu, un peu de Cookie allait passer dans Mana, et un peu de Mana dans Cookie. Ils allaient échanger un peu de leur « substance psychique », de ce qui faisait d'eux des êtres irréductiblement uniques. C'est cet « irréductiblement » que Marc avait voulu mettre en échec en concevant ce nouvel appareil. Si l'Umay 12 était comme le cerveau de la machine dans son ensemble, le N.F.B. en était l'âme.

Empiriquement, sans précision ni contrôle scientifique de fonctionnement, on sait depuis longtemps capter ce qu'on peut appeler la substance psychique d'un individu – influx nerveux, influx vital –, la capter, la dériver hors de lui et comme la lui extirper : un hypnotiseur en est capable, jusqu'à un certain point et d'une certaine manière. Ce que Marc avait dû imaginer, c'était un appareil susceptible d'accomplir le plus scientifiquement possible une opération du même type, de recevoir et d'emmagasiner cet influx, qui est comme la résultante bioélectrique de toutes les forces à l'œuvre dans les circuits neuronaux, elles-mêmes expression de notre personnalité la plus intime, tant nos virtualités génétiques que l'ensemble acquis des expériences vécues par notre système nerveux central. Un tel appareil était théoriquement concevable, et pratiquement réalisable, excepté une redoutable complexité de fabrication et de mise au point, excepté surtout la nécessité de l'invention d'un alliage magnétique dont les performances seraient sans commune mesure avec celles des alliages existant déjà. Faute de quoi l'appareil était voué d'avance à un rendement réduit, donc à des résultats inutilisables.

La complexité n'effrayait pas Marc. Il avait le temps, la compétence, la rage de réussir. L'invention de l'alliage ne l'arrêta pas non plus. Après un mois et demi de réflexion et quatre mois de tâtonnements, d'essais vite interrompus, de semi-échecs et d'échecs immédiats et flagrants, il eut une inspiration géniale, son « euréka » à lui. Une analyse informatique exhaustive de la structure des aimants l'amena à mettre au point un alliage à base de néodynium-fer-bore, matériau jusqu'alors destiné à des applications plus ou moins secrètes, par exemple aérospatiales. Il obtint un alliage magnétique à haut rendement produisant une énergie de trois à quatre mille fois supérieure à celle de la traditionnelle ferrite. Une telle différence de quantité déterminait une différence de qualité, de nature même de l'objet. L'appellation d'aimant supraconducteur devenait caduque, et Marc dénomma simplement cette pièce maîtresse de son psycho-ordinateur « N.F.B. », de néodynium-fer-bore. (Presque tous les noms étaient provisoires, il s'était dit qu'il choisirait des noms définitifs après la réussite.)

Il dut alors affronter deux nouveaux problèmes techniques capitaux. Le premier concernait ce que Marc, autant philosophe que savant (et autant artiste que philosophe) avait pris l'habitude d'entendre par « substance psychique » : quelque chose qui n'était pas la matière, qui n'était pas non plus l'âme, mais qui aurait manqué à un esprit pur, à une quelconque déité – quelque chose qui n'était pas sans rapport avec cette espèce de corporéité positive que le théologien allemand Jakob Böhme nommait justement *Wesen,* substance, et qui définit l'homme, l'être véritable. Or, cette substance, même si elle conservait en tant qu'influx nerveux une force qui permettait à Marc d'en apprivoiser une partie suffisante, perdait ses caractéristiques spécifiques hors du cerveau qui la produisait, l'émettait, l'exhalait. Elle n'était plus alors qu'une force sans contenu, un influx vide, elle devenait inutilisable. D'où la nécessité d'une combinaison originale, nouvelle, entre le N.F.B. et un ordinateur Cray 6, combinaison capable de lui redonner ses structures et son contenu de départ (en fonction donc du relevé cérébral assuré

86

par les phases 1 et 2 de l'expérience), capable ensuite de la renvoyer ainsi reconstituée par les mêmes voies électromagnétiques dans le cerveau d'un sujet numéro deux, puisque tel était le grand projet de Marc. A la suite de ces diverses manœuvres, la déperdition resterait forcément importante, c'est une petite part de l'«être » seulement qui serait transmise, une image cérébrale atténuée qui circulerait – atténuée mais complète, et fidèle à l'original.

C'est à ce stade de ses recherches que Marc avait appelé l'ensemble de son installation « psycho-ordinateur ».

Le deuxième problème, Marc en triompha par la ruse.

Chaque individu gère son énergie psychique de la même manière que ses efforts physiques, il la dépense ou l'économise en fonction d'un équilibre à conserver. Cet équilibre est indispensable, et s'exerce de façon quasi automatique. Qu'une machine extérieure à la personne, en l'occurrence le N.F.B., s'empare de cette énergie, l'accumule et l'utilise selon ses propres besoins présentait un danger pour l'équilibre cérébral, aussi bien pour le sujet « receveur » que pour le sujet « donneur ».

Cette difficulté était imparable en elle-même. Il fallait biaiser. Et Marc eut l'idée d'une solution logique, simple dans son principe : il suffisait que chacun des deux sujets de l'expérience soit à la fois donneur et receveur, il fallait qu'il y ait transfert dans les deux sens, il fallait qu'au moment précis où un peu de Cookie serait en route vers Mana par les chemins tortueux du psycho-ordinateur, un peu de Mana effectue symétriquement le trajet inverse... C'est pourquoi Marc n'avait pu réaliser sa machine que sous une forme absolument symétrique, et son expérience sur le mode de l'échange le plus rigoureux, qui laisserait à chacun pour ainsi dire sa quantité d'être originelle. Il n'y aurait alors aucun risque de déperdition ou d'accumulation perturbatrices. Pendant quelques instants, le temps de l'observation pour l'expérimentateur, Cookie serait Cookie moins un peu de Cookie plus un peu de Mana, et le dogo subirait une modification analogue.

Un tel transfert présenterait-il un inconvénient lorsque les deux sujets seraient Marc lui-même et Michel Zyto ? Aucun, Marc en était sûr. Au contraire, pour l'un et pour l'autre.

Marc aurait pour ainsi dire deux postes d'observation, dans son cerveau et dans celui de Zyto. Et il n'en atteindrait que mieux le but qu'il s'était fixé au départ, et qui l'obsédait depuis des années : ses facultés d'observation et de compréhension du sujet, de sa mémoire, de son présent, de ses projets s'exerceraient sans médiation aucune, donc sans interprétation, toujours hasardeuse. Il le connaîtrait de pensée à pensée, leurs pensées seraient à la fois mêlées et distinctes, il serait l'autre tout en restant lui-même, sans chercher à modifier son comportement pendant le temps de l'expérience, mais « pour voir », simplement.

Et il verrait. Il saurait immédiatement et avec certitude si Michel Zyto était coupable ou non du meurtre de Marie Poterjnikoff. S'il avait l'intention de recommencer. Il saurait de l'intérieur comment fonctionnait son étouffant système psychopathologique, sa prison mentale. Il saurait peut-être même comment l'en délivrer, et non plus seulement, comme il l'avait fait jusqu'alors, ouvrir de pauvres bouches d'aération qui au mieux évitaient l'asphyxie du prisonnier, cette asphyxie qui l'avait parfois poussé à des actes de violence illusoirement libérateurs. Pendant quelques minutes, il serait un peu Michel Zyto, le temps qu'il lui faudrait pour tout voir, tout comprendre, tout savoir, tout changer peut-être.

Et Michel Zyto ferait symétriquement une expérience semblable, dont le caractère radicalement nouveau et frappant – se fondre à d'autres souvenirs, d'autres raisonnements, d'autres désirs que les siens – ne pourrait que lui être bénéfique.

Et, oui, Marc ne put s'empêcher de se le répéter encore, ce serait une date dans l'histoire de la science, l'une des plus importantes, peut-être la plus importante !

# 13

Les quatre lignes bleues frétillèrent – trop, et sans
s'allonger assez. Une agitation de mauvais augure, se dit
Marc aussitôt. Un frétillement de gardons jetés tout vifs dans
une poêle à frire. Un grouillement d'agonie.

Catastrophe ! Les lignes se tassèrent à gauche du cadran,
puis disparurent. Marc observa anxieusement les chiens,
guettant un changement d'attitude de leur part. La réussite de
l'expérience devait entraîner un changement. Libres de toute
contrainte et de tout souci d'ordre scientifique, les deux
toutous devaient s'étonner de nouveaux élans, de nouvelles
pulsions en eux, y céder, y résister, s'agiter, bref, une
modification visible et nette de leur comportement aurait été
le signe du succès. Mais Cookie continua de se lécher une
patte à la manière des chats, et Mana de grogneter, le regard
faussement absent. En fait, il attendait la suite des sucreries.

Et le voyant bleu resta éteint.

Raté. C'était raté !

La première idée qui vint à l'esprit de Marc fut qu'il ne
pourrait plus jamais faire l'amour avec Marianne.

Un immense découragement s'empara de lui, malgré l'espoir au fond que tout n'était pas forcément perdu.

Il se reprit. Il fallait que ça marche, il le fallait ! Peut-être avait-il oublié ou sous-estimé un facteur, peut-être n'avait-il pas assez tenu compte de... Non. Il avait pensé à tout. Il avait tenu compte de tout. Ça devait marcher. (Marc avait le visage terreux, et comme ridé par la concentration.) Ça devait marcher, mais peut-être que ça ne marchait pas à tous les coups. Voilà une idée intéressante. Pas à tous les coups, comme une séance d'hypnose, ou de prestidigitation (non, rien à voir), ou comme un souvenir qui parfois nous échappe, un mot qu'on a sur le bout de la langue, quelque chose de cet ordre... L'objet d'étude et d'expérience auquel se confrontait le psycho-ordinateur était si particulier, si ténu, si fragile...

Il fallait recommencer, tout de suite. Si Marc devait quitter le laboratoire sans avoir réussi... Il n'osait pas y penser. L'angoisse aurait sa peau en quelques mois. Personne ne pourrait rien pour lui. Même Marianne. Ni Marie, ni Léonard, personne.

Il réprima une violente envie de pleurer. Il se fourra deux sucres dans la bouche et les croqua. Les deux chiens tendirent le cou, jaloux, exactement comme s'ils n'avaient pas mangé de sucre depuis des jours et des semaines. Marc refit une distribution générale (c'est-à-dire qu'il ne s'oublia pas). Si ça durait, il allait tuer ses cobayes d'une manière unique dans les annales de la recherche scientifique, par indigestion sucrée.

Le deuxième des trois boutons de la « cabine Cookie » permettait d'arrêter l'expérience à tout moment. Le premier, de mise en marche, déclenchait aussi une remise en marche après un arrêt. Le troisième servait à revenir en arrière, à remettre les choses en l'état initial par inversion pure et simple de tous les circuits électromagnétiques, à annuler les effets de l'expérience – en un rien de temps Cookie serait redevenu Cookie et Mana Mana...

Mon Dieu, raté !

Marc se décida. Il appuya sur le premier bouton.

Rien, sinon le même frétillement vite interrompu des quatre lignes bleues.

La sueur de son front suivait la ligne des sourcils, descendait le long du visage, s'accumulait en gouttes sur ses joues.

Il appuya encore.

A cet instant, un formidable coup de tonnerre – comme Marc n'en avait entendu qu'à la montagne, et qui laissait supposer que la foudre n'avait pas dû tomber bien loin – un bref et déchirant craquement retentit. Les deux chiens se raidirent, se figèrent de frayeur, se mirent à trembler, le poil hérissé, puis s'apaisèrent très vite. Marc lui-même avait sursauté.

Vite, des sucres...

Son regard ne lâchait pas le cadran numéro trois. Les lignes s'allongèrent, se raccourcirent, cherchèrent leur place – la trouvèrent.

Le voyant bleu s'alluma.

Marc crut qu'il allait s'évanouir.

Réussi.

Il en eut la confirmation presque immédiate quand il déposa les sucres dans la bouche des chiens. Pourquoi ? Parce que Cookie, phénomène à la fois exaltant et un peu effrayant, émit après avoir reçu le sucre un grognement peu aimable, lui qui n'avait jamais dû grogner de sa brève existence. Et il ne regarda pas Marc avec exactement la même bonté, la même gratitude qu'auparavant, c'était certain, certain ! Quant à Mana, le changement fut encore plus net : le demi-monstre lisse, blanc et rougeâtre perdit durant quelques secondes son mépris pour le monde envi-

92

ronnant. Il tendit une patte vers Marc en une attitude timide, le regard brillant d'une tendresse, d'un étonnement, d'une attente d'affection qui avaient remplacé sa mimique « tête à claques » habituelle.

Ces changements s'atténuèrent, mais incontestablement les chiens restaient différents.

Marc prit plusieurs inspirations, essuya d'un geste rapide du bras la sueur qui inondait son visage. Réussi. Réussi, mais pourquoi ? Quelque phénomène d'électricité dans l'air, dû à l'orage ? Bien sûr que non. Il repoussa aussitôt cette idée d'un autre âge, bien qu'elle lui traversât l'esprit. La frayeur, en revanche, le choc provoqué par ce terrible coup de tonnerre, qui aurait apporté son aide simplette mais efficace au fonctionnement raffiné des appareils, Umay 12, Cray 6, aimant supraconducteur, N.F.B. ? Une émotion forte, la peur, qui avait peut-être dépolarisé les neurones (telle fut l'hypothèse de Marc), perméabilisé leurs membranes, permettant ainsi une meilleure circulation et assimilation de l'influx nerveux, donnant un coup de pouce ultime et décisif, trivial par rapport à la complexité de l'installation dans son ensemble, mais nécessaire à la réussite du transfert, de l'échange ?

Marc, exalté, le cœur battant à lui faire mal, appuya sur le troisième bouton. Le psycho-ordinateur récupéra aisément dans ses circuits ce qu'il avait si bien su capter et restructurer, comme domestiquer, et rendit son dû à chacun : en un instant le voyant bleu s'éteignit, les chiens redevinrent « normaux ». C'était prodigieux. Marc retint un rire de pure nervosité. Il appuya alors sur le premier bouton, pour une remise en marche, une relance de la dernière phase.

Même frétillement d'échec des lignes bleues. Rien. Plus rien ne se passait. Et s'il n'arrivait plus à reproduire...? Si, il allait y arriver ! Il avait confiance dans son hypothèse.

Une frayeur, une émotion forte : une douleur physique

jouerait-elle le même rôle ? Il donna deux sucres d'un coup à ses complices toujours dociles et se précipita dans la salle des appareils.

Pour la première fois depuis le début de ses travaux, et parce que l'incroyable venait de se passer, il fut lui-même impressionné par son psycho-ordinateur, par la série des appareils ronronnant, fumant et luisant, soudain mystérieux à ses propres yeux.

Il farfouilla dans les fils. Un simple branchement, dont se serait acquitté en un rien de temps l'électricien du coin – Marc exécuta le travail et revint en hâte près de Cookie et Mana.

Remise en marche. Troisième phase. Mais cette fois le bouton déclencha également une décharge électrique dans le cou des chiens, par l'intermédiaire du brassard, durant le temps de cette brève troisième phase. Une décharge douloureuse, mais supportable – Marc et Zyto auraient à la supporter –, un bref éclat de douleur, qui...

Réussi ! Qui eut le même effet que le coup de tonnerre, comme Marc l'avait imaginé, espéré, prévu. Réussi, et reproductible à volonté. Une émotion violente uniformisait les cerveaux des deux sujets, les rendait pour ainsi dire semblables. D'ailleurs, Marc avait écrit jadis un article où il envisageait la possibilité d'un tel phénomène. Il avait vu par hasard à la télévision la retransmission d'un concert de musique rock. Il avait horreur de cette musique, mais il avait été frappé par les jeunes gens des premiers rangs qui hurlaient, fascinés, hypnotisés, les yeux exorbités et fixés sur leurs idoles. A cet instant précis, avait écrit Marc, leurs cerveaux étaient théoriquement interchangeables. Les « fans» ne se seraient rendu compte de rien...

Une douleur, une émotion, une passion fortes. Ou le rire. Le fou rire, le vrai, qui envahit totalement le champ de la conscience et unit pendant un certain temps deux ou

94

plusieurs individus. Dans son excitation, Marc imagina la scène, Zyto et lui se projetant des films burlesques, secoués par le fou rire, le psycho-ordinateur en profitant pour échanger les cerveaux à volonté !

Il était malade d'excitation, de joie, d'impatience.

Il donna aux chiens ce qui lui restait de sucre au fond des poches.

Puis il se calma d'un coup. Il appuya à nouveau sur le troisième bouton. Il libéra les deux bêtes. Il alla au réfrigérateur et but sans s'arrêter plus d'une demi-bouteille de limonade. Une sorte de sérénité l'envahissait.

Quelque chose d'important, d'essentiel était changé, pour lui et pour le monde.


Rue Longue, à Neuilly. Il laissa Mana dans une pension pour chiens, plus luxueux n'était pas concevable, un quatre étoiles du genre. Il demanda au directeur, un homme aux oreilles dissymétriques et fripées, des oreilles de bâtard, de particulièrement soigner et bichonner le dogo. Bientôt, des photographes venus des quatre coins de la planète voudraient photographier Cookie et Mana.

Toujours à Neuilly, chez un pâtissier-traiteur qu'il connaissait, il acheta un sandwich au poisson (filet de limande) et à la mayonnaise maison, et le dévora de grand appétit.

Du jambon pour Cookie.

Et, caressant Cookie serré contre sa cuisse et lui racontant tout plein d'histoires, le moteur du Terrano réjouissant l'oreille par sa régularité parfaite, Marc rentra chez lui, chemin du Maréchal-ferrant, à six kilomètres du centre de Versailles.

Il avait hâte soudain de revoir sa femme et son fils.

# 14

— Un ouistiti ? dit Léonard, faussement naïf.

— Un westie, mon gros malin. Westie, w, e, s, t, i, e.

— Pourquoi tu l'as ramené du laboratoire ?

— Cadeau d'anniversaire pour Marie-Thérèse.

Marc serra son fils contre lui, lui caressa les cheveux, lui donna un petit coup de poing dans l'épaule, une petite tape sur la fesse, revint aux cheveux, cette fois il les lui ébouriffa. Il était plus excité que Léonard dans ses plus grands moments d'excitation.

Cookie attendait patiemment son tour, et son tour vint. Pendant que Marc suspendait sa veste de costume, Léonard s'accroupit, caressa le chien sur le dos, gentiment, sans plus. Mais Cookie était la bonté même. Il parut comblé, il remua la queue, tendit le museau vers Léonard, qui se releva.

— Tu n'as pas eu peur de l'orage ? dit Marc.

— Non, au contraire, c'était bien ! On a failli être dessous, on venait juste de rentrer de chez Martial.

Il allait parler du flipper, lorsque Marie arriva dans le vestibule. Le chien tourna la tête vers cette nouvelle personne. Quelle journée, quelle journée ! Ils étaient tous gentils, mais est-ce qu'il allait bientôt rentrer chez lui, retrouver sa maîtresse ?

Marie regarda le chien, Léonard, Marc à nouveau.

— Il s'appelle Cookie, dit Léonard. C'est un ouistiti.

— Le bourreau ramène ses victimes à la maison ? dit Marie en embrassant Marc.

Marc avait envie de hurler : « J'ai réussi, j'ai réussi ! », mais il préférait attendre la « vraie » expérience. Il préférait aller jusqu'au bout. C'était une décision qu'il avait prise dès le début de ses travaux.

Et il n'était pas mécontent de garder pour lui seul, durant quelques heures encore, sa joie et son secret.

— Tu veux rire ! Cookie était ravi de passer dans des champs magnétiques. Les teslas n'ont jamais fait de mal à personne. Ce trésor est devenu le chouchou du labo. Hein, Cookie ? Pas question de S.P.A. pour Cookie.

Marc parla de sa visite chez Germaine Halbronn, sans précision de date.

— Il serait trop malheureux, dans un chenil. J'ai cherché une solution, et j'ai trouvé. Tu devines ?

Marie grattait le chien dans le cou. Léonard attendait la réponse de sa mère : allait-elle deviner ?

— L'offrir à Marie-Thérèse, dit-elle sans hésiter.

— Bravo. Qu'est-ce que tu en penses ? Un westie d'un an à peine. C'est exactement ce qu'elle veut, non ?

— Pourquoi pas ? dit Marie en se relevant. Un chapeau et un chien, c'est bien, pour un anniversaire.

— Il ne faudra pas qu'elle se trompe, dit Léonard.

— Comment ça ? dit Marie.

— Le chapeau plein de poils et le ouistiti. Il ne faudra pas qu'elle se trompe, qu'elle se mette Cookie sur la tête et qu'elle donne de la viande hachée au chapeau.

Marc et Marie sourirent. Pour les plaisanteries et les

jeux de mots, Léonard était le digne héritier de son père.

— Ne te moque pas de Marie-Thérèse, dit Marie. Elle t'adore. Ils t'adorent tous les deux.

— Moi aussi, je les aime bien, dit Léonard, très sérieux. Si tu savais ce que j'ai envie de les voir ! On va vite manger et y aller, hein ?

Marc regarda sa femme d'un air interrogateur.

— Il les aime encore plus aujourd'hui que d'habitude, dit-elle. Figure-toi que Martial a acheté un vieux flipper, un des premiers importés en France. Remis à neuf, en état de marche. Cet après-midi, Léonard s'en est payé une tranche, comme dit ma mère. Et je ne voudrais pas me tromper, mais je crois que ce soir il a encore l'intention de faire quelques petites parties. Non, Léonard ?

— Si, maaaman. Quelques petites centaines de parties.

Il n'abrégeait pas « maman » en « m'man », il avait au contraire l'habitude d'étirer le premier « a », de traîner dessus.

Marie l'embrassa sur le front, caressa Cookie au passage et alla finir de préparer le dîner.

— Je lui donne un sucre ? dit Léonard.

— Non, pas de sucre, dit son père avec une certaine sévérité.

Demain, il ferait sa proposition à Zyto. Et Zyto dirait oui. Ce qui se passerait alors était incroyable. Par superstition, Marc avait peur de l'imaginer. Peur d'être en train de rêver tout éveillé. Et pourtant, cet après-midi, il n'avait pas rêvé, mon Dieu non! Il tendit le bras pour toucher Cookie, lové à côté de lui dans le canapé. Tant pis pour les poils sur le canapé. Le canapé avait toujours été interdit à Bébé, ainsi que les lits.

Marc se rendit compte qu'il n'avait rien entendu de *La*

*Frescobalda* de Frescobaldi. Il revint en arrière sur le disque compact grâce à la commande à distance. Les premières notes de la première des cinq petites parties de *La Frescobalda* retentirent à nouveau. Outre ses goûts habituels, Marc s'éprenait régulièrement d'un morceau de musique découvert plus ou moins par hasard et qu'il écoutait alors tous les jours dès son retour du travail. C'était un rite. Marie se moquait un peu de lui, elle parlait du « disque du mois ». De fait, la durée moyenne de ces amourettes était d'un mois. Ensuite, il en était beaucoup moins question, voire plus du tout, avec possibilité de rechutes néanmoins.

Ces jours-ci, il écoutait beaucoup l'*Aria* dite *La Frescobalda* de Girolamo Frescobaldi, jouée au clavecin par Rafael Puyana. Un des grands regrets de Marc était de n'avoir jamais fait de musique. Ses parents n'étaient pas mélomanes. Son père était insensible à la musique à un degré rare. Et Marc craignait bien que Léonard ne suivît le même chemin, pour ce qui était de la musique classique en tout cas.

Il but un peu de menthe-limonade.

Malgré l'heure, le ciel taché de rouge était encore bien visible par la baie vitrée. Quel orage ! Marc y repensait. Orage providentiel, coup de foudre béni !

Il entendit le pas précipité de Léonard dans l'escalier de bois.

Il avait de nouveau perdu le fil de l'*Aria*. Il ne remit pas au début.

A certains moments, il éprouvait une jubilation intérieure si forte qu'elle l'effrayait presque. Demain, demain...

La porte de la salle de séjour s'ouvrit doucement. Cookie dressa les oreilles. Léonard entra. Marc avait laissé sa main droite posée sur le cou du chien, il le gratouillait d'un mouvement incessant. Le chien était ravi. Et Léonard, tout de même un peu jaloux. Il s'assit et se serra contre son père.

— Qu'est-ce que c'est, des teslas ?

Marc pensa par automatisme : production d'un flux de 1 weber sur 1 m$^2$ par une induction uniforme.

— Un tesla, mon gros grand petit, un tesla, c'est une unité de mesure pour les champs magnétiques. Ça mesure ce qui se passe dans un champ magnétique, devant un aimant. Une unité de mesure. C'est comme les litres pour l'eau. Ou les kilos pour les patates.

— C'est rigolo, comme nom, tesla.

— C'est le nom d'un physicien. D'un savant yougoslave. Nicolas Tesla. Il a inventé plein de choses. C'est pour ça qu'on s'est servi de son nom pour désigner quelque chose d'important, pour lui rendre hommage.

— D'ac d'ac. Et kilo, c'était aussi un bonhomme ?

Fin de la *Courante*, dernière pièce de l'*Aria*.

Marc arrêta tout, lâcha Cookie, enlaça son fils.

— Tu m'accompagnes à la cave ? dit soudain Léonard.

— Oui, bien sûr. Pourquoi ?

— Je voudrais mes gants en cuir, tu sais, les vieux.

— Les tout usés ?

— Oui. C'est pour jouer au flipper, tout à l'heure.

— Tu as raison. Ça fera bien, des gants comme ça. Un vrai wouaillou.

Le jeu de mots n'était pas nouveau entre eux, mais il faisait toujours son petit effet.

— Tu veux que j'y aille et que je les rapporte ? dit Marc.

— Non, non. Je vais avec toi.

Le canapé siffla quand ils se levèrent. Ils passèrent dans le vestibule. Marc ouvrit une porte donnant sur un escalier. Il guettait Léonard du coin de l'œil. Il le trouva plus anxieux que d'habitude.

Tout enfant, Léonard avait réussi l'exploit de s'enfermer à clé dans la cave. Sa mère n'avait pas mis longtemps à le retrouver, mais il avait passé seul dans l'obscurité quelques minutes de peur panique, hurlant et se cognant aux murs, incapable de refaire jouer la clé, de découvrir l'interrupteur.

Quelques minutes de cauchemar qui avaient laissé leur trace.

Depuis cette période, la porte de la cave restait ouverte en permanence. Et, en plus de la clé suspendue dans le vestibule à côté d'autres clés, un double était dissimulé en bas, dans une cachette connue seulement de Léonard et de son père : si d'aventure les vampires parvenaient à les enfermer, ils sauraient comment s'échapper.

Léonard parlait volontiers de vampires quand il descendait à la cave. Il avait tout un jeu de petites histoires, qu'il racontait ou se racontait, dans lesquelles il finissait par triompher desdits vampires. Marc ne l'avait pas contrarié. Il estimait que la peur ancienne toujours tapie dans l'esprit de Léonard pouvait se diluer dans ses fictions enfantines. Léonard avait trouvé spontanément un moyen d'apprivoiser cette peur, d'avoir prise sur elle, de lutter contre ce qui était malgré tout un petit traumatisme psychique, il fallait respecter ce moyen.

Aussi Marc jouait-il le jeu.

La clé était enfouie dans un carton, des sécateurs dans un autre carton, pour trancher des liens éventuels. Surtout, Léonard, aidé par Marc, avait inventé une formule magique, connue d'eux seuls, « vakou cipaldesse téranoque », particulièrement redoutée des vampires et qui les mettait à coup sûr en déroute.

Ces petits stratagèmes avaient porté leurs fruits, ils rassuraient Léonard. Jusqu'au jour, se disait Marc, où il cesserait de lui-même de croire aux vampires.

Marc alluma et descendit le premier en sifflotant

quelques mesures de *La Frescobalda*. Léonard le suivit.

— Tous ces petits vampires cachés dans les coins, ils vont voir ce qu'ils vont voir ! dit-il. Vakou, cipaldesse, téranoque...

Marc arrêta de siffler et renchérit :

— Ils vont regretter d'avoir choisi Versailles pour tenir leur assemblée générale. On va les faire sauver comme des fourmis.

Ils pénétrèrent dans la cave, propre, bien éclairée, presque vide. Le long des murs, à gauche et à droite, étaient posés des cartons emplis de jouets ou de livres. Contre le mur de gauche, il y avait en plus un vieux meuble, dont le placage de bois avait sauté en divers endroits, et qui contenait des habits inutilisés. C'était tout. Marc avait rendu le lieu aussi peu effrayant que possible.

La clé de la porte se trouvait dans le premier carton en entrant, sous des jouets. Les sécateurs (trois, un grand, un petit et un moyen, achetés par Marc à une époque où il croyait qu'il allait faire du jardinage) deux cartons plus loin, également sous des jouets. Après deux autres cartons, le meuble, d'où Marc tira la paire de gants hors d'usage.

Il les tendit à Léonard.

Léonard ne manifestait plus le moindre signe d'inquiétude.

— Comment ? dit Marc. Filet de marcassin en choucroute aux...

— Aux baies de genièvre, parfaitement, dit Marie. Trente-six minutes de cuisson à la cocotte. Je me suis donné du mal. (Elle se moqua gentiment :) Arrosé de menthe-limonade, ça va être délicieux.

La limonade était la boisson préférée de Marc. Limonade simple, ou menthe-limonade dosée avec un soin maniaque.

— Tu vas aimer ça, ouistiti? dit Léonard en se dressant un peu sur sa chaise pour examiner le contenu du plat.

Cookie ne se formalisait pas du nouveau nom que lui donnait l'enfant. Il accourut et lui fit des fêtes.

— Ne l'appelle plus ouistiti, dit Marc un peu sèchement.

Léonard ne se rendit compte de rien, Marie, si.

— Il s'en fout, dit Léonard.

— Oui, c'est vrai, il s'en fout, dit Marc doucement, comme étonné lui-même par son petit accès d'humeur.

Marie revissa le couvercle de la cocotte.

— Voilà, ça ne refroidira pas, dit-elle.

Ils commencèrent par une salade aux lardons.

Ils dînaient dans la cuisine, blanche, spacieuse, reluisante, qu'ils avaient fini par préférer à la salle à manger quand ils n'avaient pas d'invités, c'est-à-dire la plupart du temps.

Marie aimait faire la cuisine. (C'était une des raisons pour lesquelles les Lacroix n'avaient pas de bonne à demeure.) Elle s'en tenait rarement aux recettes écrites dans ses divers livres. Elle inventait, elle improvisait. Ce soir, par exemple, les baies de genièvre et le paprika, c'était une idée à elle.

— Tu aimes ? dit-elle à Marc.

Marc, distrait, ne répondit pas tout de suite.

— Hé! papa! Tu aimes ? dit Léonard qui en avait plein les joues.

Oui, Marc aimait, il adorait. Il leur fit un drôle de sourire. Depuis l'expérience, il était dans un état second. Marie se dit qu'il était soucieux à cause de sa radiographie de l'après-midi. Elle eut très envie de le serrer dans ses bras.

Cookie avait décidé de somnoler un peu. Le ouistiti piquait un roupillon, comme déclara Léonard au dessert.

Les cheveux de Marie s'échappèrent du ruban par lequel elle les avait noués le temps de la douche, et se répandirent sur ses épaules.

Marc était persuadé d'avoir entendu sa femme vaquer dans la chambre de Léonard. Il fut surpris de la trouver dans la salle de bains, achevant de se sécher, passant la serviette sur ses belles jambes. Il faillit s'excuser, et d'une certaine façon il s'excusa :

— Je te croyais dans la chambre de Léonard, dit-il.

Marie s'approcha de lui, l'embrassa sur la joue sans rien dire. Elle sentait bon le savon tout simple. Avant de quitter la salle de bains, elle ouvrit un minuscule coffre à combinaison dissimulé au fond de l'armoire à pharmacie. Elle en sortit un collier de vermeil. Elle avait peu de bijoux. Elle ne raffolait pas des bijoux, pas plus que des habits excentriques.

Marc la regardait en pensant à son expérience, sa magnifique expérience. Demain. Après, se dit-il, tout irait bien. Avec Marie, avec Marianne, avec le monde entier.

— Tu t'inquiètes pour ta radio ? dit Marie après une hésitation.

— Non, ma chérie, pas du tout. L'évolution n'est pas certaine. Et elle peut être très très lente. Le risque est lointain. Je suis exposé à un risque lointain. C'est notre cas à tous, non ?

— D'accord, dit Marie en souriant. Bien parlé. Tu emberlificotes bien.

— Ah oui, j'avais oublié, à propos de Cédric. Il dîne après-demain chez un nouveau chirurgien O.R.L. de Lariboisière qui s'est installé à Versailles. Je lui ai proposé de venir prendre l'apéritif avant.

— Bon. Apéritif Cédric après-demain.

« Après-demain, aurai-je déjà communiqué au monde le résultat de mon expérience ? pensa Marc. Peut-être.

Sûrement. Cédric va être fou ! »

Marie désigna la serviette dont elle s'était servie :

— Je n'aime pas cette serviette marron. Je crois que je n'aime que la grande bleue.

— Ton problème est simple, ma chérie. Je t'offrirai une douzaine de grandes serviettes bleues, et on jettera toutes les autres.

— Bonne idée, dit-elle.

Elle sortit, l'embrassant encore au passage, un baiser qui ne demandait rien, un baiser qui signifiait simplement : ne t'en fais pas trop, je suis là.

Elle descendit.


Marc se rasa, comme chaque fois qu'il sortait le soir, car sa barbe poussait vite, prit une douche, changea de sous-vêtements et de chemise.

Puis, de la chambre, il passa un rapide coup de fil à Marianne.

— Je voulais te dire que je t'aime et que je pense à toi sans arrêt.

— Moi aussi, dit-elle.

— Je te rappelle bientôt et on se voit bientôt.

« Après l'expérience », se dit-il. Elle aussi allait être folle. Marie aussi, Léonard aussi. Germaine Halbronn, folle. Ses beaux-parents, ses collègues, tout le monde, fou. Le monde entier allait être fou !

Il hésita, appela Germaine Halbronn. La bonne vieille dame lui parut tristounette, mais pas effondrée. Il lui donna les meilleures nouvelles de Cookie, dit qu'il la rappellerait et qu'ils ne resteraient pas longtemps sans se voir.

Puis il descendit au rez-de-chaussée. Léonard regardait la télé. Marie parcourait un livre, une biographie du compositeur Adrian Leverkühn qu'elle avait commencée la veille. Elle aussi avait ses coups de passion musicale. Ces jours-ci, Adrian Leverkühn était à l'honneur.

Elle s'était vêtue d'une robe noire et d'une veste rouge.

Elle referma son livre, se leva.

— On y va ?

Cookie remua la queue. Léonard arrêta la télévision, clac ! et s'adressa au chien :

— Allez ! On va chez les Flippers !

# 15

Ils trouvèrent Marie-Thérèse Cazanvielh au téléphone. Elle papotait, notait un rendez-vous d'une main, de l'autre tenait à la fois le récepteur et une cigarette, parvenant à écrire, fumer, parler, et à leur adresser, surtout quand elle aperçut le westie, toute une série de mimiques, des oh! et des ah! silencieux mais énergiques.

Marie-Thérèse était une grande femme blonde et maigre, presque élégante, presque jolie. Elle aurait presque pu être mannequin. D'ailleurs, elle affirmait souvent que si elle avait voulu...

Elle fut enchantée de Cookie. Rien ne pouvait lui faire plus plaisir. Elle ne se serait jamais décidée elle-même, pas en ce moment, mais là, puisque ça lui tombait du ciel... Merveilleux. Elle les remercia et les embrassa tous. Elle était vraiment touchée. Elle verrait un vétérinaire, se documenterait sur les westies, leur alimentation, leurs maladies, leurs particularités.

Marc et sa femme se regardèrent au même moment : oui, ce cadeau était une bonne idée, semblèrent-ils se dire, et en eux-mêmes ils se réjouirent de tout cœur pour Marie-Thérèse.

Elle avait pris Cookie contre sa poitrine et ne le lâcha plus de la soirée.

Quant au chapeau, qu'elle essaya avec une certaine timidité, et qui aurait été ridicule sur la tête de la plupart des femmes, il ne l'était pas sur la sienne, ce que Marie avait prévu.

Marc comprenait très bien qu'un homme comme Martial ait pu être attiré par Marie-Thérèse. Mais il comprenait très bien aussi que ce même Martial s'intéresse à un trésor comme Marie. Avoir les deux aurait été un joli coup pour lui, songea Marc bêtement, et en se disant qu'il était bête. Mais Martial n'avait pas Marie, et il ne l'aurait jamais. Non, Marc pouvait fermer les yeux sur leur intimité, il savait de façon certaine que Marie ne le tromperait pas.

Martial, revoyant Marie après ses manœuvres et sa déclaration implicite de l'après-midi, n'était pas loin hélas d'en être également persuadé.

Ils allèrent tous admirer le flipper au premier étage. Léonard, avec un naturel cocasse, tira de sa poche ses gants de clochard et se mit aussitôt à l'ouvrage.

Marie-Thérèse et Marie papotaient. Martial et Marc finirent une partie d'échecs commencée trois semaines plus tôt. Martial gagna. Il gagnait toujours. Il consacrait au moins deux heures par jour à la pratique des échecs, à la résolution de problèmes, à l'étude de parties célèbres.

Ils burent une bouteille de champagne à quatre.

Vers onze heures, Cookie se mit soudain à geindre et à pleurer. Cela dura dix minutes. Il devait commencer à se douter qu'il n'était pas près de revoir sa vieille et adorable maîtresse. Marc et Marie-Thérèse s'employèrent à le calmer, et n'y réussirent pas si mal.

Peu après, Léonard les rejoignit. Épuisé, tout en sueur, il s'écroula dans un fauteuil et s'endormit.

A minuit, sa mère le réveilla par des baisers sur le front. Tous souhaitèrent un bon anniversaire à Marie-Thérèse.

Puis les Lacroix s'en allèrent.

— A bientôt, ouistiti, dit Léonard avant de monter dans le Nissan Terrano.

Cookie avait l'œil un peu triste, mais il restait sagement dans les bras de Marie-Thérèse.


A la maison, chemin du Maréchal-ferrant, un incident eut lieu qui contraria beaucoup Marc et Marie. Léonard fit une bêtise dont ils ne l'auraient pas cru capable.

Il était monté au premier se préparer pour la nuit. Ses parents bavardaient en bas, dans le canapé, en écoutant à faible puissance le concerto pour violon de Leverkühn. Ils parlaient de la soirée. Marc était épuisé, il n'aimait pas trop la musique d'Adrian Leverkühn, ils montèrent peu après Léonard.

Au premier, Marie vit aussitôt que la porte de leur chambre, entrebâillée, laissait passer un peu de lumière. A tout hasard, elle lança le traditionnel « voilà ! », certaine que le non moins traditionnel « voilà, voilà » de Léonard ne se ferait pas entendre : à son avis, l'enfant n'était pas dans sa chambre, mais dans la leur, et il n'était pas difficile de deviner qu'il s'y livrait à quelque activité coupable.

En effet, il n'y eut pas de « voilà, voilà » en réponse. Mais Léonard apparut à la porte de la chambre de ses parents, rouge d'émotion.

Il tenait un pistolet.

Dans son trouble, il n'avait même pas eu la présence d'esprit de le remettre à sa place, tout au moins de le poser avant de sortir, de ne pas apparaître ainsi devant ses parents, l'objet du délit à la main. Il avait l'air tellement penaud ! Tant de maladresse et de naïveté le firent instantanément pardonner, même si on le gronda un peu, pour la forme.

Marie surtout avait eu peur. L'arme était chargée de cartouches à blanc, mais tirées de près elles pouvaient blesser, provoquer de sérieuses brûlures. C'était un pistolet d'alarme de premier choix, copie parfaite du pistolet suisse 9 mm SIG P210 à huit coups.

Martial l'avait offert à Marc un an auparavant. Léonard ne l'avait jamais vu.

Il était ordinairement dissimulé sous des mouchoirs dans le tiroir intérieur de la grosse armoire paysanne, le tiroir était fermé à clé, et la clé se trouvait, parmi d'autres objets, dans une table de chevet près du lit côté Marc.

Marie approuva secrètement Marc quand il mentit à Léonard et lui dit que le pistolet tirait de vraies balles. De plus, Marc décida peu après de cacher l'arme dans le coffre de la salle de bains. Ce ne serait pas très pratique en cas d'urgence, mais c'était plus sûr pour Léonard, radicalement sûr. Et il n'y aurait jamais d'urgence : avant qu'un cambrioleur ait forcé les portes de la maison et atteigne l'étage, Marc aurait le temps de disposer dans le large couloir du premier une double rangée de canons prêts à tirer, dit-il à Marie pour clore l'incident sur une plaisanterie.

Un peu plus tard, ils se retrouvèrent dans leur lit, toutes lumières éteintes.

Marc se rapprocha de Marie. Il lui caressa une hanche, le sexe, puis le ventre, les épaules, sans s'attarder, la joue enfin, où sa main s'immobilisa. Il n'aurait pas fait plus. Mais ce soir, il avait besoin de ces gestes, de ce contact. Marie ne fit aucun geste elle-même, sinon vague, simplement elle enlaça son mari et se cala contre lui en position de sommeil.

Marc l'écoutait respirer. Lui aussi avait très sommeil. Il sentait qu'il allait s'endormir sans difficulté, contrairement à ce qu'il avait craint. Il chuchota :

— Ce qui me gêne un peu, ce n'est pas qu'il ait fait une bêtise. Heureusement qu'il en fait une de temps en temps. C'est la suite dans les idées. Dans les mauvaises idées. Il lui a fallu de l'obstination, tu te rends compte, fouiller, trouver une clé, l'essayer...

— C'est ces gants de voyou, dit Marie dans un souffle.

— Les gants ?

— Qui lui ont donné une âme de voyou. Ne t'en fais pas, dors, mon chéri.

Sa main devint toute molle dans le dos de Marc.

Marc sourit dans l'obscurité. Marie était formidable. Tout le monde était formidable.

Demain, demain !

Il fredonnait mentalement des bribes de *La Fresco-balda*.

Il aurait aimé que Léonard s'intéresse à la musique. Qu'il devienne musicien. Tant pis. Il le regretta, une fois de plus.

Il eut une dernière pensée pour Cookie, puis il s'endormit d'un coup.

# 16

Le *Presto* du concerto *l'Été* de Vivaldi sembla se ruer hors des quatre haut-parleurs du Nissan Terrano. C'était impressionnant, mais la conversation devenait difficile, et Marc baissa le son.

Michel Zyto était vêtu (comme Léonard la veille, pensa Marc) d'une chemise bleu clair et d'un pantalon bleu foncé. Il portait aussi une légère veste noire qui allait bien avec le bleu et avec ses cheveux châtains.

Il avait passé une bonne nuit. Plus la moindre douleur dans la gorge, pas la moindre gêne. Il était heureux du beau temps, de la promenade, de la musique dans la voiture, de la compagnie et de la confiance du docteur Lacroix. De Marc. Comme il aurait aimé pouvoir l'appeler par son prénom, et que Marc l'appelle Michel! Après l'expérience, peut-être. Ne deviendrait-il pas une sorte de collaborateur du docteur? C'était d'ailleurs un peu ce que lui avait dit Marc. Pas un cobaye, un collaborateur.

Aucune raison de refuser. Et toutes les raisons d'accepter.

Marc avait pris les quais, pour le plaisir. Ils longeaient la Seine à vive allure. Les ponts défilaient. L'eau du fleuve était haute, ce n'était pas une année de sécheresse. Michel Zyto regardait de tous ses yeux la Seine, les gens, les arbres.

Le soleil brûlait sa joue gauche. C'était bon.

L'expérience. Rien à perdre et tout à gagner. Avec l'aide de Marc, il s'était engagé dans une entreprise exaltante de conquête de lui-même. Il sortirait un jour de Stéphen-Mornay libre, et d'une vraie liberté. Et il continuerait d'être soigné par Marc, il en avait la promesse.

Il se cala confortablement sur les épais coussins du Nissan Terrano et reposa la seule question qui le préoccupait un peu :

— Vous m'assurez qu'il n'y a pas de risque ? Aucun ? Vous en êtes certain ?

— Certain, dit Marc. Moins de danger pour l'organisme que de regarder la télévision de trop près. Même pas une drogue à avaler. Vous prenez bien votre Maktarin ?

— Oh ! oui.

— Le seul ennui possible serait une panne d'électricité. Mais c'est exclu, le groupe électrogène prendrait immédiatement la relève. Vous pensez bien que s'il y avait un danger...

Il s'interrompit. Zyto termina la phrase :

— Vous ne feriez pas l'expérience sur vous ?

Les haut-parleurs diffusaient le *Presto* à faible volume. On aurait dit que la voiture flottait sur la musique.

Marc sourit.

— Peut-être que si. Mais je ne la ferais pas sur vous...

Zyto sourit aussi, de son sourire charmant qui traînait sur son visage quelques secondes de trop. Marc ajouta :

— Non seulement il n'y a pas de danger, mais, comme je vous l'ai dit, je prévois même des conséquences positives pour vous sur le plan psychologique. Vous saurez pendant quelques minutes qu'on peut être différent de ce que vous êtes. Vous ne le saurez pas par le raisonnement, c'est ce qui est important. Ni par le raisonnement ni par le trop léger ébranlement émotionnel qu'ont pu déclencher parfois nos entretiens. Vous le saurez par expérience radicale, réelle, en étant vraiment quelqu'un d'autre. (Marc plaisanta :) Dans la mesure, bien entendu, où je suis si différent que ça de vous. Enfin, vous verrez bien, vous allez tout savoir de moi, vous aussi.

— Ça vous gêne ?

«Moi, pas du tout», pensa Zyto, excité et ravi de s'identifier pour de vrai à l'homme qu'il admirait et enviait le plus au monde, et qu'il aimait le plus, le docteur Marc Lacroix.

— Non, dit Marc.

Malgré une petite nuit (il avait dormi trois heures d'un sommeil profond, mais ensuite il s'était réveillé et n'avait plus pu se rendormir), il se sentait plus dispos et plus détendu que la veille. Parce qu'il était certain de la réussite, et transporté de bonheur à cette idée. Et parce que Michel Zyto, curieusement, exerçait sur lui une influence apaisante.

Il pensa très fort à Marianne, au moment où ils feraient l'amour à nouveau. Il lui téléphonerait ce soir, ou demain matin. Dans la soirée, ce ne serait pas très commode. Puis il pensa à Hugues d'Oléons. L'excellent d'Oléons serait sûrement très peiné des cachotteries de Marc. Sans parler du caractère illégal de l'entreprise, qui le choquerait. Mais Marc saurait lui expliquer. Hugues comprendrait, il ne lui en garderait pas rancune. C'était un cœur d'or, un homme simple et droit, comme Marc en avait peu rencontré.

Au terme d'un itinéraire plutôt fantaisiste, mais qui les avait à peine rallongés en temps et leur avait permis de voir le beau Paris, Marc et Zyto arrivèrent Porte Maillot.

Le ciel était dégagé.

— Pas d'orage aujourd'hui, dit Marc. Mademoiselle André m'avait prévenu.

— Mademoiselle André?

— Oui. Quand elle a des douleurs entre les omoplates, c'est signe d'orage. Il faudra que je la félicite, pour hier, elle ne s'est pas trompée.

— J'adore les gros orages, dit Zyto. Ça vous ennuie, si on remet...

Il tendait le bras en direction des appareils.

— Pas du tout, dit Marc. On n'a rien entendu.

Il tendit aussi le bras, leurs mains se frôlèrent. Il appuya sur la touche « arrêt automatique » du magnétophone Kenwood, revint en arrière, tourna le bouton du volume. Trois secondes plus tard, le *Presto* retentissait à nouveau dans le 4×4.

Autoroute de Rouen.

Ils foncèrent.

— C'est drôlement joli, ici, dit Michel Zyto en s'asseyant dans un fauteuil. On a perdu l'habitude du bois.

Il prit le verre de limonade que Marc venait de lui servir.

— Ce n'est pas contre-indiqué?

Marc l'avait rarement vu aussi détendu, aussi capable d'humour.

— Pas à ces doses, dit-il.

— Vous ne mettez pas de menthe?

— Non. La menthe-limonade, c'est plutôt le soir. Onze millimètres de menthe, cent vingt de limonade.

Michel Zyto riait sans bruit.

— A votre santé, dit Marc.

Ils burent et reposèrent leurs verres en même temps sur la petite table ronde.

Marc appuya ses mains sur les accoudoirs de son fauteuil, ils se levèrent ensemble.

Maintenant, ils étaient pressés.

A Stéphen-Mornay, Marc avait décrit avec précision à

Michel Zyto ce qui se passerait dans leurs cerveaux, dans leurs esprits au cours de l'expérience. Et, en arrivant à Louveciennes, il lui avait fait faire le tour des lieux, lui parlant de ses parents, de la maison, où il était seul à venir et où il avait pu travailler tranquille, puis lui donnant toutes les explications qu'un profane pouvait assimiler concernant le fonctionnement de la machine. Il croyait à l'importance de ces explications, à l'élan, à la familiarité avec lesquels il les présentait, les offrait à Zyto: il s'agissait d'une expérience à deux, d'une association, Zyto devait se sentir autant que possible son égal.

Zyto comprit fort bien tout ce que lui dit Marc, ses questions le prouvèrent. Il manifesta avec enthousiasme son admiration pour le psycho-ordinateur – son admiration aussi pour l'aquarelle, l'autoportrait, qu'il examina longuement: il trouvait Marc beau, et le dessin très ressemblant, malgré les couleurs bizarres. Marc n'avait pu s'empêcher d'être flatté des divers compliments.

Michel Zyto fixa lui-même le brassard à son poignet gauche. Plus facile à fermer qu'un bracelet-montre. Il jeta un coup d'œil au-dessus de lui, là où la cabine se rétrécissait comme le sommet d'une petite fusée qui bientôt allait décoller, les emportant loin de ce monde...

— Tout est prêt, dit Marc. J'y vais?

— D'accord.

Marc, installé dans la cabine de droite, qui resterait à jamais pour lui la «cabine Cookie», appuya sur le premier bouton.

Le voyant rouge s'alluma.

Ils perçurent le vague grondement des appareils derrière la cloison. Les cadrans 1 et 4 s'allumèrent, les trois lignes orange firent leur petite démonstration de serpents bien dressés, s'immobilisèrent et les voyants 1 et 4 s'allumèrent en orange.

— Parfait, dit Marc.

Zyto avait les yeux fixés sur les cadrans. Les cadrans 2 et 5 s'étaient allumés aussitôt.

Brève promenade des deux lignes marron clair.

— C'est bientôt fini, dit Marc. Attention à la petite décharge électrique...

Michel Zyto lui sourit, un sourire paisible, confiant, éclatant, le plus beau et le plus réussi qu'il lui ait jamais adressé, se dit Marc. Et Marc ressentit pour lui un élan de gratitude qui s'exprima également par un sourire – le moins laid sans doute qu'il lui ait jamais adressé, se dit-il, car il n'aimait pas particulièrement son sourire.

Ce moment de complicité totale marqua le sommet de leur «amitié», du sentiment de sympathie profonde qui avait uni le thérapeute et son malade.

La secousse électrique, dès l'apparition des lignes bleues sur les cadrans 3 et 6, fut assez rude, plus que Marc n'aurait pensé. Elle les fit tressaillir tous deux. Ils ne purent retenir un grognement de douleur. Ils fermèrent les yeux. Et, pendant la brève troisième phase, leurs cerveaux se vidèrent, ou plus exactement communièrent dans le vide d'une unique et même douleur qui permit au psycho-ordinateur d'accomplir son œuvre.

Toute douleur cessa. Marc rouvrit les yeux.

C'était fait.

Et raté, rien ne s'était passé. Rien du tout, se dit-il, constatant qu'il était resté intégralement lui-même dans sa tête, Marc Lacroix.

Puis tout alla très vite.

Soudain, une surprise atroce, qui lui noua les entrailles: le voyant bleu était allumé. Et ce voyant, le plus proche de lui au début de l'expérience, était maintenant le plus éloigné des trois. Et sa main droite, à la recherche des boutons de commande, ne trouvait que le vide, et la cloison de bois était maintenant à sa gauche !

Marc se refusait encore à comprendre.

Mais la certitude de la catastrophe lui fut presque simultanément donnée quand il vit en face de lui non pas Michel Zyto, mais lui-même, Marc Lacroix, le corps de Marc Lacroix, son corps, son propre visage, ses yeux qui le regardaient avec étonnement – puis aussitôt avec une lueur de ruse – car c'était Michel Zyto qui le regardait, Michel Zyto dans le corps de Marc, tandis que lui, Marc, occupait le corps de Michel Zyto, d'un coup d'œil il vit *sa* veste noire, la manche d'où dépassait une main forte à l'extrémité d'un bras trop long, une main qui n'était pas la sienne, couverte de fins poils roux...

Raté ? Certes non, réussi, mais trop réussi !

Le psycho-ordinateur avait fonctionné, mais il avait été incapable de contrôler la dernière phase de l'expérience. Le N.F.B. avait fait du zèle, il avait fait plus qu'on ne lui demandait : le « vide » laissé dans les chaînes de neurones par la violente douleur avait été si complet, il avait créé un appel si fort en vue du maintien d'une structure de personnalité équilibrée que N.F.B. et ordinateur de pilotage s'étaient acharnés à combler ce vide, que c'était toute la substance psychique de Marc qui s'en était allée vers Michel Zyto – et en retour tout l'être de Michel Zyto qui avait pris possession du docteur Lacroix.

Bien sûr, l'erreur était réparable, facilement réparable. L'inversion du processus devait se faire sans problème. Mais si Marc pensa d'emblée qu'il était confronté à une abominable catastrophe, c'est qu'il devina aussitôt dans le regard mauvais de Michel Zyto – dans *son* regard... – l'horreur qui allait suivre, qui commençait, contre laquelle déjà il ne pouvait rien.

# 17

Il résista à la panique, le temps de dire à Michel Zyto, d'une voix qui le surprit, qui lui fit froid dans le dos, la voix de Zyto:

— Vite, appuyez sur le troisième bouton, appuyez à fond. Doucement mais à fond. Vous comprenez ce qui s'est passé... vite, appuyez!

Son «collaborateur» avait fort bien compris ce qui s'était passé, lorsqu'il avait vu son propre corps sur l'autre fauteuil. Il avait été stupéfait, mais pas horrifié.

Bien au contraire.

Le ciel venait d'exaucer son vœu le plus cher.

L'idée s'imposa à lui avec l'évidence et la force d'une nécessité vitale, d'une exaltante fatalité.

Et sa décision fut immédiate.

Il allait profiter de la situation pour réaliser son rêve le plus fou, aussi fou, aussi diffus, mais aussi constant et fort qu'un désir d'immortalité, un rêve qui par miracle était à sa portée: devenir le docteur Marc Lacroix.

La haine et l'amour mêlés qu'il éprouvait pour sa propre

personne et pour Marc, il pouvait maintenant les assouvir, tout assouvir à la fois, concilier l'inconciliable, en habitant le corps de Marc et en renvoyant l'«autre» à Stéphen-Mornay, chez les fous!

Il n'hésita pas, ne se posa pas de questions. Il agit d'abord.

Au lieu d'obéir à l'ordre de Marc, il ôta calmement le brassard qui lui enserrait le poignet gauche, se leva, dépliant avec maladresse ce corps long et maigre auquel il devrait s'habituer.

Alors il réfléchit.

Une terreur sans limite étreignit Marc lorsqu'il vit «Michel Zyto» se redresser, le regarder d'un œil froid, calculateur, peser rapidement les conséquences et les risques de son acte.

Il se força à prendre un ton ferme:

— Je vous en prie, asseyez-vous et remettez ce brassard!

L'autre se massait le poignet gauche en silence. Puis il parla, surpris et charmé par la nouvelle voix qui sortait de sa bouche:

— Debout, cher Michel Zyto. On rentre. Je vous ramène au Centre. Je vous laisserai le volant. Comme ça, vous pourrez raconter à d'Oléons et aux autres qu'en plus du plaisir de la promenade, le docteur Lacroix vous a permis de conduire sa belle grosse voiture. Allez, on y va!

Il attendait que Marc se soit défait de son brassard pour se jeter sur lui. Il ne voulait pas que la machine subisse la moindre détérioration.

Marc le regardait, incrédule, stupéfait de la rapidité, de l'aisance, de la malice avec lesquelles Michel Zyto s'était installé dans «sa» peau, dans son nouveau rôle. Tenter de le convaincre ne servirait à rien. Zyto était devenu un autre, au-delà de ses prévisions et de ses espérances!

120

Les images défilaient dans sa tête. Il pensa à Marianne, à sa femme, à son fils.

Quel gâchis, quel effroyable gâchis ! Et quelle faute de sa part !

Il ôta son brassard, se leva doucement, péniblement — et soudain fonça sur Zyto – sur son propre corps, il fonça avec l'intention de frapper, d'assommer, de ligoter, il lui restait des mètres et des mètres de bon fil électrique de l'autre côté de la cloison, ensuite il serait possible de revenir en arrière, d'effacer le cauchemar.

Michel Zyto était à l'affût. Malgré son enveloppe corporelle désormais plus faible, plus délicate, il restait lui-même, malin, habitué à la menace, au danger, formé aux bagarres des rues.

Il esquiva la charge de Marc et au passage le frappa à l'estomac. Sensation à la fois répugnante et voluptueuse, il meurtrit sa propre chair, il cogna de toutes ses forces.

Marc, stoppé net, le souffle coupé, porta les mains à son ventre. Des larmes de douleur coulèrent sur son visage. Il eut un sanglot, un hoquet, il crut qu'il allait vomir.

Très vite, Michel Zyto lui saisit le poignet et lui tordit le bras dans le dos. Puis d'un geste il remit les appareils au point zéro, éteignit tout – c'était facile, et Marc lui avait si bien expliqué...

Il poussa Marc en direction de la porte.

— Pas de fantaisies, s'il vous plaît. On y va, on sort. Ouvrez !

Marc dut manœuvrer les boutons d'ouverture et de fermeture de la porte coulissante. Zyto prit dans sa poche, la poche du costume de Marc, le gros trousseau de clés, le lui mit dans la main, et Marc, le bras gauche toujours tordu dans le dos, dut aussi refermer la porte en bois du sous-sol.

Zyto récupéra le trousseau de clés.

— Arrêtez, je vous en prie ! dit Marc. Qu'est-ce que

vous espérez? Ça ne va vous mener nulle part, sinon à des ennuis!

Zyto le poussa dans l'escalier, avec violence, comme s'il voulait le faire courir. Il lui tordait de plus en plus le bras.

— Votre gueule! grogna-t-il avec une soudaine grossièreté. Ça va me mener chez vous, bien tranquille. Mes ennuis sont finis, au contraire. Je vais voir comment ça fait d'être le docteur Marc Lacroix. Je suis sûr que c'est mieux que d'être Michel Zyto. J'irai vous rendre de petites visites à Stéphen-Mornay. Comme d'habitude.

— Vous êtes assez intelligent pour vous rendre compte que c'est impossible, vous vous trahirez, et moi...

Zyto s'arrêta au sommet de l'escalier et parla tout prêt de l'oreille de Marc, d'une voix égale, plus effrayante que s'il s'était mis en colère:

— Vous, rien du tout! Si vous dites quoi que ce soit, si vous faites quoi que ce soit, je tuerai votre famille, votre femme et votre fils, je les tuerai. Je serai toujours près d'eux. Et si je ne suis pas près d'eux, vous ne saurez pas où ils sont. Et j'aurai toujours sur moi de quoi me tuer, de quoi *vous* tuer, vous comprenez? Pensez tout le temps à ça, ne l'oubliez jamais, pas une seconde, quand vous serez seul dans votre chambre de fou. Une chambre modèle, vous y serez bien, vous verrez. Bien exposée, bonne nourriture, de la musique, un personnel charmant. Et les visites du docteur Lacroix.

Il avait un peu élevé le ton. Il ricana. Pour une métamorphose, c'en était une. Le psycho-ordinateur avait fait des miracles.

Ils furent dehors. L'été s'installait mieux, c'était un vrai après-midi d'août. Zyto ferma la porte de la maison, puis il fit monter Marc dans le Nissan Terrano par la porte du passager, le poussa sans ménagement à la place du conducteur, se mettant lui à la place du passager, et claqua la portière.

— Conduisez, dit-il. Vous connaissez le chemin. Pas de

fantaisies, je vous le répète, sinon je vous tue.

Marc démarra. Il se vit dans le rétroviseur. Il eut un nouveau choc. Cette moustache, cette chevelure de souteneur, ces traits vaguement simiesques... Il faillit hurler, eut encore envie de vomir, un véritable spasme, il mit la main devant sa bouche.

Puis il reprit d'une seconde à l'autre un semblant de courage. Il tenterait quelque chose pendant le trajet, ou en arrivant au Centre. Au Centre, il ferait un scandale, il donnerait des coups de pied dans la porte du bureau d'Hugues. L'excellent d'Oléons serait bien obligé de sortir, de remuer ses cent kilos! Marc crierait à l'imposteur, dirait que l'«autre», là, n'était pas Marc Lacroix, il parlerait de son expérience en des termes qui ébranleraient Hugues, il donnerait des détails, des précisions d'ordre scientifique que Michel Zyto ne pouvait en aucun cas connaître. Oui, c'était une solution! Hugues serait forcément troublé, sinon convaincu à la seconde, il connaissait la folie de chercheur de Marc, il aurait un doute, et ça s'arrangerait comme ça!

Non. Le mieux, c'était pendant le trajet.

Marc essayait de conserver les idées claires, de ne pas céder à la folie engendrée par cette situation folle.

— Arrêtez! dit Zyto.

Ils venaient de franchir le portail.

— Pourquoi?

— Le portail était fermé, tout à l'heure, non? On va le fermer.

D'un coup, il se jeta sur Marc, le bouscula, lui reprit le poignet, tordit le bras. Ils descendirent. Marc gémissait. De nouveau cette douleur à l'épaule, insupportable...

La haine l'envahit. C'était un sentiment qu'il n'avait jamais connu jusqu'alors. Il en trembla, il trembla de haine.

Le portail fermé, ils remontèrent en voiture, s'engagèrent dans la rue du Général-Leclerc. Marc conduisait, Zyto le surveillait, prêt à cogner, comme il l'avait dit.

Lui aussi avait songé au problème de l'arrivée. Il avait un plan simple : assommer Marc avant de pénétrer dans le Centre, puis le faire bourrer de Téméril, par perfusions. Il dormirait au moins douze heures. Zyto était bien placé pour le savoir. Il était au courant des traitements.

Ils roulaient dans la rue déserte.

Un témoin – mais il n'y en avait pas – aurait pu penser que le docteur faisait essayer à un ami son 4×4 de marque japonaise.

Et c'est ainsi que Marc Lacroix et Michel Zyto repartirent de Louveciennes.

# 18

Au premier carrefour après la sortie de la commune, on devait prendre à gauche une route plus importante qui menait à l'autoroute.

Les deux hommes n'échangeaient plus un mot, chacun fermé sur ses pensées, chacun à l'affût de l'attitude de l'autre. Le temps pressait. Marc se résolut à agir immédiatement. Il repéra un arbre sur l'autre route, à gauche du carrefour: il allait tourner, prendre le virage et foncer dans l'arbre. Il aurait le volant et les pédales pour se retenir. Tandis que Zyto, surpris, mal installé, serait déséquilibré, projeté contre le pare-brise, assommé peut-être.

Hélas, les choses ne se passèrent pas ainsi. Zyto s'attendait à quelque tentative désespérée de la part de Marc. Il était vif, retors, tendu comme un animal prêt à bondir. Il avait retrouvé toute sa hargne, toute sa méchanceté de ses débuts dans la vie, et il était avide de les exprimer à nouveau par des actes.

Il comprit, il sentit à la seconde les intentions de Marc. Et lorsque Marc, après avoir tourné à gauche, avec une prudence normale, pour donner le change, écrasa soudain l'accélérateur, Michel Zyto bondit en effet et lui arracha le volant des mains. La voiture, lancée comme un projectile par la formidable accélération de Marc, dévia légèrement de sa trajectoire. Elle passa à quelques centimètres de l'arbre, roula sur une herbe inégale et s'enfonça dans d'épaisses broussailles qui l'immobilisèrent aussitôt.

Marc se dit qu'il était perdu. Il se battrait, mais il savait qu'il venait d'user ses dernières énergies. Les deux hommes se jetèrent l'un sur l'autre. Zyto eut le dessus sans peine. Il ne fit même pas attention aux gestes maladroits de Marc pour le frapper, il le prit tout de suite aux cheveux – *ses* cheveux, sa superbe tignasse châtain drue et solide – et lui cogna la tête contre la vitre, l'arrière du crâne, Michel Zyto s'acharna sur son propre corps, il cogna deux foix, trois fois, il approchait le visage de Marc près du sien puis le rejetait de toutes ses forces contre la vitre, il cognait alors même que Marc avait perdu connaissance, il jouissait de sa brutalité, il scrutait le visage crispé par la souffrance, il se repaissait du bruit mat des chocs qui se succédaient, qui se succédaient...

Il allait lui passer l'envie de résister, à ce salopard !

Enfin, il le lâcha. Marc se tassa sur son siège, inerte.

La vitre était tachée de sang.

Zyto – Marc Lacroix méconnaissable, transformé, métamorphosé en bête sauvage – Zyto reprit son souffle, expirant bruyamment par le nez et la bouche entrouverte.

Il vit le sang. Il empoigna Marc par une oreille, lui tourna la tête. Le cuir chevelu s'était fendu sur plusieurs centimètres en une plaie rouge vif, aux bords mous et tremblants. Le sang ruisselait, gouttait à l'extrémité des cheveux.

Et s'il le tuait, là, maintenant ? Légitime défense. On ne parlerait plus de Michel Zyto. Qui avait toujours eu envie de se supprimer. Il tenait l'occasion rêvée, idéale de se «suicider».

126

Il joua avec l'idée une seconde. Mais il n'était pas prêt à renoncer à son corps. Et il avait besoin de Marc...

Il descendit, contourna la voiture, ouvrit la portière arrière, puis celle du passager. Il se baissa, pas trop, tira Marc à lui, le récupéra en douceur sur son épaule gauche.

Puis il le coucha à l'arrière, le laissant retomber sans ménagement en travers du siège. Au passage, la tête de Marc heurta encore le rebord métallique du toit. « Un point de suture de plus », pensa méchamment Zyto.

Il lui replia les jambes et claqua la portière.

A ce moment, une voiture s'arrêta sur la route, d'où descendit à la hâte un jeune homme bien mis portant moustache, cheveux courts et chemise à carreaux. Avait-il vu Michel Zyto installer un homme évanoui sur le siège arrière du Terrano comme un paquet de linge sale ? Non, rien dans son attitude ne le laissait supposer.

Zyto marcha à sa rencontre.

— Un accident ? dit le jeune homme.

— Un petit. J'ai eu une espèce de malaise, un étourdissement. Ça n'a pas duré, mais je me suis retrouvé dans l'herbe. Heureusement, je n'allais pas vite.

— Pas de mal ? Vous saignez un peu, là.

Il fit un geste en direction de son propre front. Ils se trouvèrent face à face, ils s'arrêtèrent, à quatre mètres environ du Terrano. Michel Zyto porta la main à son arcade sourcilière. Il avait pris toute cette humidité pour de la sueur. C'était du sang. Il s'était entaillé le front contre le rétroviseur, au moment où il s'était rué sur Marc.

— J'ai dû faire une mauvaise rencontre avec le rétroviseur.

— Vous n'avez pas mal ailleurs ? Rien de cassé ?

— Non. De toute façon, ajouta Zyto en souriant, je suis médecin.

— Ah ! très bien. Directement du producteur au

consommateur, dit stupidement le jeune homme. Est-ce que je peux faire quelque chose pour vous ?

« Que tu foutes le camp en vitesse », pensa Zyto.

— Non, je vous remercie.

— Vous allez pouvoir remettre votre 4 x 4 sur la route ?

— Bien sûr.

— C'est vrai qu'avec un engin pareil... C'est le nouveau 4 x 4 de Nissan ? J'ai lu un article dans *Voitures d'aujourd'hui*, il paraît que c'est formidable.

— Formidable, dit Zyto. Avec une autre voiture, je serais sûrement sur le toit.

— Vous ne voulez pas que je vous aide ?

— Non, merci, ce n'est vraiment pas la peine. Je vais me reposer deux minutes et y aller. Je m'arrêterai dans une pharmacie.

— D'accord, comme vous voulez. Au revoir. Bonne journée quand même.

— Merci, vous aussi.

De sa voiture, l'aimable jeune homme fit encore un petit signe à Michel Zyto et démarra.

Bon débarras. Zyto se mit au volant du Terrano. Il redressa le rétroviseur. Taché de sang, en effet. Il trouva des Kleenex dans le vide-poches. Il épongea son arcade sourcilière, nettoya le sang sur le coin du rétroviseur et sur la vitre, et disposa une poignée de Kleenex sous la tête de Marc.

La voiture aurait besoin d'un bon nettoyage.

Il recula. Il se remit sans peine sur la route et fonça en direction de Paris.

Il regarda l'heure à la belle montre de marine de Marc, qui lui avait toujours plu.

Une autre aventure commençait.

Il se retournait souvent pour surveiller Marc.

Aux feux rouges, il examinait ses papiers. Il repéra son adresse exacte, trouva une carte de visite non professionnelle avec le prénom de sa femme. Il connaissait le prénom du fils, pas celui de la femme. *Sa* femme et *son* fils, à présent.

Il leur téléphonerait dès son arrivée au Centre.

Il lui sembla qu'il y avait comme du sable dans ses poches de costume. Non, c'était du sucre. Le sucre des chiens. Marc lui avait tout raconté. Il secoua les poches.

Il se regardait dans le rétroviseur. Docteur Marc Lacroix. Qui ramenait au Centre psychiatrique Stéphen-Mornay un pensionnaire pris d'une crise soudaine d'agressivité. Marc avait dû se défendre. Pas commode, en voiture. Par bonheur, pouvait-on dire, le véhicule avait quitté la route. Accident, violents cahots, le crâne de Michel Zyto était allé donner contre la vitre, un sacré choc...

Docteur Marc Lacroix. Il voyait le monde autrement. L'exaltation pulvérisait son anxiété.

Marc restait sans connaissance. Parfait. Sinon, il aurait été obligé de l'assommer à nouveau.

En approchant de la place d'Italie, le cœur de Michel Zyto se mit à battre à toute vitesse. Mais il était sûr de lui. Il se faisait confiance.

## 19

Michel Zyto était effondré dans le fauteuil Louis XV près de la fenêtre. Curieux fauteuil, et curieux docteur d'Oléons, d'installer pareille vieillerie dans cette pièce ultra-moderne.

Surtout, ne s'étonner de rien.

— Et voilà! dit Adeline, la toute jeune infirmière qui venait de lui poser un pansement sur le front.

Elle avait été rapide, précise, elle lui avait à peine fait mal en désinfectant la plaie. Cette Adeline était nouvelle au Centre. L'une des nombreuses raisons de la bonne marche de la maison, du haut niveau des soins, des guérisons souvent plus rapides que dans la plupart des établissements analogues, c'était le choix sévère, draconien des collaborateurs, des trois médecins de tête aux deux femmes de ménage. Hugues d'Oléons y veillait avec un soin constant et infaillible. Tout le monde devait être «bien», même les personnes qui n'avaient pas directement affaire aux malades. C'était pour lui une règle, une théorie, presque une foi. Que mademoiselle André fût une remarquable gestionnaire avait son importance dans l'amélioration de l'état des quinze malades que pourtant elle ne voyait jamais. Vrai ou faux, il le croyait, donc (avait souvent pensé Marc Lacroix) cela devenait sûrement un peu vrai.

Non seulement Hugues avait quitté son fauteuil pivotant, mais il faisait les cent pas dans la pièce, lent et lourd comme un navire, tandis qu'Adeline soignait ce pauvre Lacroix. Maintenant, elle tamponnait avec de la teinture d'arnica les bleus qui ornaient son visage.

Mademoiselle André était présente.

— Asseyez-vous, je vous en prie, lui dit Hugues en désignant son siège exceptionnellement déserté.

— Non, ça va. Merci, Hugues.

C'était la première fois qu'elle l'appelait par son prénom. L'émotion, sans doute. Elle était pâle comme un cadavre. Ses cheveux violets en paraissaient plus violets, et son petit nez pointu plus pointu. C'est elle qui, une heure plus tôt, devant les portes du Centre, était tombée sur le docteur Marc Lacroix sortant de sa grosse voiture, blessé, hagard. Elle en avait été bouleversée. Elle adorait Marc, comme tout le monde l'adorait.

Finalement, elle s'assit dans le siège de son patron.

— Voilà. Reste le costume, dit Adeline. Mais là, je ne peux rien pour vous.

— Merci, dit Michel Zyto. Merci beaucoup.

Elle lui sourit gentiment et quitta la pièce, très discrète, saluant Hugues d'Oléons d'un signe de tête.

«Très bien, la petite nouvelle», se dit Hugues.

Puis il pensa à Onizian, à Verhoeven, à Fabricant, qui ne pourraient s'empêcher, dans leur for intérieur, de se faire des remarques du genre: voilà ce qui arrive quand on laisse une personne étrangère au Centre s'occuper de nos affaires. Mais ils chasseraient vite ces idées. Ils n'étaient pas bêtes à ce point. Ils savaient bien que les méthodes de Marc étaient conformes aux leurs, et qu'à moins de maintenir les malades attachés sur leurs lits dans des cellules de prison... Non, pas de vrai problème avec les médecins. Le vrai problème, c'était ce pauvre Marc, blessé, choqué, déçu. Comment allait-il se remettre de cette sale affaire, lui que d'Oléons savait si fragile au fond, si facilement déprimé, surtout ces derniers temps?

Mademoiselle André sentit que les deux hommes avaient des choses à se dire. Elle se releva.

— Je vous laisse, dit-elle. Si vous saviez, Monsieur Lacroix, comme je suis malheureuse de vous voir dans cet état!

Michel Zyto, sous son apparence de «monsieur Lacroix», n'avait aucun effort à faire pour avoir l'air tendu et désemparé. L'épreuve était redoutable. Il fallait penser à tout. La voix, par exemple. Il devait constamment imiter le débit posé de Marc, la douceur de ses intonations. Et veiller à son vocabulaire, veiller à «bien» parler. De plus, comment se conduisait, comment se serait conduit le véritable docteur Lacroix? Comment appelait-il mademoiselle André? Lui tendait-il la main pour prendre congé, ou l'embrassait-il sur la joue ou sur le front? Que faisait-il quand il arrivait à la clinique, quand il en repartait, quelles étaient ses habitudes?

Zyto se rassura lui-même: sûrement rien d'extraordinaire. Et aujourd'hui, on ne lui reprocherait certes pas de changer un peu ses habitudes. Et d'ailleurs, se dit-il soudain, il pouvait faire ce qu'il voulait, marcher sur les mains si l'envie lui en prenait, tenir un langage ordurier, claquer les fesses de la vieille, de là à imaginer la vérité, non, ha, ha! rien de vraiment gênant ne risquait de lui arriver!

Il prit la main que mademoiselle André lui tendait, lui adressa un pauvre sourire:

— Bravo pour vos prévisions météorologiques, hier. Quel orage! J'ai bien pensé à vous.

132

Mademoiselle André fut ravie.

— Je me passerais bien de ces douleurs, vous savez. Mais monsieur d'Oléons m'affirme que c'est incurable. Vous aussi, vous me l'avez dit un jour, vous vous souvenez? Névralgies dorsales, voilà tout ce que j'ai pu obtenir de la médecine. Un nom. Une étiquette.

— Les étiquettes, c'est une des fonctions de la médecine, dit Hugues, presque souriant. Vous savez ce que George Sand disait du rhume de cerveau? Que tout ce que les médecins avaient trouvé comme remède, c'était de l'appeler coryza...

Après le départ de cette espèce d'aimable petite souris violette de mademoiselle André, Hugues d'Oléons retrouva son fauteuil et aborda avec Zyto l'un des problèmes que soulevait l'incartade du «prisonnier volontaire», comme Marc l'appelait parfois: fallait-il le transférer ailleurs? Hugues ne le souhaitait pas, et Zyto encore moins, qui tenait à avoir Marc sous la main.

— Non, dit Zyto à Hugues, ce serait une erreur. Ce serait lui faire payer bien cher sa petite crise d'agressivité. A mon avis, il va se la faire payer lui-même assez cher. Non, à l'avenir, il faudra tenir compte de ce qui s'est passé aujourd'hui, c'est tout. Nous y réfléchirons. En revanche... j'ai peur qu'il essaie de me téléphoner chez moi, à mon domicile. Je suis sûr qu'il va essayer. Et je pense que pour le moment...

— Très bien, dit Hugues, on va enlever son téléphone, le temps que vous jugerez nécessaire.

— Oui, c'est mieux.

Plus de téléphone pour Marc Lacroix. Bonne précaution.

Puis Hugues tint à Zyto un discours pompeux entrecoupé de respirations bruyantes:

— Mon cher Marc... la seule chose qui m'embête, c'est la frayeur que vous avez eue, et votre déception. Je sais combien vous prenez à cœur votre travail. Chaque fois que j'ai au téléphone quelqu'un de votre service à Sainte-Anne, on ne tarit pas d'éloges sur vous. Quant à vos amis de l'avenue de Verdun, ils ne parlent que de vous dans leurs bulletins depuis que vous dirigez le labo (il posa la main à plat sur l'une des revues qui traînaient sur son bureau). Et moi, ici, à Stéphen-Mornay, je peux témoigner que votre travail avec Michel Zyto tient du miracle, si je pense à l'état dans lequel on nous l'a amené. Dois-je vous dire que je vous conserve intactes mon admiration et ma confiance? Non, ce serait insultant, pour vous et pour moi. Il n'y a pas eu faute de votre part, vous le savez bien. Je tiens à ce que vous sortiez le plus vite possible du souci dans lequel je vous vois aujourd'hui. Dans lequel je vous vois depuis longtemps, mon cher Marc, ajouta doucement et timidement Hugues d'Oléons. Vous vous doutez bien que j'ai perçu... Si j'ai la grossièreté de vous en parler, c'est que je ne voudrais pas que l'épisode malheureux d'aujourd'hui n'aggrave... En tout cas, vous savez que vous pouvez compter sur mon amitié...

Il s'interrompit, gêné et épuisé par sa tirade. « Vivement qu'on ait fini de soigner l'autre et que je puisse échapper à ce bavard », pensa Zyto.

Néanmoins, il écoutait, guettait, enregistrait des informations utiles, peut-être précieuses. A partir de maintenant, tout était bon à prendre et à retenir. Ainsi, le docteur Lacroix était depuis longtemps dans un état de souci. De dépression? C'est ce que semblait vouloir dire le patron du Centre. A y réfléchir, Zyto n'en était qu'à demi-étonné.

— Je suis très touché, dit-il d'une voix sourde. N'empêche que c'est un échec, un échec total.

— Et alors? dit Hugues. C'est la vie. C'est l'ordre des choses. Ferions-nous notre métier avec la même passion, s'il n'y avait pas les risques de l'échec? D'autre part, vous savez bien que ce n'est pas un échec total. On ne repart pas à zéro.

Le travail que vous avez fait avec Michel Zyto reste positif. Il faut considérer ce qui s'est passé aujourd'hui comme un incident de parcours.

Zyto regarda droit dans les yeux l'énorme et chauve d'Oléons, dont le ventre semblait un pouf posé sur le fauteuil et sur lequel il se serait assis ensuite. Problèmes hormonaux, tout le monde le savait à la clinique. Comme tout le monde savait qu'il vivait seul. Pas de bévue de ce côté, Zyto ne lui claireronnerait pas : « Bonjour chez vous ! » en le quittant, ha, ha! Pauvre type. Il ne devait pas tirer son coup très souvent. Peut-être pas plus souvent que moi, pensa Michel Zyto. C'est-à-dire jamais.

Zyto devait reconnaître que le docteur d'Oléons avait toujours été chic avec lui. Pas comme Marc, d'une autre façon, d'une façon telle qu'il n'aurait pas pu le haïr comme il était capable de haïr Marc. Ni de l'aimer autant.

— Vous êtes trop gentil avec moi, Hugues. Et l'orgueil? Vous faites bon marché de mon orgueil.

Avait-il employé à bon escient l'expression « faire bon marché de », qu'il avait lue souvent mais encore jamais utilisée? Oui, il pensait que oui. Quant à sa déclaration d'orgueil... Un peu risquée? L'orgueilleux docteur Lacroix aurait-il pu prononcer une pareille phrase en un pareil moment?

Oui. Zyto en aurait sauté de joie, quand d'Oléons lui répondit :

— Depuis que nous nous connaissons, ce n'est pas la première fois que vous vous accusez d'orgueil, comme s'il s'agissait d'une tare honteuse. Je le sais, que vous êtes orgueilleux! Moi aussi, je le suis, à ma façon. Vous ne seriez pas le médecin et le chercheur que vous êtes sans ce nerf, cette ambition...

Zyto prit un air songeur:

— Je me sens coupable, dit-il. Envers Zyto, et même un peu envers vous. Je reviendrai le voir, vite. Il faut que je

135

m'occupe de lui, que je continue de le suivre, surtout en ce moment. Il le faut.

« Étrange de parler de soi et d'entendre parler de soi comme d'un autre, Zyto, je vais m'occuper de Zyto, ce n'est pas la première fois que vous vous accusez d'orgueil, mon cher Marc, à propos d'orgueil bravo pour mon laïus, si quelqu'un soutenait maintenant à cette baleine qu'il a en face de lui non pas Marc Lacroix mais Michel Zyto, la baleine lui prescrirait une cure d'électrochocs, ha, ha! », Zyto avait envie de rire, une vraie envie, qu'il dut réprimer.

On frappa à la porte du bureau.

C'était le docteur Antoine Fabricant, le plus âgé des médecins du Centre. Médecin militaire au début de sa carrière, il avait cette particularité d'avoir une bonne compétence dans pratiquement tous les domaines de la médecine, y compris la chirurgie. Et c'était un médecin à diagnostic sûr. Un coup d'œil, quelques questions, une brève palpation et il en savait déjà beaucoup sur un malade. Au Centre, il s'occupait plus particulièrement de l'état physique des pensionnaires, soignant anorexie, boulimie, traumatismes de ceux qu'on amenait après une tentative de suicide, troubles digestifs ou de la tension artérielle dus aux traitements antidépresseurs, etc.

Il avait toujours l'air jovial.

— Ça va mieux, docteur?

— Ça va mieux, merci, dit Zyto.

— Bon. Votre foutrac sanguinaire... Pas commode, de raser la nuque avec cette plaie qui rigole! Désinfection, points de suture, piqûre antitétanique, antibiotique à tout hasard. Pour le reste, petite commotion cérébrale quand même, hein. Petite, petite, ajouta-t-il en voyant l'expression inquiète de d'Oléons. Je l'ai mis sous anti-inflammatoires et décongestionnants, il en a pour quelques heures de cirage. Sa tension est élevée, presque 20, et il a des spasmes musculaires au niveau du visage et du ventre. Et des mollets. A mon avis, il va être très agité à son réveil.

— Rien de trop grave? dit Hugues.

— Non. Quand j'étais aux urgences, à l'Hôtel-Dieu, les types dans son état on les renvoyait avec une tape sur l'épaule. Ou un coup de pied au cul, selon l'affluence.

Zyto ne put s'empêcher de rire. Marc aussi aurait sans doute ri, c'était un homme qui comprenait la plaisanterie.

— Et nous, qu'est-ce qu'on lui fait? lui demanda Hugues.

— A votre avis? dit Zyto. Téméril?

— Oui. Il ne faut pas qu'il se réveille directement de sa commotion.

— C'est exactement ce que je pense, dit Zyto.

— Mantenant, Marc, vous allez rentrer chez vous. Je vous tiendrai au courant.

— D'accord, dit Zyto en se levant avec précaution, comme s'il avait mal partout. Je passerai demain matin.

D'Oléons protesta pour la forme, mais il connaissait «Marc»...

Le docteur Fabricant s'approcha de la porte.

— Antoine, Marc ne porte pas plainte, lui dit Hugues. On a décidé de ne pas ébruiter l'affaire, si c'est possible. Pas un mot à l'extérieur. Nous n'en voyons pas l'utilité pour l'instant.

— Bien entendu, dit Antoine Fabricant.

Il sortit.

— Vous permettez que j'appelle Marie? dit Zyto, qui se répétait sans cesse le numéro, «son» numéro.

— Allez-y.

Hugues poussa le téléphone dans sa direction.

— Vous voulez que je vous laisse?

— Vous plaisantez! Je vais seulement préparer un peu le terrain. S'ils me voient débarquer comme ça... Marie? C'est moi...

137

Marie ne répondit pas immédiatement. Zyto ajouta:
— Marc.

# 20

Il s'engagea à bonne allure dans le chemin du Maréchal-ferrant.

Il avait le 4×4 bien en main. Il était doué pour les voitures. Jadis, il avait beaucoup conduit le camion branlant de Nicolas, son oncle de Pantin. Sur le camion, l'oncle avait tracé à la peinture, en lettres maladroites: «Nico-Netoitou». Ils roulaient dans les banlieues, et parfois quelqu'un leur faisait nettoyer quelque chose, grenier, jardin à l'abandon, plafond noir de suie. Leur subsistance était ainsi assurée pour un jour ou deux.

Le Terrano se conduisait tout seul. Zyto avait examiné le contenu de la voiture. Il avait ouvert et refermé les portières, la porte arrière, le capot. Et il s'était entraîné à faire fonctionner le radio-cassette. Facile. Il était adroit et il comprenait vite les choses.

Il avait eu du mal à trouver ce maudit chemin, malgré les deux plans découverts dans la boîte à gant, un vieux tout chiffonné et un neuf jamais utilisé peut-être, les environs de Paris au 1/200 000.

Pas question de demander sa route...

Il aperçut la maison. Pas d'autre habitation visible alentour. D'ailleurs, elle ne portait pas de numéro, elle était la seule du chemin du Maréchal-ferrant, qui se perdait dans une petite forêt toute proche.

Toutes les peurs que Zyto tenait tant bien que mal à distance depuis son départ du Centre l'assaillirent. Comment allait se passer la rencontre avec Marie et Léonard? (Il se disait « Marie » et « Léonard », pour s'habituer à leurs prénoms). Certes, il était dans la peau de Marc, mais le reste, ses habitudes, ses comportements, les coups de téléphone que Marc passait ou qu'il recevait régulièrement, les visites? Peut-être une visite était-elle prévue le soir même? Prenait-il des douches, des bains? Quand? Et son rire? Zyto ne l'avait jamais entendu rire franchement: comment était-il alors, quand il riait de bon cœur? (Pour ce soir, pensa Zyto, ça irait, le docteur Lacroix n'était pas censé s'esclaffer à outrance.) Quel genre de conversation avait-il en famille?

Sans parler du plus redoutable, de loin le plus redoutable, l'intimité avec Marie, l'épouse...

Et mille autres choses.

Et une chose parmi ces mille, dont Zyto ne pouvait délivrer totalement son esprit : Marc garderait-il le silence, résisterait-il à la tentation de se confier à Hugues? Oui, Zyto était certain que oui, certain que Marc prendrait ses menaces au sérieux. D'ailleurs, elles étaient sérieuses. Marc avait dû le sentir au plus profond de lui. Pourtant, un doute de pure anxiété, à la fois lointain et tenace, obsédait Zyto.

La maison approchait. Il se mit à suer de nervosité. S'il se laissait ligoter dans le réseau de ses questions et de ses craintes, il ne tiendrait pas cinq minutes.

Il fit un effort sur lui-même pour leur échapper.

Il y réussit. Il voulait jouir d'être Marc Lacroix, non se torturer de peur et de tension. Il se rassura lui-même. Il devrait voir le moins de gens possible. Faire répondre au téléphone par sa femme. Jouer sur le fait qu'il était dépressif, donc un peu bizarre et différent, surtout depuis l'agression.

Pour le reste, continuer d'utiliser ce que lui apprendraient forcément les autres, sa femme en premier lieu, et improviser, rattraper les erreurs en temps voulu, au coup par coup.

Donc, ne pas s'affoler d'avance.

Attendre, avec la certitude que rien d'irrécupérable ne pouvait arriver. «Tiens, tu te laves les dents tout de suite après le dîner?» «Oui, et juste avant de me coucher. J'ai décidé de respecter à la lettre les règles de l'hygiène dentaire. C'est important. Allez, tout le monde à la salle de bains!» Ou bien: «Tu vas t'habiller comment, demain?» «Je ne sais pas. Un pantalon vert et un chapeau de gendarme?» «Très drôle. Ton costume bleu marine, non? Il y aura du beau monde.» «Et si je n'y allais pas?» «Ne pas aller au mariage d'Henri? Ça me paraît difficile. Il aurait fallu décommander bien avant.» «Je sais, oh! je sais! Mais si j'essayais? A moi de trouver une excuse imparable. Tu pourrais m'aider, au lieu de prendre le parti de l'ennemi?» Ou encore: «Tu ne me reparles plus du nouveau, au laboratoire?» «Non, c'est vrai. Je m'étais un peu emballé. Rien de particulier à en dire... C'est un nouveau. Je n'étais pas comme ça quand j'étais nouveau, c'est tout.»

Etc. Zyto se tranquillisait avec ces petites histoires. Mieux, cette idée d'improvisation, de problèmes à résoudre vite et bien l'amusa et l'excita soudain.

Jouir d'être Marc Lacroix...

La maison, sa maison, était une demeure de riche, grande, belle, toute blanche. Elle était perpendiculaire au chemin du Maréchal-ferrant. Une façade donnait sur un jardin, l'autre sur la campagne. Il franchit la grille, se gara dans une sorte de cour à côté d'une petite Austin rouge (une deuxième voiture, celle de Marie, ou un visiteur ? Plutôt celle de Marie), et non dans le garage, malgré les portes ouvertes. Un jour comme aujourd'hui, on ne se garait pas dans le garage, on faisait au plus vite.

Il coupa le moteur.

Deux questions lui traversèrent alors l'esprit, importantes, auxquelles il n'avait encore pas songé.

Marc Lacroix avait-il une autre femme dans sa vie ? Non.

Marc Lacroix avait-il vraiment gardé le secret absolu sur ses travaux, comme il le lui avait affirmé ? Oui.

Non pour la première, oui pour la seconde. Il espéra avoir bien répondu. Oui, il le croyait.

Il descendit de voiture.

Il n'aurait même pas su par quelle porte entrer.

Mais déjà une femme et un enfant sortaient de la maison, venaient à lui.

# 21

La femme était élancée, brune, ses longs cheveux flot-
taient sur ses épaules à chaque pas. Belle silhouette, dans une
longue robe rouge moulante. Qui devait exciter les hommes
normaux. Une vraie femme, comme Zyto en avait surtout vu
dans les magazines et les feuilletons à la télé. Le visage aussi
était beau, à la fois mûr et très jeune. A la seconde où leurs
regards se rencontrèrent, Zyto perçut en elle quelque chose
de rassurant, et quelque chose qu'il ne repoussa pas, qui ne le
menaçait pas vraiment.

— Tout va bien, lui dit-il avec un petit sourire. C'est
fini.

Le gamin trottina pour arriver le premier, lui sauta au
cou. Embarrassant. Michel Zyto le souleva du sol, baisa sa
joue très douce, souffla par jeu sur sa frange de cheveux
noirs. Pourquoi pas?

— Tu me raconteras comment ça s'est passé, hein? dit
Léonard. Tu vas l'avoir longtemps, le pansement?

Léonard... Grand pour son âge, une dizaine d'années,
Zyto le savait. Un regard brillant d'intelligence, une élégance

naturelle dans ses habits décontractés et sans doute coûteux, surtout la chemise. Un joli garçonnet. Marc aussi était beau, avec son visage fin, anguleux mais parfaitement dessiné. Ils étaient tous beaux, dans cette famille.

Dont il faisait désormais partie.

Il posa Léonard à terre.

— Ta mère t'a raconté. Il n'y a pas grand-chose à dire, tu sais. Une petite coupure, une petite bosse. La voiture n'a rien. Le pansement, je l'enlèverai dans... trois mois, quatre mois.

— Non! dit Léonard en riant.

— Non. Demain ou après-demain.

Marie prit la relève, elle se colla à Zyto, lui entoura la taille de ses bras nus, appuya sa joue contre la sienne. Elle lui parla à voix très basse:

— Tu m'as tout dit, au téléphone? Ça va?

— Je t'assure que oui, ma chérie. Je te raconterai mieux tout à l'heure, mais... rien. Enfin, sale journée quand même.

Léonard se dirigeait vers la voiture.

Marie s'écarta, regarda Michel Zyto avec beaucoup de tendresse. Devait-il l'embrasser? Il l'embrassa rapidement sur la bouche. Et il l'avait appelée «ma chérie». Marc l'appelait-il ma chérie? Peut-être. Aucune importance. S'il ne le faisait pas habituellement, eh bien! ce soir, il le faisait, de préférence à mon canard ou ma puce. Ce soir, c'était ma chérie. Il n'y avait pas de souci à se faire.

Etre naturel. Ne s'étonner de rien.

Il se retenait de s'essuyer les lèvres, après le baiser. Pouah!

— Léonard, reviens! cria presque Marie.

L'enfant s'apprêtait à monter dans la voiture. Zyto dit tout bas à Marie:

— Ça va, j'ai nettoyé le sang. Sur mon costume aussi.

— Pourquoi? dit Léonard à sa mère.

— Non, rien, fais comme tu veux, dit-elle.

Du coup, il revint.

Par une des fenêtres donnant sur le jardin, Michel Zyto aperçut le salon. La pièce avait l'air somptueuse. Il allait être bien, ici.

Marie se serra encore une fois contre lui, très fort, puis le lâcha, et tendit la main à Léonard.

Étreintes, mots doux, baisers, Michel Zyto était éberlué d'en supporter tant d'une femme, d'une femme qui venait à lui, le touchait. Comme sa mère. Mais, comme sa mère, pouvait-elle souhaiter autre chose que sa perte – autre chose que le prendre en elle, l'absorber, l'avaler, le supprimer, le réduire à néant?

Et, malgré lui, il s'imagina frappant Marie. La transperçant de coups de couteau, la faisant souffrir.

Et il accueillit avec gratitude cette image, cette envie de violence contre une femme, refoulée depuis des mois à Stéphen-Mornay, mais qui revint vite, à une vitesse effrayante, instantanément forte, vivace, car elle constituait l'être même de Michel Zyto, la matière dans laquelle il avait été façonné. Tous les docteurs Lacroix du monde n'y changeraient rien. Parce qu'on ne pouvait changer ce qui était, et qu'il y avait une exaltation vitale, essentielle, à être ce qu'on est!

La nouveauté, la prodigieuse nouveauté, c'était qu'il était à la fois lui-même et un autre. Il était redevenu pleinement Michel Zyto, mais dans le corps de Marc Lacroix. Il ne ressentait plus que l'exaltation, le plaisir, l'élan, la jouissance de ses pulsions intimes: finies la culpabilité et la souffrance! Et finie la haine contre lui-même, puisqu'il pouvait maintenant la diriger contre l'autre, là-bas, au Centre, abruti par sa commotion cérébrale, et bientôt par les perfusions de Témé-ril. Si le but des psychiatres était de supprimer les souf-frances morales de leurs patients et de leur rendre la joie de vivre, Marc Lacroix avait parfaitement rempli sa tâche, il avait fait un miracle, comme avait dit le gros naïf.

Et donc Zyto se découvrait capable, malgré ses envies de violence revenues, d'accepter le soutien de Marie. La propre épouse de Marc allait l'aider, par la qualité de sa gentillesse et de l'apaisement qui émanait d'elle, à mieux jouer le rôle de Marc, à mieux lui dissimuler une vérité qui la ferait mourir de terreur si elle la connaissait!

Il en ricana intérieurement.

Puis l'idée que Léonard était sorti du ventre de cette femme le dégoûta. Il y pensa au moment où Léonard, prenant la main de Marie, lui prit aussi la main et affecta de les tirer vers la maison, penché en avant, comme s'il traînait un attelage.

Zyto n'aimait pas trop ce petit singe. Il aurait préféré être seul avec Marie.

— Ton short n'est pas très propre, dis donc!

Léonard, habitué à plaisanter avec son père, avait de la répartie. Il s'écarta de Michel Zyto, feignant de l'observer avec attention :

— Ce n'est pas comme ton costume...

Le léger costume, fripé, taché d'auréoles laissées par le hâtif nettoyage de Zyto, ne permettait guère en effet à son propriétaire d'être trop tatillon sur la propreté des habits d'autrui.

Amusant, amusant. Cela dit, fallait-il retourner une gifle au garnement? pensa Zyto, tout en sachant bien que non, que ce n'était sûrement pas le genre de la maison. Marie souriait, il calqua son attitude sur la sienne et sourit.

Ils pénétrèrent dans le hall. Zyto suspendit sa veste.

— Il fait bon rentrer chez soi, dit-il

— Tu me racontes, alors? dit Léonard.

— Tu sais tout, mon petit rat. Maman t'a tout dit.

— Maaaman? Rien du tout. A peine. Tu sais ce que j'ai pensé? Que quand tu te promènes avec des fous, tu devrais

146

toujours avoir ton pistolet. Tu lui aurais mis les huit balles dans la tête, et...

— Léonard! dit Marie. Ton père doit soigner ses malades, pas les assassiner. Pourquoi veux-tu qu'il prenne le pistolet?

Léonard était malin. Il semblait deviner les choses.

— Je suis sûr que l'autre a essayé de lui faire du mal, dit-il, soudain grave – et venant reprendre de façon touchante la main de son père. J'ai bien vu ta tête, au téléphone.

— Mais non, mon petit rat, dit Zyto en lui caressant la joue. Je l'ai laissé conduire et on a eu un accident, c'est tout.

C'est ce qu'ils étaient convenus de dire à Léonard. L'enfant détala à travers l'immense rez-de-chaussée en hurlant: «D'ac, d'ac!»

— Martial a appelé juste après toi, dit Marie. Je lui ai raconté.

Martial? Qui était ce Martial?

Marie remarqua l'air contrarié de «Marc».

— Ça n'a pas d'importance? dit-elle.

— Non, mais avec Hugues, on a décidé de ne pas ébruiter...

Marie parut étonnée. Aïe. Premier petit accroc.

— Et alors? dit-elle. Martial ne dira rien à personne.

Zyto la suivit dans le salon.

— C'est vrai, excuse-moi. Je suis un peu énervé.

«Tu es surtout un peu jaloux», pensa Marie avec attendrissement.

Il se laissa tomber dans le canapé de cuir noir. Il était épuisé. Il examina la pièce. Quelle télévision! Grande, un vrai écran de cinéma, avec les coins carrés, et des haut-parleurs séparés de chaque côté comme pour une chaîne stéréo. Et tous ces livres, des centaines, et la chaîne stéréo, toute noire et toute brillante, aussi jolie qu'une sculpture! Un meuble en bois massif verni était bourré de disques, cas-

147

settes, disques compacts, de quoi écouter de la musique toute sa vie.

— Onze millimètres de menthe, cent vingt de limonade, dit Michel Zyto à Marie.

Il accompagna ces mots d'un petit sourire ironique, à tout hasard, au cas où Marc n'aurait jamais réclamé à quiconque la préparation de sa mixture, mais que ce soir, exceptionnellement...

— Tout de suite, dit Marie sans broncher.

Elle quitta le salon, traversa la salle à manger, se dirigea vers la cuisine d'où sortait Léonard, au pas et non plus au galop, la bouche encore humide d'avoir bu trop vite du jus de fruit ou autre chose.

Il s'essuya sur son avant-bras nu et vint se blottir contre son père.

— Tu as eu peur? Très peur?

— Non, mon petit rat. Non, à peine.

— Pourquoi tu m'appelles mon petit rat, aujourd'hui?

— Il faut bien changer un peu, non?

— Tu veux que je te mette ton disque?

— Oui, tiens, mets-moi mon disque, dit Zyto.

Léonard l'embrassa sur la joue et se leva. Il maniait en virtuose les appareils et les télécommandes. Zyto le regarda faire et retint les manœuvres. La chaîne noire s'illumina de bleu en divers endroits, cadrans, lignes qui s'allongeaient et se raccourcissaient...

Impossible de ne pas penser au psycho-ordinateur de Marc. Et Zyto, pris jusqu'alors dans la nécessité d'agir, eut soudain une pleine conscience des événements qui s'étaient déroulés en quelques heures. C'est alors seulement qu'il en éprouva le choc, un étonnement sans limite, une appréhension devant l'inconnu, l'impression de rêver, de se mouvoir sur les terres d'un conte de fées.

Les premiers notes de la sonate de *La Frescobalda* retentirent. Marie lui apporta un verre de menthe-limonade. Les choses redevinrent réelles. D'une certaine façon, rien n'était vraiment changé. Ou plutôt, le changement était à la fois infini et égal à zéro.

Zyto habitait le corps d'un autre. Mais plus que jamais il était lui-même, Michel Zyto.

Il but avec les signes d'une satisfaction qu'il était loin d'éprouver. Mais enfin, le prix de sa joie n'était pas trop élevé... Il était si bien, dans ce grand salon luxueux, entouré d'objets hors de prix, de plantes vertes dont les larges feuilles n'étaient souillées d'aucun brin de poussière, installé dans un canapé qui semblait l'envelopper de tous côtés tant il était doux à ses fesses et à ses épaules, bien à l'abri, comme dans un cocon, avec malgré tout la possibilité de laisser fuir son regard au loin, par la baie vitrée, dans un paysage auquel la nuit naissante donnait des couleurs profondes, intenses, plus riches que les couleurs de l'ensoleillement...

... Et jouissant de la compagnie d'une femme et d'un fils aux petits soins, une femme et un fils dont il pouvait pour l'instant supporter l'affection sans angoisse ni trop d'agressivité. Pour combien de temps? Et s'il décidait de tuer Marc? Et ensuite de tuer Marie et Léonard, et de se retrouver tout seul et tout neuf, plutôt que de réintégrer son corps, fût-ce au moment idéal, et dans des conditions idéales pour lui?

Plus tard, ce genre de questions, plus tard !

Profiter de la minute présente.

La musique cessa. Elle l'avait ennuyé. Il faudrait que Marie et Léonard s'habituent à des changements de goûts de sa part.

— Je peux regarder un petit bout de télé? demanda l'enfant.

Zyto ne répondit rien, laissant Marie décider.

— Oui. Ce soir, tu peux. Comme ça, tu verras par toi-même que c'est idiot, la télé, à cette heure.

Idiot ou pas, Léonard se rua sur la télécommande et en tripota les boutons comme s'il s'agissait d'empêcher l'explosion d'une bombe. Puis Marie demanda à Michel Zyto, d'un ton plus affirmatif que vraiment interrogatif, s'il voulait prendre une douche et se changer maintenant.

— A la douche, dit Zyto en se levant d'un mouvement décidé.

— Je t'accompagne.

Il comprit qu'elle voulait lui parler seul.

Le canapé reprit sa forme initiale sous les fesses de Zyto avec un drôle de sifflement d'animal blessé. Il faillit en faire la remarque, comme il avait failli vouvoyer Marie Lacroix un instant auparavant.

Au premier, il dut raconter en détail l'accident et l'agression : il avait laissé le volant à Michel Zyto, au début tout s'était bien passé, ils avaient roulé dans la campagne en bavardant et en écoutant de la musique, mais à un moment, Zyto n'avait plus voulu prendre la route que Marc lui indiquait. Ça ne se passait pas très loin de Louveciennes, d'ailleurs. Peu à peu, ils en étaient venus aux mains, bien obligé, la voiture avait quitté la route, elle s'était à demi renversée dans un fossé, le choc avait été très violent. Il avoua qu'il avait eu très peur, malgré ce qu'il avait dit jusqu'à maintenant, que l'autre l'aurait sûrement tué s'il avait pu.

Michel Zyto et Marie avançaient lentement dans le large et long couloir du premier étage. Zyto en profitait pour repérer les lieux, la disposition des pièces, chambre de Léonard, chambre d'amis, bureau de Marc Lacroix.

La chambre conjugale. La salle de bains, l'armoire, l'emplacement des habits. Le lit.

La vue du lit lui noua l'estomac. Que se passerait-il plus tard ? D'accord, ce soir il n'était tenu de rien. Mais demain ? Et puis, il y aurait la proximité physique, cette femme étendue à côté de lui, cette femme superbe et effrayante.

150

Une fois encore, il retrouva facilement son calme.

Il verrait sur le moment. Tout allait bien, tout irait bien.

Sans qu'il demande rien, elle lui disposa des habits sur le lit, sous-vêtements, chaussettes et chemise.

— La chemise verte, ça va? dit-elle simplement.

— Très bien.

Il hésita, entra dans la salle de bains sans se déshabiller, hésita encore, laissa la porte ouverte. Allait-elle le suivre, l'attendre dans la chambre? Le voir nu? Quels étaient les rapports des époux Lacroix, comment se comportaient-ils dans l'intimité? Que ferait-il, si elle venait l'embrasser, le caresser peut-être?

Mais rien ne se passa. Il entendit Marie s'éloigner, ses pas légers sur le parquet.

Il fit couler l'eau. Pour un peu, il aurait sifflloté le *Presto* de Vivaldi.

Sous la douche, il examina son nouveau corps. Grand, bien proportionné. Un peu maigrichon. Peau très douce, une peau de femme ou d'enfant. Des abdominaux un peu mous. Quant au sexe, objet d'un examen attentif, il le trouva plus joli, plus fin, mieux formé que le sien. Mais le sien avait son charme aussi, plus ramassé, plus fort, plus énigmatique, peut-être plus troublant pour une femme, qui sait, blotti dans plus de poils, dans une masse de poils châtains.

Il se savonna amoureusement.

Avant le dîner, sous prétexte de vaquer à diverses occupations et de se détendre un peu, il explora mieux la maison, toutes les pièces, le garage, où il vit du matériel de maçonnerie et de jardinage inutilisé, la cave, presque vide (des jouets, des livres surtout, quelques habits), le terrain, autour de la maison, un simple pré dont on ne tirait pas parti.

L'endroit lui plaisait. Tout lui plaisait.

Ils dînèrent. Presque sans poser de questions, il recueillit de nombreux renseignements sur les Lacroix, sur les parents de Marie, sur les petits copains de Léonard, sur les Cazanvielh, sur le flipper acquis par Martial. Un flipper? Ces gens-là tenaient-ils un débit de boisson? Non, le Martial en question était un collectionneur.

Marie n'avait pas de profession, il le savait déjà. Elle avait fait des études de français-latin-grec. Il avait vu des livres en haut, en plus des ouvrages scientifiques, des livres qui portaient le nom de Marie Leleu sur la page de garde, parfois tracé d'une écriture enfantine, certains étaient des livres de classe.

Il n'y eut pas de coup de fil.

Après le dîner, Michel Zyto se leva de table le premier.

— Je dois appeler Hugues. J'en ai pour une minute.

Il se dirigea vers le salon.

Ainsi, pensait-il, il y avait un pistolet dans cette maison. Les riches qui vivent dans des maisons isolées avaient tous des pistolets, sûrement.

Hugues. Vérifier que tout allait bien de ce côté.

## 22

On baissait les stores. Son inconscience n'était pas totale, il avait entendu le bruit de la manivelle. Impossible d'ouvrir les yeux. Adeline, sûrement, la petite nouvelle qui faisait le travail de deux infirmières et qui le faisait bien et...

Adeline. Marianne. Les images se succédaient dans sa tête. Il ne réfléchissait pas vraiment, très vite les pensées filaient, se brouillaient, lui échappaient, il se ruait dessus, plus rien, mais à quoi pensait-il donc la seconde précédente, qui lui avait paru si important ?

Dans une petite rue de Louveciennes, un sale gamin avait coutume de laisser traîner un porte-monnaie, ou quelque chose qui avait l'air précieux, par exemple une petite voiture en métal de rien du tout mais qui étincelait au soleil. Farce idiote et bien connue : quand on s'approchait pour ramasser, hop, il tirait sur un fil invisible attaché à l'objet et l'objet vous échappait. Marc enfant s'était laissé avoir deux ou trois fois.

Il s'agitait, de petits mouvements, crispations musculaires, main fermée et ouverte, déplacement d'un membre de quelques centimètres, mais lui avait l'impression d'une activité gigantesque, de courses, d'empoignades, de dégringolades sans fin.

Son père était mort en tombant de l'échelle, deux étages, une chute affreuse, le crâne ouvert, une jambe disloquée.

Ton père n'a rien senti. Il est mort au sommet de l'échelle, avant de tomber, c'est pour cette raison qu'il est tombé. Marc détestait sa mère quand elle lui disait ça. Ou autre chose. Ou rien. Son visage de vieille femme se collait au sien, il aurait voulu la repousser, pourquoi était-il si faible? Et pourquoi Marie et Léonard n'étaient-ils pas là, à ses côtés? Il fallait vite guérir et les rejoindre, retrouver son foyer, le confort, l'affection, les jours qui se ressemblaient.

Marianne. C'était l'image qui revenait le plus souvent, et même se superposait aux autres. Marianne, si blonde, si désirable, elle lui souriait comme elle souriait quand il sortait de la salle de bains et qu'elle était restée au lit, il avait envie d'elle, de la rendre folle de plaisir, qu'elle s'accroche à lui et le serre à lui faire mal et dise son prénom, Marc, et des paroles d'amour.

Les rues de Louveciennes, les visages, les scènes, tout défilait dans sa tête.

Tout, sauf Michel Zyto.

Il ne souffrait pas. A peine. Fabricant, sûrement lui. Sacré Antoine. Pour vous rafistoler un écorché, on pouvait lui faire confiance. Donc, je vais bientôt rentrer chez moi.

Sa mémoire était en panne, détraquée, elle fonctionnait mal, de travers. Il se croyait Marc Lacroix dans le corps de Marc Lacroix, dans son corps de toujours.

Il fit un geste plus ample que les autres: il voulait ôter un masque de son visage, il avait l'impression d'étouffer sous un masque, il souleva sa main droite à grand peine, ses doigts touchèrent des poils, un nez, une moustache. La moustache dont s'ornait le visage de Zyto. Qu'est-ce que c'était que ...

Et tout revint d'un coup.

Marc voulut hurler, il crut hurler, il ne produisit qu'un grognement sourd. Un filet de bave lui coula des lèvres. Michel Zyto, l'accident de voiture, la bagarre, son pauvre crâne qui heurtait la vitre épaisse du Terrano, le visage du malade mental tout près du sien, loin, près, loin, près... Le malade mental chez lui, dans sa famille, capable à chaque minute de tuer sa femme et son fils!

Et cette moustache qu'il venait de toucher... Horreur!

Il se crispa sous l'effet d'une souffrance morale insupportable, de nouveau il chercha à hurler – puis il se calma, d'autres images l'envahirent. Son état de commotion interdisait toute manifestation physique trop violente, il ne pouvait pas crier, il ne pouvait pas descendre du lit et crier dans les couloirs en cognant aux murs avec ses poings – et déjà d'autres images l'avaient envahi, Marie heureuse au volant de son Austin toute neuve, les gants de clochard de Léonard, Marie-Thérèse gloussant au téléphone, sa mère Gertrude Lacroix et ses vingt maladies – il se calma, et un peu d'un infâme liquide venu du plus profond de ses entrailles s'écoula sur son menton, dans son cou, il s'en rendit à peine compte.

Marianne, Marianne!

Il avait simplement dit qu'il la rappellerait, comme souvent. Marianne ne s'inquiéterait pas tout de suite. Si trop de temps passait, elle serait un peu malheureuse, mais elle se dirait que Marc avait une impossibilité quelconque et qu'il allait appeler d'un moment à l'autre.

Et elle aurait raison! Il allait s'évader de cet endroit. Lui téléphoner, lui expliquer. Et mettre Zyto hors d'état de nuire. Il raisonna ainsi une demi-seconde. Il s'évadait, appelait Marianne, la convainquait, elle serait forcément convaincue, il lui donnerait des preuves irréfutables de la vérité... ensuite il faudrait... Zyto...

Zyto... La souffrance insupportable fut sur le point de revenir, mais tout se brouilla dans sa tête, tout devint flou, lointain, de plus en plus lointain.

Il perdit conscience.

Il y avait de la lumière.

On lui essuyait la bouche, le menton, le cou. C'était frais, comme sensation.

Une piqûre dans le bras.

Perfusion. Téméril. Foutu, pensa-t-il. Muré dans le corps de l'autre. Pour combien de temps?

Il souleva les paupières. Toute son énergie rassemblée lui permit de tenir les yeux ouverts et d'émettre un gargouillis de mots quand il reconnut Hugues d'Oléons, assis sur une chaise près du lit.

L'infirmière qui installait la perfusion, il ne la vit même pas, il n'aurait pas pu bouger assez la tête, il savait qu'elle était là, une masse blanche et mouvante sur la droite, une blouse, sûrement Adeline.

Il s'accrocha au regard d'Hugues qui l'observait avec sa bonté habituelle, et qui avait l'air triste, si triste.

— Le docteur Lacroix... où est le docteur Lacroix... je veux... le voir...

On entendait surtout les voyelles, qui se frayaient un chemin à travers une mauvaise salive, «do... eu... a.. oi, roix... où est i...» , mais Hugues comprit fort bien.

Il pencha en avant son lourd torse, posa doucement sa main sur l'épaule du blessé.

— Ne vous inquiétez pas, tout va bien maintenant. Le docteur Lacroix est chez lui, il vient de me téléphoner à l'instant pour prendre de vos nouvelles. Il ne vous abandonne pas, il s'occupe de vous. Il viendra vous voir demain matin.

156

Vous allez dormir et vous reposer, et tout ira bien, je vous assure.

Le docteur Lacroix! Michel Zyto, chez lui, avec sa femme et son fils!

Une sensation l'emporta sur toutes les autres, celle du liquide de perfusion qui chauffait son bras, son corps.

Plus de forces, plus de courage, plus de pensées.

Ses yeux se refermèrent.

De grosses larmes roulaient sur ses joues, tachaient l'oreiller.

L'excellent Hugues d'Oléons en fut sincèrement bouleversé.

# 23

Ils allèrent se coucher de bonne heure, en même temps
que Léonard. Marie Lacroix aimait bien se coucher tôt et lire
au lit, et Michel Zyto suivit le mouvement.

Quel repas délicieux ! Il ne s'était pas autant régalé depuis une éternité. Marie était une fameuse cuisinière. Une
réussite, la tarte Tatin du dessert. Sans ce petit goinfre de
Léonard, Zyto en aurait bien repris. Et Marie savait rendre
succulentes des recettes toutes simples, comme les pâtes en
salade. Pour les pâtes, la concurrence de Léonard avait été
moins redoutable, Zyto avait pu s'en mettre jusque-là.

Le coup de fil à Hugues l'avait détendu. Il redoutait
moins la nuit avec Marie. Et Marie était docile, on en faisait
ce qu'on voulait. Elle n'insistait jamais. Il se sentait maître
de la situation. Il se conduirait comme il l'entendait.

Léonard l'embrassa avant d'entrer dans sa chambre,
mais il n'embrassa pas sa mère, la regarda à peine. Curieux.
Devait-il faire ou dire, lui, Zyto, quelque chose de spécial ?
L'enfant disparut, laissant sa porte entrouverte.

Marie continua en direction de la chambre conjugale.

Michel Zyto la suivit.

— Tu vas reprendre une douche?

— Non, j'ai la flemme, dit-il.

Donc Marc Lacroix avait sûrement l'habitude de prendre une douche juste avant de se coucher. Comme Marie : elle alla aussitôt à la salle de bains.

— Tu mettras un pyjama propre. J'ai fait une lessive, aujourd'hui.

Elle poussa la porte sans la fermer complètement.

Marc se choisit un pyjama dans l'armoire, rouge à bordures noires, très échancré sur la poitrine, une sorte de tenue de judo. Il se déshabilla et le passa.

Il avait repéré avant le dîner – outre la photo de Marc jeune portant moustache, qui avait provoqué son ricanement intérieur – le livre en grec posé sur la table de chevet de Marie à droite du lit. Côté Marie. Marc lisait-il également au lit, malgré l'absence de livre de son côté, sur une table symétrique? Ou s'endormait-il pendant que sa femme lisait?

Faisaient-ils l'amour tous les soirs?

Il s'empara d'un livre sur les étagères, *Le concept de biolimite*, et s'allongea de «son» côté, sans se mettre sous le drap.

Il fit semblant de lire.

Il se passait parfois la main sur le visage. Sa moustache lui manquait. Il avait porté une moustache très tôt. Il préférait le visage de Marc sans moustache, mais au toucher il ressentait un manque.

Les bruits de salle de bains avaient cessé.

— Tu veux bien m'apporter une serviette? cria Marie.

— J'arrive!

Il se leva, prit au hasard une grande serviette marron et entra dans la salle de bains. Marie était confortablement installée dans sa baignoire, les cheveux noués sur le dessus de la tête, ce qui la rajeunissait encore, les seins à demi hors de l'eau.

— La tienne est trempée. J'ai oublié de m'en mettre une tout à l'heure.

Elle s'interrompit, regarda Zyto en souriant:

— Tu me fais une farce?

Il réfléchit à toute vitesse. Une farce, quelle farce? Peut-être était-ce en rapport avec cette serviette qu'il lui tendait? Quoi d'autre?

— Tu en veux une autre? dit-il à tout hasard, et lui souriant également à tout hasard.

— Non, bien sûr que non. Tu es distrait, mon pauvre chéri. N'oublie quand même pas que tu dois m'en acheter une douzaine de bleues...

Elle ne voulait pas ou plus de la serviette marron, Marc et elle avaient dû en parler peu auparavant. Très bien, il achèterait des serviettes bleues. Elle se mit debout, tendit le bras, il lui passa la serviette. Elle commença aussitôt à s'essuyer.

Oui, décidément, elle ressemblait aux femmes des revues, elle était aussi élancée, aussi bien faite, avec des fesses qui ressortaient bien, il fut frappé par la beauté des fesses.

Il détourna les yeux et quitta la salle de bains.

Il se remit au lit, sous le drap cette fois, avec son *Concept de biolimite*. Il ne comprenait pas grand-chose à ce qu'il lisait. Non qu'il fût incapable de comprendre, mais il attendait la suite de la soirée avec une appréhension qui croissait à nouveau.

Marie traversa la chambre en peignoir blanc. Le peignoir bordeaux devait donc être celui de Marc. Le sien. Elle sortit dans le couloir, cria: «Voilà!», et Zyto entendit d'assez loin Léonard répondre: «Voilà, voilà!» Il comprit. Un rituel, une habitude idiote. Tous ces «voilà» devaient précéder les baisers du soir. Voilà voilà voilà pourquoi Léonard n'avait pas embrassé sa mère tout à l'heure, se dit Zyto ricanant en lui-même, puis cessant de ricaner lorsque lui revinrent en

160

mémoire les rituels que sa propre mère avait instaurés entre eux.

Un flot de haine le submergea. Non, il fallait résister. Marc lui avait appris à résister. Il l'avait d'abord aidé à exprimer cette haine, puis à l'expliquer, puis à la combattre. Elle était en lui, mais il la contrôlait.

Jusqu'à un certain point. C'était grâce au docteur Marc Lacroix, à ses efforts obstinés et compétents de psychothérapeute, et parce qu'il venait de prêter fort obligeamment son corps à Michel Zyto, ha ha! que Michel Zyto pouvait supporter aujourd'hui, jusqu'à un certain point, la proximité de Marie Lacroix, l'épouse du docteur.


Léonard était tout mignon et adorable au fond de son lit. Dès qu'il vit sa mère, il ouvrit la bouche pour montrer comme ses dents étaient bien lavées, il fit un baiser sonore dans le vide, ferma les yeux et feignit de dormir, tout cela en accéléré, par jeu. Sa mère s'approcha et le baisa au front. Il sursauta, comme si elle l'avait réveillé, ils rirent tous les deux, et ils reprirent le rituel à son début.


De retour auprès de Zyto, Marie ôta son peignoir et passa une chemise de nuit qui aurait tenu tout entière au creux d'un poing serré.

— Tiens, tu te mets à la lecture le soir? dit-elle en se couchant près de lui.

— Ce soir, oui.

Elle l'embrassa sur la joue, s'empara de *l'Odyssée*.

— Tu as raison, ça détend. Tu verras que ça aide à dormir. Tu n'as pas mal? Au front?

— Non, ça va. Un peu courbatu, mais je n'ai mal nulle part.

Ils éteignirent peu après, sans avoir beaucoup lu.

Ils restèrent étendus sur le dos dans l'obscurité et le silence.

Zyto eut soudain très envie de toucher Marie.

Mais il avait peur qu'elle prenne le geste pour une invite à aller plus loin, peur qu'elle le touche elle-même.

L'envie fut la plus forte. Parce qu'il savait que ce soir, et pendant quelque temps, le temps qu'il voudrait, il agirait à sa guise, qu'il serait compris et pardonné d'avance. Parce qu'il sentait de plus en plus à quel point Marie était retenue, discrète. Le contraire de ces trois femmes qu'il lui était arrivé d'approcher, et qu'il... Et puis, c'était sa peur qui lui faisait imaginer des étreintes fréquentes et fougueuses entre les Lacroix. Peut-être qu'il n'en était rien?

Il se tourna sur le côté, avança la main. Il s'attendait à rencontrer le tissu de la chemise de nuit, mais le léger habit s'était retroussé et sa main se posa en partie sur le ventre de Marie. Après quelques instants d'hésitation, il glissa vers le bas, évita le sexe, caressa la hanche, la cuisse jusqu'au genou, remonta par le même chemin jusqu'aux seins, qui lui plurent beaucoup, ils lui évoquaient les jolies fesses qu'il avait vues tout à l'heure.

Il n'en avait jamais tant fait à une femme. Les trois prostituées, dès le premier contact il avait éprouvé le besoin de frapper, de faire mal, il avait caché le couteau sous le lit pendant qu'elles se lavaient, odieusement accroupies au-dessus d'un bidet. Le couteau... Le souvenir de la jouissance éprouvée à les blesser l'envahit, et l'abandonna sur-le-champ.

Tout allait bien. Rien n'allait mal. Ces caresses n'étaient pas désagréables. Il supportait de les faire.

Le sexe l'attirait.

Sa main redescendit, parcourut doucement l'espace du ventre. Marie tourna la tête. Elle l'embrassa sur le front, un

162

baiser bref et tendre, rien d'autre, ensuite elle le laissa tranquille.

Il atteignit les poils (ils glissaient entre ses doigts, lui chatouillant un peu la paume), puis plus bas, là où ça s'ouvrait un peu, il s'en rendit compte, si on passait le doigt d'une certaine façon, d'une façon qu'on découvrait vite, ça se faisait naturellement, c'était un peu humide, à peine, et très doux. Plus bas encore, il n'osa pas, il eut peur, explorer plus bas lui fit peur, vite il enleva sa main et la posa à nouveau sur les seins, bien lisses, bien nets, sans surprise, même si leur extrémité, qu'il effleura à plusieurs reprises, avait tendance à grossir un peu et à se durcir, mais ce n'était pas effrayant, presque rigolo, on avait envie d'y porter la bouche et de mordre, on avait envie d'éprouver ce durcissement sur la langue.

Il ne bougea plus. Marie se mit alors à lui caresser le bras et l'épaule, par-dessus le pyjama, le dos, les fesses, mais avec tant de précautions qu'il attendit avant de se dérober, et qu'il ne se déroba pas, même pas quand au passage elle effleura son nouveau pénis, apeuré sous l'étoffe, puis elle lui caressa la joue, tout bêtement, et tout s'arrêta là, il en fut soulagé.

Comme la veille, Marie avait perçu l'envie plus forte qu'avait «Marc» d'un contact avec elle, et elle avait aussi perçu ses peurs secrètes, de véritables peurs d'adolescent, une tension en lui qui empêchait l'abandon. Mais c'était mieux que la veille. Un petit pas de plus. Peut-être referaient-ils bientôt l'amour? L'idée qu'il puisse avoir une maîtresse, Marianne Matys ou une autre, lui parut ce soit encore plus incongrue. Il était déprimé, préoccupé, il s'accrochait à son travail, il avait eu une terrible déception aujourd'hui, mais elle était certaine qu'il avait de nouveau envie d'elle.

Dans un élan de tendresse, elle l'enlaça et se serra contre lui. Pour Zyto, le danger était passé. Il comprenait que

163

l'élan de Marie n'annonçait rien de particulier, mettait un terme plutôt au peu qui venait de se passer. Il se détendit, l'enlaça, la main posée sur son derrière rebondi et ferme, il serra contre lui cette femme qui, quasi nue dans un lit avec lui, lui offrait sa présence sans rien attendre en échange.

Or, pressé contre elle, sa main épousant la courbe parfaite des fesses avec une satisfaction qui l'étonnait lui-même, il sentit poindre au creux de son ventre une sensation qu'il connaissait bien, mais qu'il n'avait jamais connue avec une femme, et qui de plus était légèrement différente, qui n'était pas seulement le désir de la jouissance, mais le désir de l'autre, et cette fois il eut peur, et de nouveau des idées de violence le...

— Bonne nuit, mon chéri. Ne pense plus à cette histoire.

Elle lui dit bonne nuit et s'écarta, comme si elle avait deviné.

— Bonne nuit, ma chérie.

Elle s'endormit très vite. Lui, non, malgré la fatigue de la journée.

Il se rendit compte qu'il avait les mâchoires serrées, crispées. Il les desserra. Sinon, il aurait de nouveau mal à la gorge et à l'oreille.

Demain, il rappellerait à Hugues que Michel Zyto devait bien prendre ses comprimés de Maktarin.

L'insomnie persistait, mais ne lui était pas pénible. Parfois, il éprouvait encore une stupéfaction sans bornes d'être Marc Lacroix. C'était aussi impensable que l'idée de l'infini, de l'éternité, de quelque chose qui n'avait pas de fin, qui durait toujours, toujours. Aussi impensable que l'idée de la mort. Et de telles pensées ne sauraient durer. Elles ne duraient pas, il en était aussitôt distrait par la respiration régulière de Marie qui dormait à ses côtés, il était frappé par le profond silence de la campagne, il songeait à la nécessité de faire nettoyer la voiture dans un garage, les broussailles

164

l'avaient tachée, striée de noir et de vert sur les côtés.

Marie avait écarté les lourds rideaux marron des deux fenêtres de la chambre. Le soleil envahissait la pièce.

Michel Zyto s'était éveillé Marc Lacroix.

— J'entends Léonard en bas, dit Marie. Je suis sûre qu'il est en train de nous préparer le petit déjeuner. Il m'a demandé la permission, il y a quelques jours, mais il ne s'y était pas encore risqué.

Ils étaient lavés, habillés, prêts à descendre.

— Il me faudrait un peu d'argent, dit-il.

Zyto avait constaté que le portefeuille de Marc était plutôt dégarni. Il guettait les réactions de Marie, tout en feignant de regarder les livres, la tête penchée, comme s'il en cherchait un de précis.

— Tu veux mille francs? dit Marie.

— Oui. Je vais foncer au Centre, je n'ai pas envie de m'arrêter en route. Tiens, mon numéro de code vient de m'échapper. Ça m'est déjà arrivé avant-hier. Je suis d'une distraction, ces jours-ci!

— 6473, dit Marie en entrant dans la salle de bains.

Parfait. Il pourrait utiliser la carte bancaire de Marc. Plus facile que les chèques. Pour les chèques, il devrait d'abord déclarer à la banque qu'il changeait de signature.

— Tu n'as pas oublié que Cédric passe prendre l'apéritif ce soir?

— Non. Presque, mais je n'ai pas oublié.

Il se domina. Cédric. Il réglerait le problème avec Marc.

Il suivit Marie, se donna un coup de peigne.

— Saloperie de début de calvitie!

Tiens, il disait « saloperie ». C'était rare, remarqua Marie.

— Je t'assure que tu as tort de te tracasser. Ça ne se voit

pas. D'ailleurs, tu as un joli crâne bien régulier. Même si tu n'avais plus un seul cheveu...

— Ne dis pas d'horreurs !

Il la surveillait. Elle avait ouvert la pharmacie. Il vit le coffre. Un petit coffre était dissimulé là. Très bien. Il s'approcha de Marie, l'embrassa sur les cheveux.

— Si j'avais tes cheveux ! Dis donc, je ne vais pas rester longtemps au Centre. Finalement, tu pourrais m'accompagner, avec Léonard ? Vous m'attendrez un moment dans un café.

Ne jamais laisser Marie et Léonard seuls à la maison ou dans un lieu connu de Marc. Au cas où il se « confierait » à quelqu'un.

Mais il ne dirait rien. Trop dangereux. Le chantage de Zyto était bien verrouillé. Zyto serait vigilant. Il prendrait toutes les précautions.

— Bien sûr, dit Marie, heureuse de cette demande.

Elle ouvrit le coffre. Combinaison simple, facile à retenir. Il la retint. C'était un petit coffre-fort de rien du tout, pour les dépannages.

Il vit des billets, quelques bijoux, et le pistolet.

# 24

Marc Lacroix avait l'impression qu'on était en train de l'enterrer vivant. Il devait à tout prix soulever le couvercle du cercueil avant qu'on ne le cloue. Après, il serait trop tard.

Ouvrir les yeux. Ses paupières étaient le couvercle du cercueil.

Il avait mal derrière la tête. Il avait mal partout. Il se sentait paralysé.

Mais soulever les paupières, c'était aussi s'éveiller, se souvenir, être submergé par les souvenirs qu'il pouvait encore endiguer – s'il laissait clouer le couvercle...

Il ouvrit les yeux.

Normalement, il n'aurait pas dû hurler. C'était physiologiquement presque impossible, trop de fatigue, trop de drogue dans les veines. Néanmoins, quand il vit ce qu'il vit, il poussa un hurlement, un long hurlement de terreur, un hurlement de damné.

A une trentaine de centimètres de son visage, le regard de Marc Lacroix, comme suspendu dans l'air, le scrutait, *son* propre regard, habité par l'esprit malade de Michel Zyto...

Marc Lacroix, renaissance abominable, venait de s'éveiller Michel Zyto.

Il pensa un instant à Marianne, très fort, comme si le visage de Marianne pouvait chasser, effacer cet autre visage qui était le sien et celui d'un autre, de l'autre.

Il n'était plus sur terre, il était en enfer.

Une infirmière accourut, la grande qui avait une voix d'homme. Elle s'excusa quand elle vit le «docteur Lacroix» dans la chambre.

— Je vous en prie, ce n'est pas grave, dit Zyto.

Il feignit d'examiner le flacon de la perfusion.

— On commencera à baisser dans la soirée, dit l'infirmière.

— Je sais, dit Zyto. J'ai vu le docteur d'Oléons tout à l'heure. C'est une bonne chose.

De toute façon, il n'aurait pas pu garder Marc inconscient à perpétuité. Et le souhaitait-il? Non, il aurait besoin de lui parler. Et d'exercer son pouvoir sur lui, lui parler de médecin à malade, d'inverser les rôles, complètement, pour de vrai.

— En se réveillant, dit encore Zyto, il s'est souvenu en bloc des événements d'hier. Il a eu une réaction nerveuse, c'est pour cette raison qu'il a crié. Maintenant, je suis sûr qu'il va se calmer. Vous pouvez nous laisser. Merci.

Pas mal, le petit laïus. L'infirmière écouta avec attention et quitta la pièce.

«Le salopard s'en tire bien», pensa Marc. Le choc qu'il avait éprouvé, la vision de cauchemar qu'il avait dû affronter en ouvrant les yeux lui avaient mis les nerfs en ébullition. Pendant un bon quart d'heure, sa folle excitation combattrait l'effet abrutissant du Téméril. Il fallait en profiter, trouver quelque chose pour amener Zyto à... Mais Zyto lui parla le premier, avec dureté, dès l'infirmière repartie – avec dureté, mais à voix basse, comme il savait le faire:

168

— Une autre fois, essayez de vous dominer. Pas de cri. Sinon, je m'arrangerai pour que vous ayez un traitement plus dur. Je vous répète que je n'hésiterai pas à tuer votre femme. Votre fils. Et dans le pire des cas, je me tue moi-même. J'en suis capable, vous le savez. Dans le pire des cas. Je l'envisage pour bien vous faire comprendre que rien ne me fera reculer, que c'est moi qui commande, qu'il n'y a aucune chance pour vous, aucun espoir. Vous ne pouvez que passer par ma volonté. Alors pas de cris, pas de scandale. Je veux entendre d'Oléons me dire au téléphone quand je l'appelle que vous êtes un patient modèle. Celui que vous étiez avant. D'ailleurs, à propos de téléphone, j'ai fait enlever le vôtre. C'est une source d'agitation bien inutile dans votre état.

De nouveau il avait approché son visage de celui de Marc, il haletait, il s'excitait tout seul en parlant.

A cet instant, Marc l'aurait tué sans hésitation. Zyto avait terriblement raison : il n'y avait pas d'espoir pour lui, sinon un espoir confus, vague, fondé sur l'idée qu'une telle situation ne pouvait durer toujours. Mais elle durerait assez pour que lui, Marc, perde l'esprit, que son psychisme soit dangereusement ébranlé, qu'il devienne une sorte de malade mental.

Qu'il se transforme plus encore en Michel Zyto.

Et l'«autre» pourrait vivre longtemps auprès de Marie et Léonard. Il était malin comme la malice. Il pouvait dire en septembre qu'il renonçait à la médecine, il pouvait divorcer (il ne manquerait pas d'argent...), il pouvait faire du mal à Marie et Léonard, il pouvait tout !

Le désespoir envahit Marc. Presque une envie de se laisser mourir, là, dans la chambre couleur vieux rose, sans plus faire un geste ni prononcer une parole.

Non, il ne fallait pas ! Il fallait tenir bon. S'évader. Téléphoner à Marianne, lui expliquer, la convaincre de l'incroyable, bénéficier alors d'un soutien moral. La supplier de ne rien dire à personne. Lui-même renonçait à parler à Hugues dans l'immédiat. Hugues ne savait pas dissimuler. Ne rien faire qui puisse mener à une catastrophe. Zyto était trop malin, trop méfiant, surtout en ce moment, il serait sur ses gardes à chaque seconde, les vies de Marie et Léonard étaient en jeu, et son sort à lui, Marc, qui ne voulait pas finir ses jours dans ce corps odieux, ce fou était bien capable de se supprimer, «dans le pire des cas», comme il avait dit, s'il se rendait compte de quelque chose d'anormal, et s'il ne voyait pas d'autre façon d'exercer sa mauvaiseté.

Plus tard, peut-être, il y aurait une occasion de... Mais cette idée de «plus tard» était désolante, elle replongeait Marc dans un découragement absolu.

En réalité, Michel Zyto avait «bluffé», cette fois, quand il avait évoqué un suicide éventuel. Il se sentait capable de violence contre le faux Zyto étendu là, dans ce lit, à Stéphen-Mornay, geignant, blessé, terrorisé. Mais plus contre lui-même, le docteur Marc Lacroix.

— Vous n'avez pas... touché... Marie?

Peut-être n'avait-il pas intérêt à trop faire enrager Marc, à le pousser à une action désespérée. Il était bon de doser la torture.

— Non. Vous savez bien que non. Elle-même ne semble guère disposée à toucher son mari. C'est très bien comme ça.

Marc le crut. Il connaissait Marie, sa réserve depuis qu'il la délaissait. Et il connaissait Zyto.

— Vous voulez... remonter le volet?

Zyto alla remonter le volet. Il se souvint d'avoir un jour demandé le même service à Marc. Il venait d'être admis au Centre. Il gisait dans le même lit, incapable de bouger.

Rôles inversés.

Comme c'était agréable, enivrant!

Il revint s'asseoir près du lit. Marc avait vraiment une sale mine. Il avait peine à garder les paupières ouvertes. Parfois, on ne lui voyait plus que le blanc des yeux, comme aux moribonds. Sa moustache était tout en broussaille. A l'avenir, il devrait la brosser régulièrement, deux ou trois fois par jour. Faire un effort de présentation. C'est ce que Marc lui avait toujours dit, et Zyto avait obéi.

— Est-ce que vous attendez des coups de téléphone? De Sainte-Anne, de votre laboratoire? D'où? De qui? Est-ce que vous devez en passer?

Marc rassembla ses souvenirs. Il ne répondit pas tout de suite. Il se concentra sur cette histoire de téléphone.

— Vous avez intérêt à collaborer, dit Zyto froidement. Je vous jure que vous avez intérêt.

— Pas de coup de téléphone. Non, rien de particulier. Tout le monde est parti. Sauf... Léonard a des copains qui peuvent... ou leurs pères...

— Éric, Vivien, Simon, je sais.

— On a des amis, à Versailles, qui...

— Martial et Marie-Thérèse, je sais aussi. Rien d'autre?

Oui, le salopard s'en tirait bien! Marc se dit qu'il avait intérêt en effet à collaborer, pour gagner sa confiance.

Qui pouvait téléphoner? Des dizaines de personnes. Mais des coups de fil certains, immédiatement gênants pour l'imposteur...

— Non, rien d'autre, dit-il dans un souffle. Je ne vois pas. Qu'est-ce que vous pensez faire? Qu'est-ce que vous espérez?

— Profiter de la situation. Vous qui parliez toujours des bienfaits psychologiques du changement, vous aviez raison, je me sens mieux que jamais.

— Mais plus tard, qu'est-ce que...

— Plus tard, je verrai.

Chantage bien verrouillé. Rien à lui opposer, pas de monnaie d'échange.

Si! Il y en avait une!

171

L'état physique et psychique lamentable de Marc, sa mémoire capricieuse... l'obsession du téléphone, que Zyto lui avait fourrée dans la tête... le sommeil déjà menaçant... Du coup, il n'avait pas pensé à...

Mais il y avait une monnaie d'échange. C'est Zyto qui venait de lui en faire prendre conscience, avec ses questions.

Michel Zyto se pencha, menaçant:

— Et Cédric? La visite de Cédric ce soir? Qui c'est, ce Cédric? Vous vouliez me cacher quelque chose?

Au fond, il ne croyait pas à une manœuvre de Marc. Il voyait bien que Marc se battait avec ses pensées, avec ses souvenirs, qu'il était en pleine confusion.

Marc avait réellement oublié. Et loin de lui l'idée de cacher à Zyto la visite de Cédric Houdé, au contraire...

La tumeur. L'hypocondrie de Zyto. Une petite chance d'établir un rapport de forces moins désastreux.

— Croyez-moi, j'avais oublié, dit Marc. Mais vous faites bien de me le rappeler.

Puis il fit l'effort d'ouvrir mieux les yeux. De tourner lentement la tête vers son persécuteur, malgré la douleur. De s'adresser à lui d'une voix qu'il parvint à rendre sèche:

— Vous vous sentez mieux que jamais? Je vous promets que ça ne va pas durer. Bientôt, vous ne vous sentirez plus bien du tout.

Zyto se redressa sur sa chaise.

— Pourquoi? dit-il, soudain alarmé.

— Parce que je suis malade. *Vous* êtes malade. Je l'ai appris la veille de notre expérience, par le docteur Cédric Houdé. C'est le patron du service O.R.L. de Lariboisière. Un grand médecin. Je souffrais de vertiges, de surdité passagère, de... Mais vous ressentirez bientôt ces symptômes. («A mon avis, tu les ressens déjà, ordure, trouillard comme tu es», se dit Marc avec une mauvaise joie en constatant que Zyto changeait de visage.) J'ai passé un scanner. J'ai une petite tu-

172

meur sur le nerf acoustique. Elle est en train de grossir. Si on la laisse grossir, les conséquences sont terribles. Si on opère, elles sont terribles aussi. Marie est au courant, mais elle ne sait pas à quel point c'est grave. S'il vous plaît, ne lui dites rien si elle ne vous en parle pas, elle.

Il se tut, épuisé. Il se demanda comment il pourrait prononcer un mot de plus. La drogue reprenait possession de lui. Que dire pour inquiéter davantage Zyto? De toute façon, Cédric allait le rassurer. N'empêche, Marc savait que Zyto penserait sans arrêt à «sa» maladie et qu'il ne manquerait pas de s'affoler copieusement à certains moments.

Une bonne monnaie d'échange...

Affolé, pour l'heure, Zyto l'était.

Et il n'avait plus le docteur Marc Lacroix pour l'apaiser.

Il se leva de sa chaise.

— Vous mentez! Vous me racontez des histoires! Vous voulez me... me... Méfiez-vous! Pensez toujours à ce que je vous ai dit...

Marc crut que Zyto allait le frapper sur son lit, l'étrangler, céder à quelque folie. Non, Marc était désormais à l'abri d'un meurtre, tant qu'il habiterait ce corps robuste qu'un peu de Maktarin suffisait à assainir parfaitement. Il ne se laissa pas intimider, il tint son regard fixé sur celui de l'autre, et parvint encore à lui dire, au prix d'un ultime effort:

— Ce soir vers dix-huit heures, le docteur Cédric Houdé passera à la maison. Il vient seulement pour prendre un verre, pas pour parler de la tumeur, nous nous sommes tout dit à ce sujet. Alors amenez la conversation sur ce sujet en douceur. Vous n'êtes pas censé être inquiet. Et ne lui en parlez pas devant Marie, je vous le redemande. Les radios sont dans mon bureau, avant-dernier tiroir à droite. Et ne posez pas de questions trop naïves.

Michel Zyto se rassit.

— Expliquez-moi, dit-il d'une voix tremblante. Expliquez-moi... quelles questions ?

Mais le docteur Lacroix venait de sombrer dans le sommeil, le couvercle s'était de nouveau refermé sur lui.

## 25

— Voilà, la tumeur est exactement là, dit Cédric. Tu vois? Là. Juste à l'entrée de l'oreille interne. Ce n'est pas grave en soi. Le problème, c'est que c'est en plein crâne. Tu vois le nerf, là, qui va du tronc cérébral à l'oreille... hop... hop... c'est là.

Zyto et Cédric Houdé étaient assis côte à côte dans le bureau de Marc, les clichés étalés devant eux. Succédant à la peur, un calme de mauvais aloi avait envahi Michel Zyto.

Tronc cérébral... neurinome de l'acoustique... acoustico-vestibulaire... huitième nerf... paquet acoustico-facial, septième nerf, le nerf facial, paralysie totale ou partielle du visage... Les mots défilaient, Zyto faisait effort pour ne pas défaillir, pour sauver les apparences, pour boire sa menthe-limonade sans s'en faire couler sur le menton. Il en voulait à ce vieux médecin sec et costaud de sa santé, et de son ton calme pour lui expliquer ces horreurs. Il ne comprenait pas tout, mais assez pour savoir que cette petite tache, là, était comme un petit bout de mort en lui, qui pouvait se développer, grossir, devenir la mort, sa mort.

Et, donc, si on opérait? Troubles certains, plus ou moins embêtants, surdité, paralysie d'une partie du visage...

D'ailleurs, même si l'opération était parfaitement exécutée... l'artère cérébelleuse moyenne, toute proche, pouvait se spasmer. Risque imparable, imprévisible.

Et c'était la mort.

Cédric Houdé se demandait pourquoi Marc le harcelait de questions, de questions surtout dont Marc connaissait la réponse aussi bien que lui. Il l'avait trouvé beaucoup plus serein au moment du scanner. Un coup d'angoisse, sans doute. Personne n'était à l'abri. Il entreprit donc de le tranquilliser, et Zyto, impressionné maintenant par l'autorité du vieux spécialiste, fut tranquillisé en effet: étant donné le résultat du scanner, l'hypothèse pessimiste d'une évolution rapide précédant une intervention chirurgicale catastrophique était statistiquement presque à écarter. Un petit contrôle de loin en loin, et, Cédric le répéta, Marc atteindrait cent cinquante ans avant d'être gêné par son neurinome.

Comme la nuit précédente, Michel Zyto caressa Marie. Plus longuement, mieux, au point d'éveiller nettement son plaisir. La respiration de Marie devint rapide, son corps fut parcouru d'un léger frémissement. Il continua, il ne s'arrêta pas, et soudain Marie écarta les cuisses et les resserra sur la main de Zyto, et s'immobilisa. C'était fini. Il n'avait pas vraiment voulu cela. Il avait été surpris. Il se retrouva dans ses bras, il laissa Marie le prendre dans ses bras, tout contre elle.

De ce qui venait de se passer, il éprouva peur, dégoût et haine. Mais pas seulement. Il était excité lui-même. Et Marie n'avait pas eu un geste embarrassant. Le risque était passé. Elle ne semblait pas attendre ce qu'il redoutait le plus, ce dont il était incapable, la pénétration, elle semblait ne rien attendre.

176

Peut-être que Marc Lacroix ne faisait plus l'amour avec sa femme?

Il se blottit mieux contre elle.

— Je pense à ce que m'a raconté Cédric, murmura-t-il au bout d'un moment.

Malgré la recommandation de Marc, il n'avait pu s'empêcher de geindre auprès de Marie. Elle le serra plus fort.

— Ne t'en fais pas, mon chéri. Ça n'évoluera pas. Et si ça évolue, ce sera très lent. J'en suis certaine. Je suis certaine que tu t'en fais pour rien. Tu me l'as dit toi-même tout à l'heure.

Elle savait bien lui parler. Peur, dégoût et haine se tenaient à l'écart. Et son excitation sexuelle croissait. Il s'écarta un peu de Marie pour qu'elle ait plus de liberté de mouvements, et puisse le toucher, il en avait très envie soudain.

Marie comprit aussitôt, elle prit son sexe dans sa main, et ne commença à caresser l'homme qu'elle croyait être Marc Lacroix que lorsqu'elle sentit qu'il le souhaitait vraiment, doucement d'abord, avec délicatesse, habileté, tendresse.

Elle avait envie de repousser le drap. Elle ne le fit pas, elle attendit qu'il le fasse lui-même.

Michel Zyto pensait de son côté que ce drap était bien agaçant, mais il n'osait pas encore... puis il osa, le repoussa, plus de contact agaçant, son sexe était durci et dressé dans l'obscurité de la chambre, Zyto ne se sentait pas menacé, on ne voulait rien de lui, seulement lui faire plaisir, on ne lui demandait rien en échange, il s'abandonna et Marie le caressa plus vite, aussi vite qu'il voulait.

Il sentit dans tout son corps la venue d'une formidable jouissance. Marie s'arrêta un instant, exactement le temps qu'il fallait pour que l'attente du plaisir soit la plus aiguë, et elle recommença, très vite, très fort, puis moins vite et moins fort une seconde avant le moment précis où Zyto fut secoué par une interminable éjaculation.

Ils se serrèrent l'un contre l'autre comme des amoureux.

C'était le deuxième matin que Michel Zyto passait le rasoir sur sa lèvre supérieure. Drôle d'impression. Il lui faudrait du temps pour s'habituer. En revanche, il s'habituait à son nouveau visage, à son nouveau corps. Il les aurait aimés davantage sans la mauvaise nouvelle de sa maladie. Il était persuadé que toute crainte excessive était déraisonnable, aurait inutilement gâché le plaisir qu'il tirait de la situation, mais une source d'angoisse était née en lui, qui ne se tarirait plus, pas une seconde, tant qu'il ne réintégrerait pas son corps de Michel Zyto.

Une angoisse qui parfois le submergerait, l'étoufferait, il le savait d'avance.

Il avait très mal dormi.

Pas à cause des clichés, de cette petite tache floue sur le trajet du nerf, ce «neurinome de l'acoustique», comme avait dit le dénommé Cédric Houdé. Non, à cause de ce qui s'était passé avec Marie. Un événement sans précédent, qui l'avait profondément troublé et dont il était incapable pour l'heure de mesurer les conséquences.

— Si tu veux, on pourrait aller déjeuner à la campagne ? dit Marie de la chambre. On s'arrêtera à Carrefour au retour. Qu'est-ce que tu en penses ?

Michel Zyto s'essuya le visage avec une serviette. Rasé de près.

Marc Lacroix le regardait dans la glace. Beau visage, vraiment.

Carrefour ? Les Lacroix avaient-ils coutume d'aller faire leurs courses dans un magasin Carrefour comme des banlieusards, ou était-ce prévu aujourd'hui seulement?

Curieux.

Déjeuner à la campagne. Pourquoi pas? Une petite balade en famille lui ferait du bien.

Il se mit dans la baignoire.

— D'accord, dit-il.



Adeline enleva le pansement.

— Voilà... on laisse comme ça.

— Ça ne va pas s'infecter, Madame le Docteur, si on ne met pas de pansement?

Zyto feignait de plaisanter, mais il avait besoin qu'on le délivre complètement du souci de l'infection.

— Non. Le risque de gangrène est minime, dit Adeline en souriant.

— Très bien, je vous fais confiance. Merci.

Elle quitta le bureau sans bruit, un sourire errant encore sur ses lèvres.

— Il est très calme, dit Hugues d'Oléons. Il regrette. Il va entrer dans une période de culpabilité. Ensuite, à mon avis, il sera tout à fait comme avant.

— J'aurais dû me méfier plus. Il a développé un rapport ambivalent avec moi. Je le savais, mais de là à imaginer...

Développer un rapport ambivalent. Zyto avait préparé un petit discours avant de venir. Il en avait même deux ou trois en réserve. Il avait feuilleté chez Marc un ouvrage de psychanalyse, il avait lu attentivement le chapitre sur le transfert.

Hugues l'approuva:

— Moi non plus, je n'aurais pas cru... Est-ce qu'on refait une petite perfusion ce soir, ou...

Le gros homme transpirait. L'été s'installait pour de bon, il faisait beaucoup plus chaud que les jours précédents, lourd même. Des gouttes de sueur perlaient sur son crâne dégarni.

C'était répugnant.

— Peut-être encore ce soir? dit doucement Zyto.


Marc Lacroix dormait.

Michel Zyto entra et s'assit en silence.

Il le regarda avec dégoût, ses mains épaisses, trop poilues, sa moustache, vraiment moche quand elle n'était pas entretenue, son corps sans élégance, tassé, souffrant. D'heure en heure, il avait moins envie de retrouver ce corps. Hélas, la question ne se posait plus. Il serait forcé de redevenir Michel Zyto un jour ou l'autre, envie ou pas, à cause de ce maudit neurinome. A cause des dégradations physiques qui pouvaient s'ensuivre et qu'il supporterait moins bien que la mort, à cause de cette artère cérébelleuse moyenne qui pouvait se resserrer brutalement au cours de l'opération, priver son cerveau de sang, le dessécher, et ce serait la mort. Et il ne voulait plus de la mort.

Il eut une petite crise d'angoisse. Il s'y attendait, mais pas si tôt.

Que faire? Retourner avec Marc à Louveciennes dès que possible, s'asseoir sur les fauteuils confortables du psycho-ordinateur et revenir en arrière? Puis tuer Marc et s'enfuir? Ou ne pas le tuer, le mettre hors d'état de nuire pour quelque temps et s'enfuir après avoir soigneusement préparé son départ, à l'étranger, sous une nouvelle identité?

Rien ne pressait, bon Dieu, rien ne pressait! Dans l'immédiat, la réponse à toutes ses questions était simple: aller tranquillement déjeuner à la campagne, faire des courses avec femme et enfant dans une de ces grandes surfaces qu'il connaissait si bien, le soir se gaver de terrine de canard, cette terrine dont Marie avait commencé dès la

180

veille la savante préparation. Et, la nuit, retrouver le plaisir des caresses avec une femme qui l'effrayait moins que toutes les femmes de la terre.

Marc Lacroix somnolait, il ne dormait pas vraiment. Il savait qui était là. Il feignait d'être accablé. Il avait entendu Hugues le dire : « Il se détend, il ne lutte plus, la crise est passée, il va beaucoup dormir maintenant... » Eh bien ! il donnait l'image de quelqu'un qui dort, qui s'abandonne, qui ne lutte plus.

Mais il luttait. De toutes ses forces. La perfusion de la veille n'avait pas été trop lourde. Il n'en avait pas eu de nouvelle ce matin. Le Téméril s'éliminait peu à peu dans ses veines.

Zyto le secoua par l'épaule. Marc remua, grommela sans ouvrir les yeux.

— Vous ne me demandez pas comment va la petite famille ? murmura Zyto. Ils ne sont pas loin d'ici. Tout se passe bien. Quant à vous, on peut espérer que ce changement radical va améliorer votre état dépressif. Je prendrai de vos nouvelles ce soir, après la perfusion.

Le salopard, le salopard ! Une fois encore, Marc l'aurait bien tué.

— Vous avez vu le docteur Houdé ? dit-il d'une voix faible et pâteuse.

— Oui. Pas de problème urgent, vous le savez. Donc, rien de changé. Obéissance et bonne conduite, Monsieur Zyto.

Le salopard !

Oh ! si, il y avait quelque chose de changé. Mais Marc ne discuta pas. Il avait mûri un projet dans sa tête. Et il luttait, il attendait le moment où il aurait retrouvé assez de force et de lucidité pour agir.

# 26

Plus tard, ce jeudi 3 août à midi, le docteur Marc Lacroix, métamorphosé en Michel Zyto à la suite d'une expérience extraordinaire et manquée, s'évada du Centre psychiatrique de l'avenue Stéphen-Mornay.

A un incident près, ce fut presque aussi facile qu'il l'avait espéré.

Il choisit dans l'armoire de Zyto des vêtements qu'il ne lui avait jamais vus, sombres et mal assortis, une veste marron et un pantalon de flanelle qui le firent aussitôt transpirer. Il trouva dans la même armoire mille cinq cents francs en liquide, il les rafla.

Il mit dans sa poche la boîte de Maktarin.

Il se donna un coup de peigne. Mais un coup de peigne ne suffisait pas. Une chevelure aussi abondante et emmêlée résistait à l'ustensile. Il lui fallut du temps pour ne plus avoir l'air hirsute.

Un petit coup aussi à la moustache.

Personne dans le couloir.

Il descendit l'escalier.

Un incident sans conséquence, mais pénible. Adeline sortait du bureau d'Hugues au pied de l'escalier ou presque. Marc n'avait pas le choix: il fonça, dévala les dernières marches à toute vitesse et arriva sur la jeune femme poing en avant. Pas question de perdre du temps dans une vague lutte avec elle. Avant de comprendre ce qui lui arrivait, elle reçut un choc de soixante-dix-huit kilos sur le bas du visage et s'écroula sans un cri.

Son élan à peine interrompu, Marc se rua en direction de la sortie, vers l'issue de lumière au bout du couloir. Il entendit la porte d'Hugues s'ouvrir, il entendit Hugues bafouiller, puis crier: «Arrêtez!», puis plus rien.

Il ne risquait pas d'être poursuivi par Hugues.

Mais la police allait être prévenue tout de suite.

Aucune importance. C'était prévu au programme. On n'allait pas le retrouver comme ça.

Marianne. Le salut provisoire était du côté de Marianne.

Il courut, remonta la petite avenue Stéphen-Mornay, prit le boulevard Vincent-Auriol et arriva très vite, toujours en courant, au métro Place d'Italie.

Personne ne s'occupait de lui, ni lui de personne.

Il dévala les marches.

Il croisa une femme pourtant qui prêta attention à lui et lui à elle, une fraction de seconde. Elle n'était pas très grande, elle avait des cheveux châtains longs et frisés, dont la masse désordonnée contrastait avec un visage d'une extrême finesse, pâle, aux traits admirablement dessinés, un visage de peinture.

Elle était vêtue sans recherche d'un pantalon et d'un léger blouson de cuir.

Bien entendu, Marc ne la détailla pas. Il la photographia mentalement au passage comme si quelqu'un d'autre en lui avait appuyé sur le déclencheur. Ce fut bref, aussitôt oublié pour chacun, tant était lourd le poids de leurs préoccupations respectives, ils ne se retournèrent pas, ils continuèrent leur chemin.

Peu de monde dans le métro. Marc se laissa tomber sur une banquette.

Oui, quelque chose était changé, et Zyto devait bien le savoir. Quoi que fasse Marc, Zyto y regarderait à deux fois avant de donner suite à ses menaces. Marc avait maintenant le pouvoir de l'abandonner à jamais à «son» corps malade.

Ce serait au plus malin et au plus dur. Depuis qu'il avait découvert une parade, un moyen d'action, Marc sentait naître en lui, timidement encore, une énergie nouvelle. Ce neurinome allait peut-être lui sauver la vie. Il était décidé à se battre, à gagner. A sa manière, il était fort et n'avait peur de rien.

Il changea de métro à Chaussée-d'Antin. Cinq minutes plus tard, il sortit dans le grand soleil qui frappait tout le quartier de la Madeleine. Il se remit à trotter. En deux pas, il fut au café *Maritimos*, rue du Faubourg-Saint-Honoré, juste en face de chez Marianne. Il lui était arrivé une fois de l'appeler de là. Le téléphone était au sous-sol, en principe on était tranquille.

Il enfonça la pièce de un franc. Il se serait bien mis à genoux pour supplier Dieu de la faire être chez elle. Il composa le numéro avec trop de hâte, la pièce n'avait pas encore fait son office de déblocage du système, il dut la récupérer et recommencer, le cœur battant d'une manière effrayante. Pourvu qu'elle soit là! Il fallait qu'elle soit là, il le fallait!

Sûrement elle serait là, à cette heure, attendant même le coup de fil de Marc, impatiente et un peu inquiète de n'avoir pas eu de ses nouvelles.

Occupé.

Elle était chez elle, mais combien de temps allait-elle parler?

Il recommença douze fois. Il tremblait comme une feuille.

A la douzième fois, la sonnerie retentit. Elle décrocha aussitôt. Il en aurait pleuré.

— Marianne... c'est Marc. Excuse-moi, complètement impossible de t'appeler avant...

Il était essoufflé, il ne pouvait plus émettre un mot.

— Marc, ça va ? dit Marianne, soudain alertée.

— Oui et non. Non, je vais t'expliquer.

— Tu as une drôle de voix, tu me fais peur, qu'est-ce qui t'arrive ?

Elle perdit sa nonchalance habituelle. Elle comprit qu'il se passait quelque chose de grave.

Il lui expliqua. Il lui parla de l'expérience ratée, abominablement ratée, des événements qui avaient suivi, de sa hâte d'être auprès d'elle, de sa crainte atroce qu'elle ne soit effrayée, dégoûtée en le voyant.

Elle fut immédiatement convaincue. Personne d'autre que Marc n'aurait pu lui parler ainsi.

— Viens vite ! dit-elle.

Mais quand elle le vit, quand elle vit cet homme plus petit qu'elle, avec cette moustache, ces mains fortes, elle eut un mouvement de recul, de peur, de doute même.

— Je t'en supplie, Marianne, n'aie pas peur, je vais tout t'expliquer en détail. Laisse-moi m'asseoir, je suis mort de fatigue. Les perfusions m'ont épuisé. Je me demande comment j'ai fait pour arriver jusqu'ici.

— Assieds-toi, assieds-toi, dit-elle en l'accompagnant au petit canapé. Tu as très mal à la nuque ?

— Non, je ne sens presque plus rien.

Marc s'effondra. Les six étages l'avaient achevé. Il osait à peine regarder Marianne en face. Pauvre Marianne, quelle histoire pour elle !

— Je sais que c'est incroyable, je sais ce que tu te dis,

ma chérie, je comprends que les idées les plus folles t'effleurent l'esprit, je comprends parce qu'elles sont encore moins folles que ce que je t'ai raconté, mais je vais te prouver... Interroge-moi, si tu veux, dis-moi de te raconter n'importe quoi sur ce qui s'est passé entre nous depuis que je t'ai rencontrée à la fin du *Songe d'une nuit d'été* jusqu'à avant-hier, interroge-moi, je te donnerai des détails que personne d'autre au monde ne peut connaître! Il y a trois mois à peu près, je t'ai coupé l'extrémité d'un cheveu qui était fourchu, on l'a jeté par la fenêtre pour voir à quelle allure il tombait, tu te souviens? Interroge-moi, demande-moi tout ce que tu veux, et ensuite aide-moi, je t'en prie, tu te rends compte dans quel cauchemar je suis?

Il haletait, il se tordait les mains, il était au bord des larmes. Il se sentait ridicule avec cette histoire de cheveux, il se sentait laid, repoussant, pourvu qu'il ne la dégoûte pas! Elle lui dit plusieurs fois: «Je te crois, je te crois, mon chéri!» Elle avait été horrifiée, puis apitoyée, attendrie par ce corps différent dans lequel son amant était prisonnier – oui, c'était incroyable, fou, mais elle se promit de l'aider, d'être à la hauteur!

Elle s'assit à côté de lui, lui prit la main avec naturel.

— Calme-toi, calme-toi! Je vais t'aider, bien sûr. Personne ne peut te retrouver ici.

— Merci, ma chérie. Mais laisse-moi te donner des preuves, j'en ai besoin, je me sentirai mieux. Même si tu me crois, j'en ai besoin.

Il lui en donna, d'irréfutables. Et il reprit tout depuis le début, ses travaux gardés secrets, l'expérience avec Cookie et Mana, puis la suite, la machine qui avait trop bien rempli sa fonction, les heures de cauchemar, le chantage exercé par Zyto, son hypocondrie, la riposte de Marc.

Parler, tout raconter le soulagea. Marianne l'écouta avec une attention forcenée, une attention d'enfant incrédule qui est bien obligé de croire pourtant. Elle fit un effort pour s'apaiser elle-même, pour admettre autant que possible avec ses sens et non plus seulement avec sa raison que cet homme qu'elle n'avait jamais vu était Marc. Elle devait l'aider et le réconforter avec autant d'élan et d'amour que si elle avait eu à son côté le corps de son amant.

— Tu ne m'avais rien dit de cette maladie ?

— Non. Mais ce n'est pas grave, je t'assure.

Elle lui caressa les cheveux, l'embrassa sur le front, en se forçant un peu. Elle se dit malgré elle, parce qu'elle avait un fond de gaieté et de drôlerie, qui se manifestait même inconsciemment, que Marc aurait pu tomber plus mal, que ce Zyto, en dépit d'une allure un peu bestiale et de cette moustache – mais une moustache, ça se rasait –, n'était pas si mal, pas si effrayant et dégoûtant que ça, qu'il avait un beau regard clair, qu'elle attendrait à ses côtés une solution – mais laquelle ?

— Qu'est-ce que tu penses faire? Comment on va s'y prendre ?

Il avait perçu le changement d'attitude de Marianne. Il lui en sut gré, de tout son être. Il l'embrassa aussi, en se retenant de l'embrasser comme il l'aurait souhaité, sur la bouche, en la caressant, en l'étreignant.

— Je ne sais pas. Lui tomber dessus à un moment où il sera seul, l'assommer, retourner à Louveciennes avec lui... J'ai sommeil, Marianne, tout d'un coup... Après ce qu'il m'a dit, ça me paraît impossible, mais.. En te parlant, j'ai une idée qui me vient. Mais il faudra que tu m'aides...

— Bien sûr que je t'aiderai. Tout ce que tu veux.

Quelle joie, quelle joie de la revoir, et quel désastre de la revoir emprisonné dans cette chair odieuse! Comme sa beauté, sa blondeur, sa lumière lui faisaient du bien, et quel déchirement de ne pouvoir lui manifester davantage son amour !

Quel déchirement aussi de ne pouvoir, après Marianne, rentrer chez lui, et profiter de Marie et Léonard, de leur rayonnement différent, bénéfique d'une autre façon, Marie et Léonard, dont il se rendait compte pleinement aujourd'hui à quel point ils lui étaient également nécessaires.

Il avait un vague plan. Il l'exposa à Marianne. Puis il fut pris d'un sommeil invincible. Le Téméril, la fatigue, la tension. Il se leva en titubant, se dirigea vers la petite chambre. Marianne le soutenait par un bras. Il ôta sa veste et s'abattit sur le lit. Une voiture démarra à grand fracas dans la cour, cinq étages plus bas. Marianne ferma la fenêtre. Quand serait-il de nouveau au volant de son splendide 4x4 ? Il regarda la montre qu'il avait au poignet, la grosse montre vulgaire de Zyto.

— Réveille-moi dans deux heures. Si tu veux bien, achète-moi d'autres habits. Et des lunettes noires.

Puis il s'endormit d'un coup.

Deux heures plus tard, Marc avala deux bols de café avec des tartines de beurre, rasa sa moustache (comme il s'était rasé la moustache bien des années auparavant, à la demande de Marie), prit une douche, changea son pansement à la nuque et passa les habits achetés par Marianne. Le costume gris lui allait parfaitement. La chemise blanche serrait un peu aux épaules. Mais ça irait.

Il chaussa les élégantes lunettes de soleil à fine monture métallique, et Marianne et lui quittèrent l'appartement. Marc emportait, bourrées dans un sac en plastique, la veste marron et le pantalon de flanelle de Zyto, qui lui répugnaient. Il les jetterait en bas, dans la poubelle.

27

Étonnement amusé de Marie : Dominique Macher, son amie, portait une perruque. Marie lui tourna autour, admira, félicita, prenant Zyto et Léonard à témoin. Comme le mot «perruque» ne fut prononcé que plus tard, Zyto se trouva dans le cas de s'extasier lui aussi, mais de quoi? D'une nouvelle teinture, d'une nouvelle coiffure, d'autre chose? Il ne savait pas. A tout hasard, il adressa un clin d'œil de complicité au jeune Léonard, que ces histoires de cheveux laissaient plutôt froid. Le gamin vint lui prendre la main. Son père ne lui adressait jamais de clins d'œil. C'était bien. Ça faisait très copain. Il en était tout fier.

Spontanément, sans réfléchir, Michel Zyto se baissa et l'embrassa sur la tête, sur les cheveux. Marie s'en aperçut. Elle fut attendrie. Elle trouvait Marc particulièrement affectueux, depuis deux ou trois jours.

Perruque, il était question de perruque.

On était mal, dans ce bureau trop étroit, d'un vert hideux, avec des meubles qui ressemblaient à de gros insectes.

Léonard lui prit la tête et lui rendit son baiser, un mimi bien sonore sur la joue.

Ils marchaient dans les travées de Carrefour, rayon alimentation. Zyto poussait un chariot qui se remplissait de plus en plus. Il se sentait un peu bête, le chariot couinait comme une volaille.

Léonard réclama timidement un walkman. Au regard de Marie, Zyto comprit que l'envie du gamin ne devait pas dater d'aujourd'hui. Que convenait-il de faire?

— Allez, on t'achète un walkman! dit-il soudain.

— Wouaillou! hurla doucement Léonard, et il se précipita vers le rayon.

Marie était étonnée.

— Je croyais que tu ne voulais pas de ces appareils de Martiens pour ton fils?

— Ça lui fait tellement plaisir. On le poussera à écouter de la musique classique. Qu'est-ce que tu en penses?

— Moi, je suis d'accord. Mais tu étais tellement contre...

— On change. J'ai envie de lui faire plaisir, après la frayeur que j'ai eue mardi.

Ces mots la firent penser à la nuit précédente, elle fut émue.

Quant à Zyto, son rire intérieur se déchaînait. Il se trouvait très malin. («Depuis la frayeur que j'ai eue mardi, j'ai changé, ha, ha!»)

Léonard gagna dans l'histoire un superbe walkman Akaï, avec la radio et la possibilité d'enregistrer directement de cette radio sur une cassette, comme ça, en marchant. De plus, le casque sophistiqué avait des écouteurs qui s'enfonçaient dans les oreilles sans faire mal et n'émettaient leur musique que pour le porteur de l'appareil. L'entourage

190

avait la paix.

Le flipper de Martial et maintenant ce walkman de rêve : les vacances prenaient bonne tournure pour Léonard. Il baignait dans la joie.

Les achats terminés, ils se dirigèrent vers la cafétéria intérieure, sorte d'immense mezzanine dans le magasin, pour le petit quatre heures traditionnel. Zyto se bornait à suivre le mouvement, découvrant le déroulement habituel des opérations – visite à Dominique Macher, achats, cafétéria – et accumulant les informations.

Ainsi, Marie avait une vieille copine qui travaillait ici, à Carrefour, et qui avait de sérieux problèmes de cheveux...

Le chariot était plein à ras bord.

A une vingtaine de mètres de la cafétéria, Marie tomba sur Marianne.

Elle reconnut d'abord sa silhouette. Marianne cherchait à attraper un livre. Le poids de son corps reposait sur sa jambe droite, et l'arc formé par cette jambe était un peu trop prononcé au niveau du genou.

— Marianne !

La jeune femme se tourna vers elle. L'étonnement et la joie éclairèrent son visage. Marianne Matys, si blonde, avec cette jolie lèvre supérieure qui se soulevait trop sur le sourire, cette légère dissymétrie dans le regard, cette clarté, cette lumière qu'elle dégageait, cette candeur, cette lasciviité naturelle, Marianne, la seule femme dont Marie, à l'insu de Marc, avait été un peu jalouse, bien à tort, se disait-elle aujourd'hui – avec une petite pointe de soupçon qui continuait cependant de la picoter.

— Marie ! Je suis contente de te revoir ! Bonjour, Léonard !

— Moi aussi, dit Marie.

Les deux femmes s'embrassèrent. Puis Marianne embrassa Léonard, qui se souvenait d'elle, sans plus, mais

191

qui la trouva sympathique. « Marc », maintenant... Par deux fois, elle l'avait regardé sans s'attarder, normalement. Elle avait peur. Mais il fallait tenir le choc, il le fallait pour Marc.

— Bonjour, vous allez bien ? dit-elle en lui tendant la main.

Qui était cette Marianne ? Comment se comporter avec elle ? Quelqu'un qui connaissait surtout Marie, semblait-il. Il se bornerait à être aimable, ni plus ni moins, et à bien écouter ce qui allait se dire.

Quant à Marianne, si d'aventure elle avait conservé un doute, le regard de Michel Zyto quand il lui serra la main l'aurait dissipé mieux que tous les discours et toutes les preuves : cet homme ne l'avait jamais vue auparavant, cet homme n'était pas Marc, cet homme, malgré son corps, était moins Marc que l'autre, elle ne l'aurait touché qu'avec bien plus de répugnance, il l'effrayait bien davantage !

Etre naturelle, mon Dieu, être naturelle !

Elle se tourna vers Marie.

— J'ai un peu honte de t'avoir laissée sans nouvelles. Mais je viens juste de rentrer à Paris. Je pensais vous appeler ce week-end.

Impossible de ne pas la croire. Marie fut convaincue qu'elle aurait appelé le week-end.

— Tu as joué ?

— Oui, justement ! Je n'ai pas fait signe parce que je me suis baladée en province et en Suisse. Une tournée. On m'a proposé de reprendre le rôle de Titania dans le Shakespeare, vous vous souvenez ? J'ai dû me décider d'un jour à l'autre. J'avais d'abord dit non, en juin, mais la comédienne qui avait le rôle est tombée malade. Enfin non, pas malade, enceinte, une grossesse à problèmes. J'ai accepté, le metteur en scène est un ami, je n'avais pas d'autre engagement. Une fois embarquée dans une tournée... c'est un autre monde, une autre planète. Mais j'ai pensé à vous. Tu ne m'en as pas voulu ?

192

— Bien sûr que non, dit Marie.

Si Marianne avait été absente de Paris, Marc et elle n'avaient pas pu se voir... Mais avant? Juste avant sa tournée? Non. C'était une idée folle. Elle n'y croyait pas. Elle s'apprêtait à proposer à Marianne de les accompagner à la cafétéria, lorsque Léonard, qui mourait de soif et qui avait envie d'une part de tarte, d'un soda et d'une glace, pour le moins, Léonard prit les devants:

— On allait à la cafétéria, dit-il drôlement à Marianne.

Marianne lui sourit.

— Tu as acheté un walkman? Moi aussi, j'en ai un. C'est bien, tu vas voir.

Oui, quelqu'un de sympathique, cette Marianne, pensa Léonard.

Et Zyto comprit à peu près la situation: Marianne était une vague amie de Marie, comédienne, Marc la connaissait peu, elle n'avait pas donné de nouvelles pendant quelque temps, et aujourd'hui ils se rencontraient par hasard. Rien d'embêtant.

Il la trouvait belle. Avant, il ne se disait pas vraiment ce genre de choses d'une femme. Mais depuis qu'il était Marc Lacroix... Il la trouvait belle, mais moins que Marie. Et même il ne l'aimait pas. Il n'aurait pas pu faire avec elle ce qu'il avait fait avec Marie. Il aurait eu trop peur. Il l'aurait trop détestée. Et sans doute aurait-il eu envie de lui faire comme aux autres, les précédentes.

— Tu nous accompagnes? dit Marie.

— Pourquoi pas? Vous avez l'air de bien connaître les lieux?

Elle prit Léonard par la main, il se laissa faire.

— On vient souvent, dit l'enfant.

— C'est loin de Versailles, dis donc?

— Oui, mais maman...

Il se tourna vers sa mère.

— J'ai une copine de fac qui est devenue gérante ici, dit Marie. Ma meilleure amie à l'époque. Elle a abandonné l'enseignement. Reconversion totale. Ça me permet de la voir. Et toi, tu fréquentes aussi les grandes surfaces?

— Parfois, quand je rentre de tournée et qu'il n'y a plus rien chez moi. J'aime assez, de temps en temps. Surtout en banlieue. A Paris, c'est autre chose. En banlieue, j'ai l'impression d'un anonymat total, plus qu'à Paris. Je regarde les gens. C'est un vrai spectacle. Le contraire du théâtre, quoi. Ce que je trouve agréable, dans ce Carrefour d'Ivry, c'est que j'ai cette impression et qu'on est à deux pas de Paris.

Zyto pensa que cette fille n'était pas bête. Ce qu'elle racontait était astucieux. Pour une comédienne de théâtre, flâner dans un grand magasin, c'était le contraire de jouer sur une scène: intéressant, intéressant.

Il estima qu'il devait dire quelque chose. Marc aurait sûrement dit quelque chose.

— Ou alors vous allez devenir tellement célèbre qu'on vous reconnaîtra à Carrefour. Un jour, tout le magasin va se mettre à vous applaudir...

Pas mal non plus. L'idée amusa Marianne. Zyto fut content de lui.

— Je suis encore tranquille pour quelques années, dit-elle en lui souriant.

Elle avait du mal à le regarder comme s'il était vraiment Marc. Mais elle y parvenait. Bonne comédienne. Et lui aussi, du coup, bon comédien, pensa-t-elle, un sacré comédien qui se tirait incroyablement bien de sa situation impossible.

— Et vos travaux de recherche? dit-elle.

— Ça va. Bien content de ne rien chercher pendant un mois. D'ailleurs, pour tout vous dire, on cherche plus qu'on ne trouve.

Bonne réponse, se dit Zyto – et se dit Marianne. Elle lui

sourit encore, puis regarda le chariot plein.

— Vous êtes plus raisonnable que moi. C'est toutes les fois pareil, au lieu de faire des courses utiles, je commence par traîner une heure devant les livres, les disques, les vêtements...

— Moi aussi, je regarde les vêtements! dit Marie. Ils sont laids et mal taillés, mais je m'arrête toujours.

Marianne savait déjà que Marie était une belle femme, mais elle la trouva particulièrement séduisante à cet instant. Sa robe bleu clair était formidable. Surtout, Marie était bien faite. Jolis seins, jolies fesses... Mieux faite qu'elle? Sans doute. Et quel regard intelligent, quel beau visage!

Chose étonnante, qui l'étonna elle-même, elle fut soudain jalouse. C'était la première fois. Et c'était bien le moment!

— Parfois, on a une bonne surprise. Tout à l'heure, j'ai vu des jupes pas mal. Tout le reste était moche, mais ces jupes... J'avoue que j'ai hésité à en passer une. On y va? dit-elle à Marie, comme si l'idée lui venait à l'instant. On laisse les hommes prendre les commandes et on tente le coup d'en essayer une?

Très bonne comédienne. Sa proposition sonna avec une justesse absolue. Léonard, traité d'homme, leva sur Marianne un regard d'adoration.

— Je l'ai déjà tenté, dit Marie avec un grand sourire. Figure-toi que je les avais remarquées, ces jupes. Mais moi, j'ai osé...

— Et alors? dit Marianne, feignant une certaine excitation.

— Alors elles sont mignonnes comme ça, mais sur soi ça ne donne rien. Il n'y a pas de miracle.

— Tant pis, dit Marianne. Ou tant mieux, ça m'évite la corvée d'essayage. Si tu veux, on ira chercher des jupes ailleurs qu'à Carrefour, un de ces jours?

— Volontiers, dit Marie.

Raté. La première et la plus sûre des trois tentatives envisagées par Marc et Marianne venait d'échouer. Toute insistance aurait paru suspecte.

Marianne ne pourrait pas aujourd'hui dire la vérité à Marie et décider avec elle d'une marche à suivre.

La deuxième tentative était plus risquée. Il s'agissait d'isoler non plus Marie, mais Léonard, sous un prétexte imparable. Or, un tel prétexte se présenta. Léonard commençait subrepticement à défaire l'emballage de son walkman.

— Tu ne devrais pas, lui dit Zyto. Ils ne vont pas être contents, à la caisse. Tu vas avoir des ennuis.

— Des ennuis? Quoi?

— Oh! ils ont le choix! Une grosse amende, deux jours de prison... Et, bien sûr, ils confisquent le walkman...

Marianne apprécia en professionnelle l'ahurissante aisance avec laquelle Michel Zyto tenait son rôle. Pour le walkman, il avait été parfait. Marc lui-même n'aurait pas plaisanté de façon plus crédible, avec ce mélange de malice et d'affection dans l'œil. Léonard se mit à rire, comme rient les enfants quand on leur dit une chose stupéfiante dont ils savent très bien qu'elle est fausse.

— Ce n'est pas vrai! dit-il.

— Non, ce n'est pas vrai, mon petit rat. Mais je t'assure que c'est mal vu de déballer le produit avant de passer à la caisse. Ils n'aiment pas.

L'enfant se tourna vers Marianne.

— C'est dommage, vous m'auriez montré comment ça marche. J'aurais pu écouter la radio en buvant.

Marianne regarda Zyto, puis Marie, Léonard à nouveau, avec l'air de quelqu'un qui s'attendrit et compatit:

— Écoute, il y a une solution. On va passer tous les deux à la caisse, on se dépêche et après on revient à la

196

cafétéria. D'accord?

— Moi, je veux bien, dit Léonard.

Marianne adressa un léger sourire de complicité à Zyto. Elle aussi, elle était parfaite.

— Vous êtes très gentille, dit Zyto. Mais vous avez vu le monde?

Il désigna les caisses. Elles étaient prises d'assaut par de véritables petites foules.

— Non, tant pis, dit-il. (Regardant Léonard:) On va essayer de défaire l'emballage proprement.

— Oh, oui! dit Léonard.

« Léonard, je vais te dire mon numéro de téléphone. Tu vas bien l'apprendre par cœur. Tu diras à ta maman de me téléphoner, mais seulement à ta maman, tu comprends? Tu lui diras à un moment où ton père n'est pas là, à un moment où il ne peut pas entendre. Ta maman t'expliquera. Surtout, il ne faut pas que ton père sache. Ta maman t'expliquera, c'est un jeu. Tu me promets?» Voilà ce que Marianne aurait dit à Léonard en allant à la caisse, et elle aurait essayé de répondre de son mieux aux questions de l'enfant. Ça aurait pu marcher. Mais avec un risque. Marc avait dit à Marianne d'apprécier elle-même la situation.

Raté. Cette fois encore, toute insistance aurait été mal venue.

Marianne ne put s'empêcher d'être soulagée.

Zyto laissa le chariot au pied de l'escalier menant à la cafétéria. Ils montèrent.

Marianne joua sa dernière carte, la plus hasardeuse, à laquelle ni Marc ni elle ne croyaient, mais elle essaya.

En escaladant les marches, sans hâte, parlant de choses et d'autres, comme des gens qui ne sont pas pressés et qui s'apprêtent à prendre un bon rafraîchissement un jour de vacances et de chaleur, elle demanda à Zyto s'il avait fait l'acquisition d'un 4x4, comme il en avait le projet à l'époque.

— Tu te souviens? Bravo, dit Marie.

— Oui, on en a acheté un, dit Zyto.

— Un Nissan Terrano. Le dernier et le meilleur modèle. Élu voiture de l'année en Amérique. Avec des vitres latérales triangulaires, dit Léonard qui semblait réciter une notice publicitaire, ce qui fit rire tout le monde, Zyto le premier.

«Rire légèrement forcé», pensa Marianne. Mais l'imposteur continuait de l'épater par sa formidable capacité d'adaptation. Quant aux nuits dans le lit conjugal... Puisqu'il avait peur des femmes, et que Marc et Marie ne faisaient plus l'amour depuis pas mal de temps... Cette crapule avait toutes les chances.

Elle fut naturellement amenée à parler de sa vieille Volkswagen, sur un ton qui fit demander à Zyto:

— Vous n'en êtes pas contente?

— Plus vraiment, non. Elle tombe toujours en panne. En ce moment, elle cale, et après elle ne repart plus, il faut faire venir un garagiste. Encore tout à l'heure, au moment où je me suis garée dans le parking, elle a calé.

Elle se tut, volontairement.

Il y eut un silence de quelques secondes. Zyto réfléchissait.

— Je vous proposerais bien d'aller jeter un coup d'œil, dit-il, mais honnêtement je n'y connais rien en moteurs. Je n'en suis pas fier, mais c'est comme ça. Je décèle les pannes d'essence, et encore, pas toujours.

En fait, même s'il avait été un mécano d'élite, et bien que cette Marianne soit insoupçonnable, il aurait trouvé une excuse pour ne pas s'éloigner de Marie et Léonard. Ou bien ils seraient allés voir la voiture tous ensemble.

Marianne le savait. Elle en était certaine. *Presque* certaine. Il fallait tout tenter, elle avait tout tenté.

Et c'est la jalousie de Marie qui se réveilla: Marianne cherchait-elle à entraîner Marc seul avec elle dans les profondeurs du parking ? Ridicule. Elle se raisonna aussitôt. Qu'allait-elle imaginer ?

D'ailleurs, la réponse que Marianne avait prévue pour Zyto, par prudence systématique, dissipa également les soupçons de Marie :

— Merci, vous êtes gentil, mais je ne vous disais pas du tout ça pour ça. J'ai laissé mes clés à la station-service du magasin, ils vont s'en occuper. Sinon, je n'aurais pas été tranquille.


Ils repérèrent une table libre et s'y dirigèrent. Marianne les laissa un instant pour téléphoner, à la station-service justement, et savoir comment les choses se passaient pour sa voiture.

## 28

Le téléphone sonna dans une cabine située devant un hôtel aux murs sales, à l'angle de la rue Robert-Louis et de l'impasse du même nom.

Depuis plusieurs semaines, Marianne avait remplacé sa Volkswagen d'un autre âge par une petite Autobianchi rose, nerveuse et peu encombrante. C'est dans cette Autobianchi que Marc attendait, assis à la place du conducteur, portière ouverte à cause de la chaleur et pour mieux se ruer dans la cabine au moment de l'appel.

Il décrocha.

Marianne devait téléphoner dans tous les cas. Si le coup de la voiture, aussi hasardeux soit-il, réussissait, Marc devait aller dans le parking du troisième sous-sol et guetter près de l'entrée «piétons» l'arrivée de Marianne et Zyto. Ensuite, il devait assommer Zyto, l'installer à l'arrière de l'Autobianchi, Marianne les conduirait à Louveciennes. Il se sentait prêt à tout.

— Raté, dit Marianne. (Elle perçut la formidable déception de Marc.) Mais ne t'en fais pas trop, tiens bon, je suis sûre qu'on trouvera autre chose un autre jour, bientôt, je sens que c'est possible. On en parlera tout à l'heure.

Elle était énervée, après la tension des minutes précédentes.

— Comment vont Marie et Léonard?

— Très bien. Ils vont très bien. Dis donc, quel comédien, ton cobaye! Il faudra l'orienter vers le théâtre, après... On l'aura, tu verras. J'en suis sûre!

Il surmonta son dépit. Il mettrait sur pied dix, vingt plans d'action. Il était fébrile, soumis à chaque instant à la torture de sa situation, encore fatigué, mais il allait mieux. Les effets du Téméril se dissipaient, et malgré tout il avait beaucoup dormi à Stéphen-Mornay, une vraie cure de sommeil. Et maintenant il avait Marianne à ses côtés, courageuse et efficace. Jusqu'à un certain point, il était libre de ses mouvements.

Il pouvait même, s'il voulait...

— Comment vas-tu faire pour la voiture? S'ils décident de te raccompagner au parking?

Marianne et Marc avaient décidé de ressusciter la Volkswagen pour la circonstance, au cas où Marc se servirait de l'Autobianchi, dans les rues de Versailles par exemple...

— Ne t'en fais pas, je me débrouillerai. Ils ne me raccompagneront pas. Je te laisse. On est à la cafétéria pour une demi-heure – trois quarts d'heure. Je me dépêche. A tout de suite, je t'embrasse.

— Moi aussi. J'ai hâte d'être avec toi.

Marc se rassit quelques secondes dans la voiture, puis il se releva et donna suite à l'envie imprudente mais invincible qui l'avait saisi pendant le coup de fil avec Marianne.

Il marcha à grands pas.

Il connaissait bien le magasin, la cafétéria. Aucun risque

d'être repéré s'il s'y prenait bien.

Il parcourut toute la galerie marchande, les caisses à sa gauche défilaient comme il les aurait vues défiler au cinéma.

Il escalada les marches menant à la cafétéria.

Il se trouva dans le premier local, celui où étaient exposés les plats au moment des repas. Un rideau de plantes vertes isolait cet espace du restaurant proprement dit, immense. Il s'approcha, écarta légèrement la verdure. Derrière, il y avait une vitre.

Et derrière la vitre, à une quinzaine de mètres, il aperçut aussitôt ce qu'il était venu voir.

Et ce qu'il vit le frappa et l'ébranla presque autant que tout ce qu'il avait vécu jusqu'alors. Des choses extraordinaires pouvaient se passer dans son laboratoire secret de Louveciennes, ou dans une chambre d'asile, les lieux s'y prêtaient, les lieux rendaient ces choses moins extraordinaires. Mais là, maintenant, dans cette vulgaire salle de restaurant, à la cafétéria du magasin Carrefour d'Ivry...

Marie et Michel Zyto lui faisaient face. Marianne et Léonard étaient de dos, se regardant parfois. Tous buvaient, parlaient, souriaient, installés dans une paisible conversation.

Nulle horreur visible.

Simplement, une image impossible, qui allait se dissiper d'un moment à l'autre dans l'irréalité. Mais elle ne se dissipait pas. Et Marc regardait, de tous ses yeux, hébété, les jambes faibles.

Léonard se colla sur les oreilles le casque de son walkman, Marianne tripota les boutons de commande.

Un walkman ! Le salopard avait acheté un walkman à Léonard !

L'enfant ôta le casque, fit une remarque qui amusa les autres. Marie et Zyto se regardaient alors, presque tendrement sembla-t-il à Marc. Zyto se pencha, embrassa Léonard sur le front, puis posa sa main sur l'épaule de Marie.

202

Le désespoir et la haine s'acharnèrent sur Marc, l'affaiblirent davantage. Il tuerait Zyto. Il se dit qu'il le tuerait. L'occasion se présenterait bien un jour, et il le tuerait.

## 29

Les Lacroix rentrèrent à Versailles contents de leur journée.

La voiture reluisait de propreté. Elle avait été astiquée par le très jeune et très consciencieux employé d'une station-service de Montcourt, à une trentaine de mètres du restaurant où ils avaient déjeuné. Toutes les traces de la bagarre et de l'accident avaient été effacées.

La peinture rouge brillait tellement qu'elle semblait à peine sèche.

Dans un coin du garage étaient entreposés une brouette, un diable, une pelle, un sarcloir et divers autres instruments destinés à la maçonnerie et au jardinage. Le tout n'avait apparemment jamais servi. Zyto, qui avait déjà été intrigué par ce matériel, l'examina et décida d'en savoir davantage. Il s'apprêtait à poser une question plaisante du genre: «J'aimerais bien savoir qui a acheté ça et pourquoi?», lorsque Léonard lui demanda avec un sérieux affecté:

— Ça y est, tu vas construire ton petit mur?

— Bêcher le terrain? Planter des arbres fruitiers? dit

Marie sur le même ton.

Peu après leur installation chemin du Maréchal-ferrant, Marc avait été pris d'une envie subite de travail physique et de retour à la terre. Il s'était donc procuré en bloc tout ce que Zyto voyait aujourd'hui entassé dans le garage (plus le jeu de trois sécateurs dissimulé à la cave). Mais Marc n'avait jamais touché à rien, pas une fois.

Zyto comprit vaguement, assez pour deviner qu'en faisant non de la tête et en souriant, il ne se compromettrait pas.

Marie trouva son sourire différent. Plus franc, plus large, moins hâtif que d'habitude.

Ils pénétrèrent dans la maison. Le téléphone sonna. Marc laissa Marie répondre. Elle tendit aussitôt le téléphone à Marc: c'était Hugues, qui apprit à Marc l'évasion de Michel Zyto.

Michel Zyto s'était enfui peu après le passage de Marc au Centre. Adeline Ledru avait été gravement assommée. Hugues avait ensuite téléphoné chez les Lacroix tous les quarts d'heure. Et il avait prévenu la police. Cette fois, impossible de faire autrement.

La nouvelle stupéfia Zyto et le plongea instantanément dans l'angoisse. Son esprit affolé fonctionna tout seul. Pourquoi une évasion? Si Marc avait voulu révéler la vérité à quiconque, il pouvait aussi bien le faire à Stéphen-Mornay. Mais peut-être avait-il décidé justement de garder le silence et d'agir seul, pour plus de sécurité, par peur des menaces de Zyto? Peut-être même était-ce cela qu'il voulait signifier à Zyto – et lui lançait-il une sorte de défi: vous voilà certain que je ne mets personne dans le coup, donc pas de bêtises, et maintenant réglons l'affaire entre nous?

La voix d'Hugues tremblait. Zyto le sentait malade de contrariété. Ils avaient bel et bien commis une grave erreur de diagnostic... Rien d'autre à faire qu'attendre, se dirent-ils.

Ils se tiendraient au courant à la moindre nouvelle, et se verraient bientôt.

Zyto raccrocha. Il se composa un visage avant de se retourner vers Marie et Léonard. Marie avait entendu et compris, et Léonard également, malin comme il était.

— Il s'est évadé de la clinique, dit Zyto d'une voix qu'il parvint à rendre normale. Une nouvelle crise. Il a même assommé une infirmière, Adeline, je la connais bien.

— Et alors? dit Léonard en se rapprochant de sa mère. Il va venir ici?

— Sûrement pas, mon petit rat. Au contraire, il va essayer de se sauver le plus loin possible. On le retrouvera et on le mettra dans un endroit où il sera mieux surveillé. Je commence à en avoir assez, de cette histoire. Allez, viens, on va regarder le walkman de près. On va apprendre à prérégler les stations. Douze stations préréglées, tu te rends compte?

Marie adressa à Zyto une mimique légèrement interrogative: y avait-il de quoi être inquiet? Zyto répondit par une mimique légèrement dubitative: non, mais sait-on jamais? Il aurait pu la rassurer mieux, il ne le fit pas.

Il avait une idée.

Marie se rendit à la cuisine. Zyto prit place à côté de Léonard sur le canapé.

Marc évadé! Quelle énergie il lui avait fallu, quel courage! Zyto l'admirait. C'est ce qu'il aurait fait, lui, dans le même cas, s'évader en assommant tout le monde.

Il avait toujours admiré le docteur Lacroix.

Mais comme il le haïssait, à cette minute! Il allait être obligé d'être mille fois plus prudent. Oui, si Marc avait préféré s'enfuir de Stéphen-Mornay, au risque de tomber entre les mains de la police, de tout compliquer, c'est qu'il avait l'intention de tenter directement quelque chose. Et il agirait malgré le chantage de Zyto. Pourquoi, parce que Marc avait lui aussi un moyen de chantage, une arme, ce neuri-

206

nome du nerf acoustique...

L'angoisse faisait place à la colère. Zyto aurait aimé plonger la main dans son cou, derrière l'oreille, et s'extraire lui-même la petite tumeur, et tuer Léonard (un crime parfait: qui soupçonnerait le père, le docteur Marc Lacroix?), Marc l'apprendrait par les journaux, il se dirait que Zyto était décidément le plus fort, il comprendrait que s'il voulait sauver Marie, il n'avait qu'une solution, rentrer au Centre et se glisser gentiment dans le lit de la chambre numéro 6!

Zyto bouillait de rage et de nervosité rentrées. Il voyait à peine Léonard qui lui tendait le walkman et une cassette.

— Papa! Eh, papa! Hou, hou! C'est une cassette vierge, j'aimerais qu'on essaie d'enregistrer la radio. Elle ne m'a pas montré ça, la dame, tout à l'heure, enregistrer la radio.

Zyto lui sourit tant bien que mal.

Tenter directement quelque chose contre lui. La dame, tout à l'heure... Était-il possible que cette Marianne Matys... Non. Il réfléchit. Non, non et non. Impossible. Il devait être prudent, mais pas se mettre à voir des indices partout, à tout interpréter contre l'évidence, sinon il allait devenir fou, il se connaissait, il ne vivrait plus.

Pour l'instant, il restait le meneur de jeu, et le resterait tant qu'il aurait Marie et Léonard sous la main.

Il fit quelques essais d'enregistrement sous l'œil fasciné de Léonard.

Marie revint de la cuisine avec un grand verre de menthe-limonade. Puis le téléphone sonna. Elle répondit.

Les Cazanvielh les invitaient à dîner, à l'improviste, comme cela arrivait souvent.

— D'accord, dit-elle. Ça nous changera les idées. On en a besoin, en ce moment, on vous racontera. Attendez, je demande quand même à Marc.

Elle cacha le téléphone de la main gauche:

— Marie-Thérèse nous invite. Elle a fait un gaspacho.

Zyto réfléchit, se posa vingt questions en quelques secondes, puis fit oui de la tête. Autant aller ce soir chez ces vieux amis de la famille.

Un gaspacho? Il n'avait jamais entendu parler de ça.

— D'accord, dit Marie. J'apporte l'entrée, une terrine de canard. Oui, à tout à l'heure.

— Voilà! dit Zyto à Léonard. Tu peux galoper tout en enregistrant la station que tu veux.

Il lui indiqua la façon de procéder, puis il remit tout à zéro et le laissa faire un essai.

Marie monta au premier.

Léonard repéra une station, la prérégla grâce au bouton «mémoire», et entreprit d'enregistrer sous l'œil faussement attentif de Zyto.

Qu'allait faire Marc maintenant? Rôder autour de la maison, suivre les Lacroix pas à pas, invisible mais bien présent, dans l'attente du moment propice?

Où habiterait-il, où se cacherait-il? Dans un hôtel? Trop risqué. Et trop cher, Zyto savait exactement de combien disposait Marc, pas de quoi faire des folies. Chez une personne de confiance, que Zyto ne pouvait connaître, et à qui il dévoilerait tout, un de ses amis de travail par exemple? Ou bien, s'il avait décidé d'agir en solitaire, dans la «planque» dont Zyto lui-même avait jadis fait usage, et dont il avait parlé à Marc avec tant de précision, poussé par sa volonté de tout lui dire, de tout lui avouer? Pourquoi pas?

Non, Marc éviterait précisément cette planque. Ou bien il ne l'éviterait pas, pensant que Zyto ne le chercherait justement pas là? Ou pensant tout de même qu'il le chercherait là? Et dans ce cas, il tenterait d'organiser une sorte de guet-apens?

Zyto se cria intérieurement: «Assez!» Marc lui avait appris à se méfier de ces débats intérieurs sans fin où il s'empêtrait, s'emprisonnait et s'empoisonnait de plus en plus, s'auto-intoxiquait, selon l'expression que Marc avait employée.

Chaque chose en son temps. Continuer de tenir au mieux le rôle de Marc Lacroix. Etre d'une vigilance infaillible. Espérer que la police ne trouverait pas Marc. Régler l'affaire entre eux, à Louveciennes, dans le secret du laboratoire. Ils échangeraient à nouveau leurs corps. Ensuite, à Zyto de s'arranger pour imposer sa loi. Tuer Marc et s'enfuir, il y pensait de plus en plus. Personne ne saurait rien, ou plus tard, beaucoup plus tard, peut-être, on trouverait le corps de Marc, les appareils détruits. Suicide mystérieux d'un savant dans son laboratoire. Voilà, un suicide!

Ou bien il demeurerait dans le corps de Marc, malgré le neurinome, en espérant que... Non, il ne supporterait pas cela!

De nouveau il s'emballait, s'énervait.

Chercher Marc, comme Marc le cherchait. Donc, pouvoir s'éloigner de Marie et Léonard.

Et donc s'installer avec eux à l'hôtel. Telle était son idée.

— Voilà! hurla presque Léonard. J'enregistre!

Zyto s'arracha à ses pensées. Il entendit les halètements d'une drôle de musique.

— Qu'est-ce que tu écoutes?

— «Croc-Rock, la radio des affamés du rock», récita Léonard.

— Tu écouteras un peu de Vivaldi, de temps en temps?

Zyto jouait au père à la fois tolérant et sérieux.

— Bien sûr, dit Léonard sincèrement. Tu veux que je te mette ton disque? On ne se gênera pas, moi je n'entendrai rien et toi non plus, tu vas voir, il est super cet Akaï!

— D'accord, mon petit rat. Affamé.

Quand Marie redescendit, elle trouva le père et le fils assis côte à côte sur le canapé, chacun écoutant sa musique, et se tenant par la main – car Léonard, éperdu de joie et de reconnaissance, avait pris la main de son «père».

Le tableau était touchant.

— Léonard, va te débarbouiller un peu et te changer. Allez!

Léonard, le casque du walkman sur la tête, feignit de ne pas entendre, ou plus exactement il feignit de feindre de ne pas entendre, pour amuser ses parents, ce qu'il réussissait toujours très bien. Cette drôlerie qu'il avait si jeune était un de ses nombreux charmes.

— Tu ne m'entends vraiment pas? dit Marie.

— Pas du tout, dit-il en secouant la tête avec énergie, ce qui dérangea un instant sa frange épaisse.

— Et si je parle plus fort, comme ça?

Le beau regard foncé de Léonard brilla de malice.

— Encore moins. Alors là, vraiment rien du tout. Si, je peux lire sur les lèvres. Tu m'as dit de rester bien sale et de ne pas changer de chemise pour aller chez Martial, c'est ça?

Puis il ôta le léger casque en éclatant de rire, des baisers s'ensuivirent, et il courut à l'étage.

Zyto récupéra la commande du lecteur de disques compacts, qui s'était fichée entre deux coussins du canapé et commençait de s'y enfoncer. Les dernières notes de *La Frescobalda* retentirent. Il arrêta le disque. Finalement, il aimait plus cette musique qu'il n'avait cru tout d'abord.

Il aurait souhaité pouvoir écouter tous les disques de Marc.

Écouter en paix, le regard fuyant dans la jolie campagne qu'il voyait par la baie vitrée... Ce ne serait jamais possible, hélas. Sans cette tumeur, il aurait peut-être décidé de rester Marc Lacroix, d'éliminer «l'autre».

Marie s'assit à côté de lui. Elle était vêtue d'un jean bleu avec une large ceinture rouge sombre, et d'un pull noir très fin et moulant sur lequel retombaient ses cheveux de

210

brune superbe.

Zyto se pencha et l'embrassa sur la tempe. Se passerait-il encore quelque chose cette nuit, d'aussi étonnant et effrayant que la nuit dernière — mais qui avait été plus agréable qu'effrayant?

Au fond, il en avait envie.

— Ça va? lui dit Marie.

— Ça va. Je me demande si on n'aurait pas intérêt à partir un peu, le temps que la police lui remette la main dessus.

— Tu crois? dit Marie, soudain effrayée.

— Non, ne t'inquiète pas! Simplement, je pense à Léonard... Il n'y a aucun danger, mais j'ai réfléchi, je me suis dit que par prudence on pouvait éventuellement aller ailleurs deux ou trois jours, le temps qu'on l'arrête...

# 30

Martial était aussi de cet avis. Il leur proposa de venir loger chez eux, impasse des Soldats, jusqu'à l'arrestation du fou. Les Lacroix refusèrent. Outre le dérangement, s'ils devaient passer quelques jours ailleurs, autant que ce ne soit pas à Versailles. Autant même qu'ils en profitent pour partir en vacances ? Non, Zyto tenait à ne pas trop s'éloigner, il voulait être présent quand on aurait repris « Zyto ».

La protection de la police ? Non, pas dans un cas comme celui-ci. Et ce serait une protection forcément légère, plus embarrassante qu'efficace. Et d'ailleurs, si on pensait à ces chefs d'État qui étaient abattus par des fous, justement, malgré une armée de surveillance...

— Pourquoi pas l'hôtel, alors ? dit Marie-Thérèse. Un hôtel à Paris. Ce serait amusant. Quelques jours de vacances dans sa propre ville, dans un bon hôtel, incognito ?

Zyto feignit de réfléchir, puis regarda Marie-Thérèse avec approbation et gentillesse, comme si elle venait de lui révéler la solution à laquelle il pensait depuis le coup de fil d'Hugues lui apprenant « son » évasion : se cacher dans un hôtel, y laisser en toute tranquillité Marie et Léonard, et partir seul en chasse. Démarche impossible si la famille ne quittait pas la maison. A un moment ou à un autre, Marc viendrait chemin du Maréchal-ferrant. Peut-être y était-il déjà? pensa Zyto, qui décida d'être très prudent au retour. Marie s'en apercevrait, elle serait encore plus convaincue qu'un départ était souhaitable.

— C'est une bonne idée, dit-il à Marie-Thérèse. C'est même une très bonne idée.

Les yeux de Marie-Thérèse brillèrent de fierté, d'autant plus que Zyto, passant volontairement du coq à l'âne pour détourner l'attention du projet d'installation à l'hôtel, lui adressa les plus vifs compliments sur son gaspacho. (Complètement raté, dit plus tard Marie à Zyto: Marie-Thérèse était nulle en cuisine.) Marie-Thérèse avait toujours été un peu intimidée par le docteur Lacroix. Zyto venait de la mettre dans sa poche. Une personne de plus qu'il mettait dans sa poche. Pourtant, Dieu sait que cette grande femme belle et un peu fripée (qui reçut deux coups de fil et en passa un au cours du seul dîner) ne lui avait pas été sympathique. Il se souviendrait longtemps du moment où elle leur avait ouvert la porte, un chapeau sur la tête, un petit chien tout rond et poilu dans les bras, et un sourire niais répandu sur le visage. Il était au courant des cadeaux d'anniversaire, il avait donc été en mesure de débiter quelque ânerie de circonstance. Ainsi, Cookie était ce même Cookie dont Marc s'était servi pour sa première expérience.

Pendant quelques instants, se dit-il, le corps de ce chien avait été « occupé » par l'esprit d'un autre chien. Marc Lacroix était vraiment un homme exceptionnel, un génie!


Zyto se tira au mieux de la soirée chez les Cazanvielh. De cela, au moins, il pouvait se réjouir sans arrière-pensée.

Ne pas trop parler le premier, prendre l'air songeur et préoccupé, s'appuyer sur ce qu'il savait et entendait pour parler à bon escient, constater qu'il mettait dans le mille pratiquement à chaque coup: c'était comme un jeu stimulant qu'il jouait à merveille.

Les autres remarquèrent bien quelques détails bizarres – une sorte de maladresse de « Marc » à évoluer dans cette maison que pourtant il connaissait par cœur, une hésitation à un moment entre le tutoiement et le vouvoiement –, mais de là à imaginer qu'ils étaient en présence du malade mental échappé de l'asile usant du corps de Marc Lacroix pour tromper le monde, il y avait un pas infranchissable...

Non pas infranchissable cependant pour le west highland white terrier, qui n'était pas chien à se laisser abuser par les apparences: Cookie émit quelques grognements contre Zyto, au grand étonnement de Marie. Zyto lui offrit une part notable de son repas, l'appela de divers noms gentils, rien n'y fit. Il le baptisa même Cookinouche, « viens, viens, mon petit Cookinouche ». Mais le ton n'y était pas. L'animal, averti par son instinct, ne répondit pas à ses avances et finit par se réfugier dans le giron de Marie-Thérèse en retroussant les babines, comme s'il était encore possédé par l'esprit mauvais de Mana.

— C'est la preuve qu'il s'est bien habitué à nous, en conclut Marie-Thérèse.

Il y eut un autre petit moment de tension lorsque Martial proposa à Zyto, pour chasser les soucis, d'entamer une partie d'échecs.

— D'accord, dit Zyto.

Puis, feignant de se raviser, d'avoir une autre idée:

— Je vais vous surprendre, mais je me demande si une partie de flipper ne me détendrait pas davantage?

Dès après le dîner, Léonard avait enfilé ses gants avec des mimiques de petit truand. Amusé lui-même par sa propre comédie, il avait éclaté de rire et avait quitté la compagnie en scandant sa marche de : « Flip – per – flip – per – flip – per ! »

La proposition de Zyto séduisit tout le monde, Marie-Thérèse la première. Mais elle demanda en regardant sa montre qu'on voulût bien l'attendre vingt secondes, elle avait selon son expression un mini-coup de fil à passer.

Ils l'attendirent.

Après le mini-coup de fil, ils se transportèrent tous au premier, dans la caverne d'Ali-Baba, la pièce au trésor de Martial. Zyto dissimula son étonnement, comme il l'avait dissimulé en voyant les statues du jardin. Il fut ébahi par cet entassement de meubles, vêtements anciens ornés de dorures, jeux d'échecs, tableaux, animaux empaillés ou taillés dans du bois, armes, bijoux, instruments de musique, il y avait de tout.

Et il y avait le flipper, superbe, à la fois « toc » et précieux, avec ses deux cow-boys sur le point de faire feu.

— Vous savez jouer ? demanda Marie-Thérèse.

— Vous allez voir, je vais vous épater !

Léonard, très excité, le walkman sur la tête, lui céda la place.

Pour épater, Zyto épata : il leur fit une véritable démonstration de virtuosité, les hanches collées à l'appareil, l'œil brillant, le geste rapide, précis, professionnel, avec ces petits coups de bas-ventre caractéristiques et un peu obscènes dont la force doit être idéale pour modifier la trajectoire de la bille de métal sans faire « tilter » le flipper. On voyait bien qu'il aurait pu jouer des heures, accumulant les parties gratuites qui se déclenchaient tous les vingt mille numéros, sans donner à la bille la moindre chance d'échapper à son contrôle.

Il s'arrêta, laissant comme avec mépris la bille glisser et disparaître dans le trou.

Puis il regarda la scène de western, le duel à l'issue

éternellement incertaine.

Les exclamations de Marie-Thérèse et les glapissements de Léonard, qui n'avaient pas cessé pendant qu'il jouait mais qu'il avait à peine entendus, le ramenèrent à la réalité. Il comprit qu'il avait commis une petite imprudence.

— Pourquoi tu ne m'as jamais dit que tu savais jouer comme ça? dit Léonard, éperdu d'admiration. Tu devrais faire des concours!

Zyto sourit.

— A moi aussi, il avait caché ce talent, dit Marie.

— Incroyable, dit Marie-Thérèse en battant des mains, un seul battement.

Marie continuait à trouver plus beaux que d'habitude, plus fins, plus prolongés les sourires de «Marc». Nettement. A ses yeux d'épouse aimante, en tout cas. Que de sujets d'étonnement, ce soir!

— Cher ami, on dirait que vous avez fait ça toute votre vie! dit Martial à Zyto.

Face à un tel adversaire, aux talents aussi variés, il comprenait qu'il n'avait guère de chances auprès de Marie. Mais il ne ressentait aucune envie, aucune amertume. Et il ne s'avouait pas vaincu. Il ne s'avouait jamais vaincu. Après tout, lui était bon cavalier, bon tireur, bon joueur d'échecs. Meilleur joueur d'échecs. Il se tenait des raisonnements d'enfant, et il gardait un espoir d'enfant.

— Figurez-vous que j'ai beaucoup pratiqué quand j'étais étudiant, dit Zyto. Ça ne s'oublie pas, ces choses-là. C'est comme la nage et le vélocipède.

— Le vélocipède! reprit Léonard, mis en joie par le mot.

Marie était songeuse. Elle avait l'impression que «Marc» évitait son regard. Comment était-ce possible qu'il ne lui ait jamais dit, au moins une fois, par exemple dans un café : «Tu sais, ma chérie, quand j'étais plus jeune, j'étais

216

très fort à ce jeu-là...» Mais il n'avait jamais rien dit de tel. Elle en était certaine. Elle se serait souvenue. «Ça doit faire partie des petits mystères de l'existence, pensa-t-elle. Peut-être que Marc serait étonné d'apprendre certaines choses de moi que je n'ai jamais eu l'idée de lui dire...»

Elle voyait mal lesquelles. Mais il y en avait peut-être.

Toutes les fenêtres de la splendide villa des Cazanvielh était ouvertes sur la nuit. Un silence absolu régnait dans l'impasse des Soldats et dans tout le quartier.

Soudain, un téléphone sonna quelque part dans le bric-à-brac. Ils sursautèrent. La maison était truffée de téléphones.

— Ça doit être pour moi! dit Marie-Thérèse en se précipitant.

— Rien d'impossible, dit Martial, souriant à Marie.

## 31

Cette même nuit, Michel Zyto fit l'amour avec une femme pour la première fois de sa vie.

Les choses se passèrent d'abord comme la nuit précédente, puis Zyto, sans vraiment le décider, se retrouva étendu sur Marie. Elle ne le pressait en rien, elle lui caressait le dos avec tendresse en lui murmurant: «Mon chéri», et il la pénétra facilement, presque par hasard. Il ne savait pas ce qui lui arrivait. Il se sentit prisonnier d'une étreinte tellement différente de ce qu'il avait connu auparavant, avec Marie ou seul, une étreinte plus douce mais plus irrésistible, moins directement violente, mais plus totale, plus enveloppante.

Il s'agita quelques secondes avec fébrilité, et il éprouva une jouissance brève et intense.

La désaffection amoureuse de Marc avait tourmenté Marie plus qu'elle ne croyait, ou qu'elle ne se l'était avoué à elle-même. Cette nuit, même si «Marc» ne l'avait guère comblée physiquement, elle était folle de joie de le retrouver, émue par sa maladresse, par sa timidité, comme si, après ces mois d'abstinence, il redécouvrait l'amour avec elle.

Quant à Michel Zyto, s'il oublia ses peurs, ce fut à coup sûr parce qu'il était dans la peau d'un autre, parce qu'il usait du corps de Marc Lacroix. Cette tricherie lui permit d'accéder à une conduite apparemment normale. Mais, à coup sûr aussi, ce passage à l'acte sexuel fut à l'origine du véritable déclenchement de sa folie.

A l'instant même de sa jouissance, il sut avec certitude qu'il était capable de tuer Marie, elle et d'autres. A cet instant se verrouilla vraiment son destin de « tueur de femmes », comme avaient dit les journaux alors même qu'il n'avait tué personne. Mais, également parce qu'il était dans la peau de Marc, il pouvait ne pas céder dans l'immédiat à son envie de meurtre. Il pouvait la tenir à distance et comme en réserve, il pouvait se dire avec calme que faire l'amour avait été une révélation et qu'il recommencerait volontiers, une autre nuit.

Il se sentait gagnant sur toute la ligne. Maître de ses pulsions, et plus fort que jamais.

Restait la nécessité de régler au mieux et au plus vite le problème avec Marc. Or, les ébats de cette nuit eurent pour autre conséquence d'apporter un début de solution à ce problème.

Cela vint au cours de la conversation qui succéda à ces ébats, pleine de complicité, aussi tendre et complice que si elle avait réuni les vrais époux Lacroix.

— J'ai horreur de la façon dont Marie-Thérèse souffle la fumée de ses cigarettes, dit soudain Zyto. Ça fait un bruit, qu'est-ce que c'est énervant !

— C'est la trois millionième fois que tu me le dis, mon chéri.

— Je te le répéterai sûrement encore trois millions de fois...

— Tu as remarqué comme Léonard a regardé l'entrée de la cave, quand on est rentré ?

— Non, dit Zyto.

Il n'ajouta pas: «Comment?» Il resta avec prudence sur ce «non», attendant la suite, une autre déclaration, une autre information qui lui permettrait de comprendre.

— Je le sens, quand il a peur.

— Tu crois qu'il a peur? dit Zyto d'un ton presque neutre.

— Peur, c'est beaucoup dire. Mais cette histoire réveille son anxiété. Ton accident, ta blessure au front, l'évasion, aller habiter à l'hôtel, tu te rends compte?

— Bien sûr que je me rends compte. Mais il n'y en pas pour très longtemps. Et avec nous, quand même, il se sent rassuré.

— Oui, dit Marie. Je ne suis pas vraiment inquiète.

Léonard effrayé, la porte de la cave, réveiller son anxiété... Peur de quoi, quelle anxiété? Il n'y avait pas trente-six explications. Sans doute Léonard avait-il eu un jour une grosse frayeur dans la cave. D'ailleurs, les Lacroix laissaient toujours ouverte la voie d'accès à la cave, la porte, dans le hall. Il y avait sûrement un rapport. Quelle frayeur? Aucune importance. Et Marie en resta là sur le sujet.

Elle pensait au flipper. A la possibilité pour Marc de garder un secret. A Marianne Matys...

Après la représentation du *Songe d'une nuit d'été*, et pendant quelque temps, Marie avait eu des soupçons, contre lesquels elle avait lutté. Pour rien au monde, elle n'aurait parlé de ces soupçons à Marc durant la période où il s'était détourné d'elle sexuellement, par fierté, parce qu'elle attribuait ce manque d'intérêt aux soucis de Marc, à son état de dépression. Parce qu'elle n'y croyait pas vraiment, au fond. Elle était certaine que Marc ne s'était douté de rien. Elle avait bien dissimulé. Mais, d'une manière à la fois paradoxale et logique, maintenant que «Marc» avait fait l'amour avec elle, elle était moins capable de raisonner, elle

220

ressentait une jalousie réelle, une jalousie des sens, elle imaginait Marc accomplissant les mêmes gestes avec une autre, avec Marianne, donnant et recevant les mêmes caresses.

Elle était jalouse, bêtement jalouse.

Et elle éprouva le besoin de savoir à coup sûr.

Elle essaya de se dominer, elle se dit qu'elle n'y penserait plus le lendemain, mais elle ne put résister. C'était comme une démangeaison. Il suffisait d'y céder, après elle serait tranquille. Une simple question et elle en aurait le cœur net. Dans quelques secondes, si elle voulait.

— Je suis encore étonnée que tu ne m'aies jamais rien dit, à propos du flipper.

Zyto réfléchit à toute allure. Il eut un petit rire, très réussi, très naturel.

— Tu sais, pendant des années, j'ai oublié, je n'y pensais jamais vraiment. Après, il m'est arrivé d'être sur le point de t'en parler, deux ou trois fois, je m'en souviens très bien. Mais tu sais ce que c'est, il suffisait que tu me parles d'autre chose, et ça me sortait de la tête. Ce n'est pas très important, si? Ça te tracasse?

Il rit encore.

— Non, c'est idiot, dit-elle. Mais...

— Mais quoi?

Marie avait un tempérament trop franc et trop entier pour louvoyer longtemps.

— Écoute, Marc, ne m'en veux pas si je suis ridicule, il faut que je te demande... est-ce que tu m'as caché d'autres choses?

— Mais non, quoi?

— Est-ce qu'il y a eu quelque chose entre Marianne Matys et toi?

Ouf. C'était difficile. Elle avait une petite voix et le cœur battant d'émotion. Heureusement qu'ils étaient dans le noir.

— Mais tu es folle! Bien sûr que non! Où es-tu allée chercher ça? Je la connais à peine. Je la trouve sympathique, mais vraiment... alors vraiment, non!

Zyto fut convaincant. Il disait la vérité vraie. Et il avait craint une question plus embarrassante, il était soulagé. Ce n'était que ça! Non, rien entre Zyto et Marianne Matys. Marie se pelotonna contre lui.

— Tu ne m'en veux pas?

— Si, beaucoup!

Il la prit dans ses bras, lui couvrit le visage de baisers. Les idées de meurtre nettement inscrites dans son esprit ne l'empêchaient pas de bien l'aimer. Cette nuit, il l'aimait bien.

Soulagé.

Et content, car il venait peut-être de découvrir où se cachait Marc Lacroix.

Il avait décidé trop vite que Marc n'avait pas de maîtresse. Il avait écarté trop vite l'hypothèse que cette Marianne Matys, cet après-midi... Les propos de Marie remettaient tout en question. Marie était fine, perspicace. Si ses soupçons étaient fondés, Marianne Matys la comédienne était venue au magasin Carrefour d'Ivry avec des idées bien précises. N'avait-elle pas cherché à isoler Marie, puis Léonard, et même lui, Zyto? Et pourquoi, sinon pour tenter quelque chose contre lui, selon un plan mis au point avec son amant Marc Lacroix?

Un peu plus tard, il se leva: impossibilité de dormir, dit-il, soif de menthe-limonade, il descendait deux minutes.

L'annuaire. Sinon, le carnet d'adresses de Marie.

Mais Marianne était dans l'annuaire.

Puis il examina le gros trousseau de clés de Marc. Il y en avait tant que celle de Marianne pouvait bien s'y trouver. Lui, Zyto, l'aurait mise là avec les autres, parmi les clés de la maison et de ses divers lieux de travail. C'était la meilleure cachette.

Mais peut-être n'aurait-il pas besoin de clé.

Il remonta.

Si les soupçons de Marie étaient fondés, Marc se trouvait actuellement, cette nuit, à la minute présente, avec Marianne Matys, chez elle.

de Marc.

32

Marc, épuisé, découragé, honteux de son aspect
physique et souffrant la torture sous le regard de Marianne,
se dégoûtait lui-même. Il imaginait dans le noir ce corps
détesté, ce visage de bellâtre auquel finalement la moustache
manquait, cette silhouette trop courte, sans grâce, ces pieds
mal formés, façonnés par de mauvaises chaussures, ces
cuisses trop fortes, ce pénis trapu, ces poils tellement plus
abondants que les siens, de couleur et de contact si
différents...

Et il imaginait, aussi, Marie et Michel Zyto côte à côte
dans le même lit, chemin du Maréchal-ferrant. Il était bien
placé pour savoir que rien ne se passerait, ou si peu, un
baiser de bonne nuit, un geste tendre, mais ce peu-là était de
trop, ce peu-là était insupportable, insupportable !

Marie s'était-elle rendu compte de quelque chose ? Zyto,
dans ses paroles ou sa conduite, avait-il commis une erreur,
une grosse erreur, incompréhensible pour Marie ? Et Léonard, si malin, qui devinait tout, avait-il perçu une anomalie,
ressentait-il et manifestait-il un malaise en présence de ce

faux père ? Peut-être. Peut-être pas. Marianne avait été impressionnée par l'aisance de Zyto dans son rôle de chef de famille, dans son rôle de Marc Lacroix. Le rôle de sa vie, se disait Marc avec haine et amertume. Erreur ou pas, malaise ou pas, le salopard devait toujours retomber sur ses pieds.

Marc s'en voulait d'avoir tenté son expérience. Sans elle, il ne se serait pas débattu dans ce cauchemar. Mais au fond de lui son ambition et son orgueil le soutenaient toujours, et l'aidaient à garder espoir. Il n'avait renoncé à rien.

Ils s'étaient couchés tôt. Marc avait pris des tranquillisants, une bonne dose. Marianne, une petite dose, mais comme elle n'en prenait que rarement, très vite elle avait été aussi hébétée que Marc. Ils avaient parlé d'une voix au débit peu à peu ralenti des possibilités de coincer le fou, le malfaiteur, le faussaire. Elles n'étaient pas très nombreuses, hélas. Et une surveillance systématique serait bien malcommode.

Ils s'éveillèrent presque en même temps, vers une heure du matin, après un mauvais premier sommeil. Le souvenir harcelant du bien-être qu'il avait toujours retiré de ses rencontres avec sa maîtresse incita Marc à quelques gestes timides, auxquels la jeune femme répondit vaguement, et ils se retrouvèrent dans les bras l'un de l'autre.

La fenêtre de la petite chambre était ouverte sur le ciel bleu foncé empli d'étoiles. Pas un bruit dans la cour. Ils rejetèrent le drap et firent l'amour dans un silence et une obscurité aussi profonds que ceux qui pesaient chemin du Maréchal-ferrant.

Ils s'agitaient dans un état de semi-inconscience.

La blonde Marianne, aux jambes si longues, si attirantes, un peu irrégulières, même au toucher, quand on les connaissait comme Marc les connaissait, Marianne y prit plus de plaisir qu'elle n'aurait cru. Le corps qu'elle découvrait sous ses caresses n'était pas celui de son amant, mais tout le reste était tellement lui, son désir, ses gestes, ses habitudes amoureuses, son être, sa personne, et elle l'aimait tellement que son impression du début de la soirée d'avoir un inconnu dans son lit se dissipa. Et, au moment de leur jouissance, ce fut vraiment Marc qu'elle serra dans ses bras, et qui lui fit venir aux yeux des larmes de bonheur, comme n'importe quelle autre fois.

Aussitôt ressaisis par une pesante somnolence, un peu éberlués de ce qu'ils avaient fait, ils ne se parlèrent pas.

La nature optimiste de Marianne la portait à la certitude que tout finirait bien. Que se passerait-il ensuite, quand Marc serait redevenu Marc? Où en était-il exactement avec Marie? Accepterait-il de divorcer? Elle ne s'était jamais posé ces questions. Soudain, elle aurait bien aimé avoir Marc tout à elle.

C'était la première fois qu'ils dormaient ensemble.

Marc aussi rêvassait. Il venait de faire l'amour avec Marianne, et deux projets l'obsédaient, amener Zyto à Louveciennes, puis révéler son invention au monde étonné: si radicalement différente que soit la situation, elle se laissait pourtant enfermer dans les mêmes mots que peu de jours auparavant...

Et son corps odieux lui parut un instant moins odieux. Il était sain, fort, il fonctionnait bien.

Plus de tumeur du nerf acoustique.

Avant le dîner, Marc avait pris ses deux comprimés de Maktarin.

Il se rendormit.

# 33

En effet, Zyto retombait toujours sur ses pieds. Il s'intégrait parfaitement à la famille Lacroix. C'était du grand art, un mélange de naturel et de vigilance, d'inspiration et d'attention réfléchie.

Marie le sentait au fond très tendu, mais plus proche d'elle que jamais. Quant à Léonard, il avait rarement vu son père aussi prévenant, aussi gamin, aussi «sympa». Le matin même, Zyto était venu dans sa chambre et s'était livré à un numéro de pitre très réussi. Il avait feint de ne pas voir que Léonard était réveillé et il avait simulé un vol de son walkman, quittant la chambre sur la pointe des pieds malgré les rires et les exclamations de l'enfant, et tout s'était fini par des câlins.

Pourtant, Zyto s'était éveillé très angoissé ce matin-là.

Et un peu plus tard, ce même matin du 4 août, avant leur départ pour l'hôtel Pavillon de la Reine, place des Vosges, il dut affronter une rude épreuve. Il sortait de la salle de bains. Il était seul au premier étage. Il s'assit sur le lit pour enfiler ses chaussettes, lorsqu'il eut l'impression qu'on lui enfonçait du coton dans les oreilles. Il n'entendit plus rien, sinon une sorte de vrombissement continu qui venait de l'intérieur de la tête. Presque au même moment, la pièce se mit à tourner autour de lui, dans tous les sens, comme un manège lancé à pleine vitesse, et qui de plus se serait mis sens dessus dessous. Zyto s'agrippa au lit. Puis une formidable nausée le jeta sur le sol. Il gémit de malaise et de frayeur.

Il rampa jusqu'à la salle de bains, toujours gémissant. Il se cramponna à la cuvette des W.C. et vomit, deux jets successifs, d'une abondance et d'une violence répugnantes.

Les vertiges diminuèrent, le bruit dans les oreilles aussi. Il tira la chasse plusieurs fois, s'essuya la bouche avec du papier toilette, et demeura immobile, agenouillé au-dessus de la cuvette, haletant.

La crise passa.

La panique lui inspira des idées qui l'affolèrent davantage. Il pensa en vomissant qu'il rendait l'âme, comme si le corps de Marc Lacroix ne voulait plus de lui. Il se dit que ce malaise était un châtiment, le châtiment de la pénétration, qu'il payait très cher le plaisir pris avec Marie pendant la nuit.

Et il imagina que l'évasion de Marc était peut-être truquée, un coup monté avec Hugues d'Oléons, avec Adeline, avec toute la clinique, avec la police...

Il avait peur.

Il se releva prudemment. Il retourna s'asseoir sur le lit, puis il se vêtit. Oui, la crise était passée. Mais Marc en avait-il connu d'aussi fortes? Comme Zyto aurait aimé pouvoir le lui demander! Peut-être que le mal s'aggravait? Peut-être que Marc n'avait jamais rien subi d'aussi pénible?

Il se calma. Il se répéta certaines paroles de Cédric Houdé qu'il ne pouvait mettre en doute. Les malaises, même spectaculaires, ne signifiaient rien en ce moment quant à l'évolution de la tumeur.

228

Évasion truquée ? Piège, coup monté ? Cela, il en aurait facilement le cœur net.

Retrouver Marc aujourd'hui même. Refaire l'expérience en sens inverse, réintégrer son corps.

Dommage. Mais c'était inévitable. Et il était devenu et resterait un autre homme. Cette idée lui donna de l'énergie.


Ils laissèrent le Nissan Terrano au garage de l'hôtel, rue de Béarn, puis se dirigèrent à pied vers la place des Vosges toute proche.

Zyto était très pâle. Marie l'observait à chaque instant. Il n'allait vraiment pas bien, ce matin.

Il portait deux valises, une grosse et une petite, Marie un sac de voyage, Léonard rien, sinon son walkman sur les oreilles. L'enfant ne manipulait guère le walkman : il l'avait réglé une fois pour toutes sur Croc-Rock, la radio des affamés du rock.

A dix heures du matin, il faisait déjà très chaud. Un habit brûlant sembla leur tomber sur les épaules lorsque, quittant l'ombre perpétuelle de la rue de Béarn, ils débouchèrent sur la place des Vosges emplie de soleil. Zyto pensa malgré lui au jardin intérieur de Stéphen-Mornay. Toute la place éclatait de lumière, on pouvait croire ici aussi que le soleil, par un phénomène particulier de réverbération, frappait de tous côtés.

Léonard ôta le casque de ses oreilles et s'adressa à Michel Zyto. Il venait d'avoir une idée, il réfléchissait déjà depuis un moment.

— Si on prenait Xarcoil, comme nom ?

— Xarcoil ? Pourquoi ? Tu écris ça comment ?

Léonard fut surpris, sa mère aussi. Elle, elle avait compris tout de suite. Pourquoi Marc posait-il ces questions ? Le père et le fils faisaient souvent des jeux de mots entre eux,

229

et d'habitude ils se comprenaient au quart de tour.

— X - a - r - c - o - i - l. Xarcoil. Tu vois? C'est les mêmes lettres que Lacroix, mais...

— D'accord, d'accord, vilain singe. Je pensais à autre chose. D'accord, c'est rigolo. On va prendre Xarcoil.

Léonard avait déjà suggéré de prendre un faux nom, idée qui le ravissait. Zyto avait dit oui. De toute façon c'était ce qu'il pensait faire. Par prudence excessive, par maniaquerie: il voyait mal Marc téléphoner à tous les hôtels de Paris et de la région.

Ils tournèrent à droite, puis de nouveau à droite pour passer sous un porche. Après quelques pas, ils se trouvèrent devant l'hôtel Pavillon de la Reine, un établissement de grand luxe construit en retrait de la place, dans un espace intérieur agréable, silencieux, presque frais.

La porte à deux battants était ouverte, ils la franchirent de front et s'avancèrent dans le hall, Léonard entre ses parents. L'employé de la réception, au fond et à gauche, achevait de téléphoner. Il raccrocha et les observa. Ils étaient beaux tous les trois, ils allaient bien ensemble. Zyto était vêtu d'un magnifique costume de lin écru, qui se fripait assez vite, mais ce «défaut» même faisait chic («Si tu mettais ton costume en lin?» avait dit Marie. «Oui, tiens, bonne idée»), Léonard de son short en toile jean, qu'il adorait, et d'un tee-shirt noir très fin avec l'inscription HELP! sur la poitrine en lettres blanches, Marie d'une robe rouge longue et légère, plutôt voyante, difficile à porter. Mais elle triomphait aisément de la difficulté, et elle se mouvait avec grâce. Zyto, avec un peu moins de grâce, impressionné qu'il était par le faste de l'endroit, ce vaste hall tout de bois et de cuir, éclairé par au moins dix lampes et décoré de peintures anciennes.

L'employé, un homme jeune, avait un «style» impeccable. Un mannequin animé sorti la veille au soir d'une école hôtelière, songea Marie. Il n'inspirait pas vraiment la

230

sympathie. Ses traits étaient durs, son regard inquisiteur, avec une petite pointe de sournoiserie et presque d'arrogance, ténue, lointaine, mais perceptible par des gens aussi fins que Marie, ou aussi méfiants que Michel Zyto. Zyto eut l'impression que l'homme le scrutait, le perçait à jour, devinait tout. Qu'il pouvait voir dans la poche de sa veste, à travers le tissu, le petit pistolet suisse 9 mm SIG P210 qu'il avait pris dans le coffre juste avant de partir, à l'insu de Marie.

— Madame, messieurs?

Zyto détourna les yeux, ne dit rien, regarda Marie, s'en remit à elle. Elle comprit, elle connaissait «Marc», elle savait qu'il était mal à l'aise, empoté dans les rapports sociaux autres que professionnels, vite nerveux, vite démonté par les petites difficultés de la vie de tous les jours.

Elle lui sourit et se tourna posément vers l'employé.


Zyto gara le 4×4 sur le trottoir en face du 23, rue des Martyrs, dans le IX^e arrondissement.

Il pénétra dans l'immeuble, chercha le nom sur les boîtes aux lettres: Adeline Ledru, escalier B, 2^e gauche.

Un homme répondit à son coup de sonnette. Il était jeune, assez beau, il avait l'air préoccupé. Dans sa chevelure noire et ondulée courait une mèche blanche, bien blanche, bien délimitée. Il s'adressa à Zyto du ton de quelqu'un qui n'a pas trop le temps:

— Oui?...

— Bonjour. Je suis désolé de vous déranger. Je suis le docteur Marc Lacroix, je travaille avec mademoiselle Ledru au centre Stéphen-Mornay.

Le visage de l'homme changea.

— Ah! oui. Jean Citadelle. (Il faillit tendre la main, renonça.) Entrez, je vous en prie. J'ai accompagné Adeline chez le dentiste, on vient d'arriver. Elle y est déjà allée hier.

— Excusez-moi de passer comme ça, je voulais téléphoner, mais...

— Je vous en prie. C'est très gentil à vous.

Évasion non truquée. Zyto le pensait au fond. Mais maintenant il serait sûr. Le nommé Jean Citadelle le fit asseoir dans un salon sur cour plutôt triste, Adeline arriva aussitôt de la salle de bains. Le bas de son visage et une partie de la joue gauche étaient violets, presque noirs par endroits. Un coup terrible. Elle pouvait à peine parler. Sacré docteur Lacroix, il n'y était pas allé de main morte...

Adeline fut très émue, et même versa une larme. Nerveusement, elle était encore sous le choc, elle avait eu très peur la veille, et très mal. Et le dentiste, ce matin, lui avait extrait une incisive du bas.

Zyto lui prit la tête entre les mains et la pencha doucement en arrière. Avec des gestes très professionnels, se dit l'ami d'Adeline.

— Ouvrez la bouche, juste un peu, arrêtez quand ça vous fait mal... voilà...

On sauverait la canine, simplement ébréchée, expliqua Jean Citadelle. Il faudrait dévitaliser et limer l'incisive saine, à droite, et poser un bridge.

— En effet, c'est la seule solution, dit Zyto en lâchant la jeune femme. Le docteur d'Oléons m'a dit que le Centre prendrait tous les frais à sa charge, bien entendu.

— Vous êtes vraiment très gentil d'être passé.

On la comprenait mal, elle bredouillait. Jean Citadelle la regardait avec l'air de l'aimer beaucoup.


Une bonne chose de faite. Une certitude acquise. La suite, maintenant. Zyto eut un petit accès d'optimisme. Son angoisse était tombée d'un coup. Il avait l'habitude de ces brusques changements. Il poussa le volume du radio-cassette, Vivaldi, musique merveilleuse, et quelle installation !

Le Nissan Terrano roulait bon train dans la rue de Richelieu, les feux passaient au vert à son approche. Zyto se mettait à adorer cette voiture.

Il fut très vite avenue Stéphen-Mornay, ce petit bout de rue même pas très large qu'on avait baptisé « avenue » Dieu sait pourquoi.

La chaleur convenait mal à l'énorme Hugues d'Oléons. Il était essoufflé et transpirait de façon continue. Le pire, c'était ces grosses gouttes de sueur sur son crâne, on aurait dit des cloques, une sorte de maladie de la peau. Il s'essuyait régulièrement, mais elles se reformaient dans la minute, aussi volumineuses.

— J'ai appelé le commissariat ce matin à neuf heures. Ils ont décidé de montrer des photos au journal télévisé. Deux photos, face et profil.

Zyto, bien installé dans le fauteuil Louis XV, fut plutôt mécontent de cette nouvelle. Par bonheur, il avait la piste Marianne Matys, qu'il croyait bonne. Il éviterait bien des complications en mettant la main sur Marc le premier.

Tout à l'heure.

— Il va se sentir aux abois, dit-il.

— Évidemment. Mais on n'y peut rien. Pour eux, Michel Zyto est dangereux. Il a peut-être tué, donc il tuera peut-être. Ils font leur travail. D'ailleurs... il est peut-être vraiment dangereux ? J'avoue que je perds un peu les pédales.

— Moi aussi, dit Zyto. Je vous avoue la même chose.

Il lui sourit. Hugues d'Oléons, habitué aux sourires brefs de Marc, aussitôt interrompus, comme réprimés, s'étonna et se réjouit d'un sourire qui durait plus longtemps, qui éclairait mieux le visage de son ami.

— Sinon, mon cher Marc, ça va?

— Ça va.

— Vous me disiez au téléphone que vous pensiez vous installer quelques jours dans un hôtel.

— Oui. Aujourd'hui, sans doute. Pauvre Adeline, dit-il, changeant de sujet.

— Ah! si vous saviez comme je suis embêté!

— J'ai bien fait de passer la voir, elle était tellement heureuse de ma visite. Le dentiste va lui poser un bridge.

Hugues resta rêveur un moment.

— Je ferais bien d'en faire autant, dit-il enfin.

Et il sourit à son tour, de toutes ses incisives jaunes et grises. Zyto, ne sachant rien de précis concernant la dentition de son interlocuteur, se garda prudemment de commentaire et s'en tint à un sourire entendu plutôt niais.

— Quel hôtel? dit Hugues.

— On ne sait pas encore, dit Zyto.

Les chambres, situées au deuxième étage, deux grandes et belles pièces où la couleur marron dominait, étaient contiguës mais ne communiquaient pas. C'est tout ce que l'hôtel avait pu proposer, quand Marie avait téléphoné. Déjà bien heureux de trouver de la place, avec l'invasion des touristes.

L'avantage, pour Léonard, c'était la télé, une télé pour lui tout seul, la même que ses parents, avec télécommande. Il pourrait ce soir la regarder de son lit (il avait demandé et obtenu la permission), aussi longtemps qu'il voudrait (décision personnelle, pour la durée il n'avait rien demandé).

Marie avait exploré les lieux, défait les valises, et maintenant, assise sur le rebord du grand lit, chambre des parents, elle fumait une cigarette. Cela ne lui arrivait presque

234

jamais. Elle fumait beaucoup quand elle avait rencontré Marc. Il avait réussi à la faire s'arrêter en quatre mois. Il n'aimait pas la voir une cigarette à la main. Il disait : tu retombes dans l'enfer du vice. Tu crois que c'est fini, mais ce n'est jamais fini pour tes cellules. La cellule se souvient du tabac. En ce moment, tes cellules te poussent au vice et tu ne t'en rends même pas compte. Marc faisait toujours une réflexion, toujours sur le mode plaisant, mais quand même.

Sauf hier soir, Marie avait fumé une cigarette tard dans la nuit, et curieusement il n'avait rien dit.

Léonard regardait par la fenêtre. Pas grand-chose à voir. Il se retourna.

— J'ai faim.

— Déjà ? Il est onze heures et quart.

— Y'a pas d'heure pour les braves, dit le gamin.

Il sourit, puis son sourire se transforma en rire comme souvent, il embrassa sa mère en vitesse, sur le front, il était à croquer. Il prenait cette histoire d'hôtel mieux qu'elle n'avait craint, il était plus détendu qu'hier. Il trouvait bien excitant ce petit parfum d'aventure qui flottait dans l'air.

— On ira déjeuner tôt, dit-elle. C'est plein de restaurants, autour de la place.

— Je peux y aller ?

— Où ?

— Sur la place.

— Dans un moment. On ira ensemble.

— Dans ma chambre, alors ?

— La télé, hein ?

Il hésita une seconde.

— Oui, dit-il en faisant quelques grimaces.

— Vas-y. Tu verras que les programmes sont très passionnants, le matin, gros bêta. Tu me raconteras.

Elle resta seule. Elle écrasa le mégot dans un cendrier et se retint d'allumer une autre cigarette. Léonard était tellement gentil et franc. Comment avait-il pu, l'autre soir, fouiller dans leur chambre avec autant de décision, de sang-froid, de méthode? Ça ne ressemblait pas à son Léonard, pas du tout.

Elle appela ses parents à La Colle-sur-Loup. Elle leur dit qu'ils faisaient un peu de tourisme dans la région parisienne, tout bêtement. Elle les rappellerait. Ils se verraient bientôt. Elle parla, sans déplaisir pour une fois, à son père et à sa mère, et à Louis, son jeune frère, son cadet de dix ans, qui, fâché avec sa petite amie, passait un petit bout de vacances auprès de « ses vieux », comme il disait.

Marie raccrocha et composa aussitôt, presque sans réfléchir, le numéro des Cazanvielh. A cette heure, elle était presque sûre de tomber sur Martial. A moins que... Non, on était vendredi. Le lendemain samedi était son jour de sortie, tir, chasse, équitation, mais aujourd'hui il était sûrement là, s'occupant de ses antiquités et de son jardin, tandis que Marie-Thérèse écumait les salons de coiffure et les centres d'épilation. En traînant Cookie, maintenant. Et le présentant à mille Versaillaises oisives et maquillées qui devaient tuer le malheureux westie à force de caresses, de compliments et de sucreries.

Elle laissa sonner longtemps. Martial décrocha enfin, pas essoufflé du tout bien qu'il eût couru, elle le savait. Mais physiquement il était en forme. Plus que jamais, elle se rendit compte à quel point l'affection de Martial lui était précieuse. Toute forte et courageuse qu'elle était, le solide appui qu'il lui apportait était bien utile, et même, à son insu, lui était devenu nécessaire.

— Martial?

— Marie! Ça va? Toujours à Versailles?

— Non, ça y est, on est à l'hôtel.

— Où? Lequel? Attendez, je note... voilà...

« Marc » lui avait dit en partant de ne révéler leur

236

cachette à personne. Il avait bien insisté : à personne. « Pas même à Martial ? » avait dit Marie, étonnée. Zyto, embarrassé, avait marmonné : « Non, à personne, inutile de faire les choses à moitié. » Elle avait trouvé qu'il exagérait, qu'il était vraiment trop nerveux. Elle n'avait pas discuté pour ne pas l'énerver davantage, elle avait dit oui, d'accord, mais quand Martial l'interrogea sur l'hôtel, elle n'hésita pas une seconde. A personne, cela signifiait pour elle le monde entier sauf Martial, son ami le plus proche, en qui elle avait une confiance absolue. D'ailleurs, comment le fou les aurait-il retrouvés par Martial ? Pour Marie, une telle hypothèse ne pouvait être qu'absurde. Et absurde, au-dessus de ses forces, de refuser à Martial ce qu'il demandait.

Si Léonard était plus calme, Marc, pensa-t-elle à nouveau, était aujourd'hui d'une anxiété qui l'avait inquiétée. Elle avait bien vu, sur la route. Il était évident, sans doute possible, que personne ne les suivait, certain à cent pour cent, mais Marc n'avait pas lâché le rétroviseur des yeux de tout le trajet. Sa crise de ce matin avait achevé de l'ébranler, le pauvre. De plus en plus anxieux, fragile, et donc un peu plus jaloux que d'habitude de Martial... Elle eut un immense élan de tendresse pour son mari. Comme ils s'aimaient, et comme ils allaient s'aimer !

Et elle parla à Martial de l'hôtel Pavillon de la Reine sans l'ombre d'une culpabilité.

— On a donné Xarcoil, comme nom, dit-elle. X - a - r - c - o - i - l. Une invention de Léonard, les mêmes lettres que Lacroix dans un autre ordre.

— Il est malin comme un singe, dit Martial. Vous lui direz que j'astique bien le flipper pour votre retour. Bientôt, j'espère. Vous lui direz ?

— D'accord, je lui dirai.

Elle pensait demander à Martial de ne pas leur téléphoner, qu'elle appellerait, elle. Demande délicate. Elle était très gênée. Par bonheur, il prit les devants.

— Voilà, j'ai noté sur le petit bloc. Je ne vous dérangerai pas, tenez-moi au courant si vous voulez, simplement je suis plus tranquille de savoir où vous êtes. Je vais apprendre tout ça par cœur et déchirer la feuille. Si vous vous mettez à l'abri quelques jours, ce n'est pas la peine que tout Versailles soit au courant. Non, je suis méchant pour Marie-Thérèse. Elle est juste un peu étourdie, parfois.

Si Marie avait eu un atome de remords d'avoir parlé à Martial, cet atome aurait été balayé à l'instant dans une lointaine galaxie. Cher, cher Martial! Nouvel élan de tendresse dans son cœur. En toute pureté. Elle était claire avec elle-même.

— Mon cher Martial... il fait bon avoir un ami comme vous. Bien sûr, je vous tiendrai au courant. Je vous embrasse très fort.

Martial resta près du téléphone, tout ému, tout fondant des derniers mots de Marie, et les narines emplies d'*Opium*, le parfum de Marie-Thérèse, dont l'odeur stagnait dans ce coin de la grande pièce, vu le temps qu'elle y passait. Même le stylo sentait *Opium*.

Ce n'était pas désagréable, loin de là.

Il soupira, arracha la feuille du petit bloc, l'observa quelques secondes et la déchira en douze morceaux qui volèrent dans la corbeille à papier.

Puis il retourna à ses statues, dans le jardin. Il leur nettoyait les aines et les aisselles où curieusement, comme chez les humains qui ne se lavent pas, la crasse avait tendance à s'accumuler.

Michel Zyto laissa le 4×4 au fond d'une impasse qui donnait dans la rue Boissy-d'Anglas. De la rue Boissy-d'Anglas, on ne le voyait pratiquement pas. Puis il gagna en deux pas la rue du Faubourg-Saint-Honoré. Il repéra aussitôt, en face du 14, le café *Maritimos*, vaste, anonyme, là il serait bien pour téléphoner.

Il traversa la rue, entra dans le café. On lui indiqua le téléphone au sous-sol.

Pourvu que Marc soit là! Il allait lui faire peur, l'affoler. En deux minutes, Marc serait mûr pour accepter toutes les conditions de Zyto, il serait à ses genoux. Zyto lui dirait: je tiens Marie et Léonard, je les tiens bien, ne cherchez pas à les retrouver, ce serait du temps perdu. Et, comme vous le voyez, je sais aussi où vous êtes, et je le saurai toujours. Je vais vous fixer un petit rendez-vous, nous avons à discuter, et nous avons à faire.

Mais s'il n'était pas là? Si Zyto tombait sur Marianne? Ou s'il n'y avait personne?

Personne. Il écouta l'assez long message laissé par Marianne sur son répondeur.

Il remonta, perplexe. Que faire? Il s'apprêtait à tirer la porte du café, lorsqu'il vit Marianne sur le trottoir d'en face, sortant du 14. Il la reconnut aussitôt. Elle portait un sac à provisions.

Dès qu'elle se fut éloignée, il traversa la rue et entra dans la cour du 14. Il consulta une liste des locataires: Marianne Matys, escalier C, sixième étage.

Pas d'ascenseur. Il arriva hors d'haleine. Marc Lacroix avait de moins bons poumons que lui. Il écouta, l'oreille collée à la porte. Pas le moindre bruit. Il sortit de sa poche le trousseau de clés et fit des essais. Toutes les dix secondes, il écoutait. Aucun bruit. Trouvé! Une clé longue et compliquée ouvrait les deux verrous, une normale ouvrait la serrure du milieu.

Toujours pas de bruit. D'ailleurs, Marianne n'aurait pas fermé les verrous si Marc avait été là.

Zyto entra, le pistolet à la main, vérifia que l'appartement était vide. Puis il referma la porte à clé et visita mieux le petit trois-pièces. Il y avait deux bols dans l'évier de la cuisine. Marc? Sûrement. Où était-il? A Versailles, en train de le chercher? Zyto le saurait dès le retour de Marianne.

Il ouvrit les tiroirs du placard à vaisselle. Un couteau, avec un solide manche de bois clair et verni et une lame longue, effilée, joliment incurvée, le séduisit aussitôt. Il faillit se couper en éprouvant du bout de l'index, avec grande prudence pourtant, le tranchant de la lame. C'était un couteau finlandais, destiné au dépeçage des phoques. Un ami de Marianne, Gérard Demaland, réalisateur de cinéma et passionné d'aviation, l'avait acheté à Londres (ville dans la région de laquelle il apprenait en vue d'un examen à piloter un avion dans le brouillard), et le lui avait offert. Il n'y avait pas mieux au monde pour découper la viande, rôtis et volailles, avait assuré le marchand.

Zyto l'admirait. Il le sentait bien dans sa main.

Il alla s'asseoir sur le petit canapé du petit salon.

Et il attendit.

# 34

Le 4 août au matin, Marc aussi fut malade, une demi-heure après avoir avalé son petit déjeuner. Il eut des brûlures d'estomac, des crampes, l'impression d'avoir un pavé sur le ventre, quelque chose dont il ne pourrait être soulagé que s'il vomissait. Phénomène de reflux gastrique, pensa-t-il, dû à la terrible tension à laquelle il était soumis, une goutte d'acide qui remonte dans le duodenum et même dans l'œsophage, une goutte sur les litres d'acide que contient l'estomac, mais c'était suffisant.

Il s'allongea trois quarts d'heure, paralysé par une envie de vomir bloquée dans sa poitrine, un poids de malaise qui s'était installé comme à mi-chemin.

Il put vomir. Ensuite, il se sentit très faible. Il but une infusion, se reposa encore un peu et partit pour Versailles beaucoup plus tard qu'il n'aurait souhaité.

L'Autobianchi était nerveuse, rapide, agréable à conduire. Mais le Terrano manquait à Marc. Il se serait senti un peu moins perdu et malheureux au volant de son véhicule bien-aimé, en ces heures où tout comptait.

Il prit l'autoroute de Versailles au moment où Zyto, Marie et Léonard en sortaient. Sans la végétation qui séparait les diverses voies, en pleine floraison en ce début d'août, Marc aurait pu les voir.

Il fonça.

Marianne n'avait pratiquement pas d'argent liquide chez elle, elle lui avait laissé sa Carte bleue, à tout hasard. Il avait aussi emporté un sandwich au pâté de foie.

Vingt minutes plus tard, il gara l'Autobianchi presque dans un fossé à bonne distance du carrefour où le chemin du Maréchal-ferrant débouche dans l'interminable rue Martini. Et il fit le guet trois heures durant, dans l'espoir de voir apparaître son 4 x 4. De le suivre. D'avoir une occasion d'approcher Zyto seul, sans Léonard et Marie.

L'attente fut interminable. Marianne avait la radio dans sa voiture, mais il n'avait pas le cœur à écouter de la musique.

Son estomac le laissa en paix et il put grignoter le sandwich. Il prit son temps, pour ne pas provoquer un nouveau malaise, mais le mangea jusqu'à la dernière miette.

Après ces trois heures, comme s'il estimait avoir fait ce qu'il devait et avoir épuisé la solution du guet, il démarra et roula jusqu'à une cabine téléphonique qu'il connaissait bien, en pleine campagne, assez loin dans la rue Martini.

Il téléphona chez lui. Peut-être tomberait-il sur Zyto et saurait-il le convaincre d'en finir sur-le-champ. Pas de réponse. Il raccrocha. Il attendit quelques secondes, pendant lesquelles il déplaça ses lunettes sur son nez. Il n'avait pas l'habitude d'en porter, même pas des lunettes de soleil en été, et elles le pinçaient trop fort. Il téléphona à nouveau. Toujours pas de réponse.

Il revint alors près du chemin du Maréchal-ferrant,

descendit de voiture et s'approcha de sa maison à pied. Quand il vit, de loin, et dissimulé derrière une haie, que la fenêtre de la salle de bains était fermée et non entrebâillée, non simplement fermée à l'espagnolette, l'énervement le rendit fou.

En été, Marie ne fermait complètement cette fenêtre que lorsqu'ils partaient en vacances.

Le salopard! Il les avait emmenés ailleurs!

Il s'approcha, de plus en plus près. La maison était bel et bien vide. Il alla jusqu'à jeter un coup d'œil dans le garage, par le trou de la serrure. Sa voiture n'était pas là, seulement l'Austin de Marie. Où les chercher, maintenant? Il avait envie de faire quelque chose, n'importe quoi, d'agir. Il retourna à la cabine avec l'intention d'appeler Martial et de tout lui raconter.

En chemin, une autre idée lui vint, qui lui parut meilleure. Il connaissait les rapports de Marie et de Martial. Et ce qu'il n'en connaissait pas, il le devinait. A coup sûr Marie s'était confiée à Martial. Martial savait où ils se cachaient. Peut-être. Marc pouvait raisonnablement le supposer. Il fallait donc que Marianne appelle Martial. Je suis une amie de Marie et de Marc, je n'arrive pas à les joindre. Marie m'a souvent parlé de vous... Martial ne dirait rien. Il dirait qu'il ne savait pas. Très bien. Mais Marianne lui demanderait de leur transmettre un message – dans le cas, bien sûr, dirait-elle, où il les aurait au téléphone –, ce serait gentil à lui, c'était important: que Marie appelle Marianne Matys. Marie appellerait Marianne et Marc essayerait de parler à Zyto. Le salopard fuyait, mais il devait avoir envie de joindre Marc, lui aussi, il devait crever de peur quand il pensait à sa tumeur dans la tête, c'est-à-dire tout le temps!

Dans la cabine, la chaleur accablait, malgré la porte ouverte. Même les lunettes tenaient chaud. Marc les ôta, respira à fond, les rangea dans la poche de sa veste.

Une branche de noisetier se frottait doucement contre la vitre de la cabine, comme un animal en quête de caresses. La campagne était épanouie. Chaque arbre, chaque fleur, chaque brin d'herbe atteindrait bientôt son plus haut degré de maturité.

Marc composa le numéro de Marianne. Il allait lui dire qu'il rentrait, et lui exposer son plan.

Et il avait besoin d'entendre sa voix.

# 35

« J'ai une amie qui s'appelle Marie-Thérèse, tu sais, je t'en ai déjà parlé. Je crois que c'est la seule personne que je connaisse qui te batte, pour le téléphone », avait dit un jour Marc à Marianne. Marianne avait expliqué à Marc que pour un comédien, le téléphone qui sonne, c'est peut-être le plus grand metteur en scène du monde qui lui propose le plus grand rôle du monde. Que tous les comédiens du monde sans exception avaient cette idée quand ils entendaient la sonnerie.

Marianne se souvenait de cette petite conversation tout en se hâtant d'ouvrir sa porte.

Elle entra. Elle claqua la porte du pied, posa son cabas rouge à carreaux blancs sur le sol et alla au salon. Le voyant rouge du répondeur clignotait : un message. Elle écouta. Rien, la personne n'avait pas parlé. Elle soupira. Elle n'aimait pas les coups de fil « blancs », qui la mettaient toujours mal à l'aise.

Elle rangea ses achats de nourriture. Essentiellement des produits surgelés, nombreux mais mal assortis, crêpes, pommes de terre, petits pois, hachis Parmentier, de quoi étouffer toute la chrétienté, dirait Marc. Elle n'avait aucun talent de cuisinière. Le rôle de femme d'intérieur n'était pas un rôle dans lequel elle excellait.

Du pain de mie en tranches sous cellophane.

Une revue de cinéma, qu'elle emporta au salon.

Elle se laissa tomber sur le canapé avec un nouveau soupir. Elle aurait bien téléphoné à une copine. Mais il ne fallait pas que la ligne soit occupée, si jamais Marc appelait.

Elle resta une demi-minute sans rien faire, pensive, légèrement angoissée. Mais pas trop. Elle avait une heureuse nature qui lui permettait de conserver du recul, et même une sorte d'incrédulité devant ce qui était trop mauvais pour elle. Cette disposition de sa nature, ne pas croire tout à fait au mal pour lui résister, l'avait aidée à passer les quelques moments pénibles qu'elle avait connus dans sa vie.

Par exemple, récemment, quant était apparu à sa porte un étranger qui était en réalité son amant bien-aimé... Et quand, au magasin Carrefour d'Ivry, elle avait vu le corps de ce même amant habité par une âme étrangère et ennemie.

Transfert de substance psychique, grâce à une machine compliquée, un «psycho-ordinateur» construit par Marc au fil des années dans le sous-sol de la maison de ses parents. Incroyable. Marc était vraiment génial, c'était un génie. Elle avait l'esprit tout plein de lui. Elle l'aimait. Elle l'aimait, et en plus, quand tout serait rentré dans l'ordre, il deviendrait l'homme le plus célèbre du monde. Et elle, s'il voulait bien d'elle à ses côtés, la comédienne la plus demandée du monde. Il n'y avait pas de raison, elle était belle, elle était douée, beauté plus don plus un petit coup de pouce égalent grande réussite.

Pas trace de calcul intéressé dans les pensées de Marianne. Simplement, elle se racontait des histoires positives, encourageantes. Elle en avait besoin en ce moment.

Quelle situation! Quel choc, quand était apparu à sa porte un étranger qui en réalité...

Elle frissonna.

Le plus gros choc de sa vie. Peut-être le spectacle le plus stupéfiant qui se soit offert au regard et à l'entendement d'un être humain? Peut-être. Et c'est à elle qu'il avait été donné de l'affronter.

Ne pas trop y penser. Ne pas trop y croire. Elle frissonna encore, malgré la chaleur. Vivement que Marc soit là. Sous quelque apparence que ce soit...

Elle tendit le bras vers la revue de cinéma, la saisit, la reposa. Elle venait d'entendre un glissement, comme un froissement de tissu dans son petit couloir, du côté de la chambre. Une panique encore contenue s'empara d'elle.

Oui, elle entendait bien quelque chose !

Au moment où elle s'apprêtait à se lever, la haute silhouette de Marc se détacha dans l'encadrement de la porte du salon. Non pas Marc, mais son corps, et dans son regard brillait la mauvaiseté de l'autre, de celui qu'elle avait vu au magasin Carrefour, jouant diaboliquement au bon père et au bon époux.

Et qui, donc, puisqu'il était là, avait tout deviné, tout compris. Marc avait été trop optimiste.

— Surtout, ne criez pas, dit Zyto vite et sèchement.

Marianne avait la bouche ouverte sur le hurlement qui lui avait gonflé la poitrine quand elle l'avait vu. Et quand elle avait vu qu'il tenait à la main le couteau de Gérard, ce couteau finlandais qui s'enfonçait dans n'importe quoi comme dans du beurre.

Aussitôt elle eut peur de mourir. Que lui voulait ce monstre? Il la regardait avec tellement de méchanceté !

Michel Zyto la regardait en effet avec méchanceté. Dès qu'il avait posé les yeux sur elle, il avait ressenti de la haine et de la jalousie. Beaucoup de jalousie. Déjà dans la chambre, où il s'était caché quand il avait entendu Marianne arriver. Le lit, les draps défaits... Marie, elle, faisait le lit tout de suite. L'imagination de Zyto avait travaillé. Mais après tout, lui aussi, cette nuit... Et si Marianne et Marc... si Marianne avait été pénétrée, n'était-ce pas par son sexe à lui? Il les avait eues toutes les deux!

— Qu'est-ce que vous voulez? dit Marianne, vidée de forces d'une seconde à l'autre, la bouche sèche, les doigts tremblants.

Zyto jouissait de sa terreur. Cette terreur le rassurait.

— Mettre la main sur mon patient en fuite, Michel Zyto. Où est-il?

Il fit un pas en avant. Marianne se retint encore de crier. Que pouvait-elle faire? Crier? Il serait sur elle en un rien de temps. Téléphoner, impossible. Elle passait en revue même les choses impossibles. Même se jeter par la fenêtre. L'assommer. Comment, avec quoi? Avec le walkman posé sur la table basse, à côté du téléphone et du répondeur. L'assommer, ce serait le mieux. L'assommer, puis l'attacher avec tout ce qu'elle trouverait dans l'appartement. Le ligoter comme une momie. Attendre Marc. Un joli coup.

Elle essayait de rester positive, de ne pas perdre pied complètement.

— Alors, où est-il?

— Je ne sais pas, dit Marianne d'une petite voix. Je vous assure.

Il approcha le couteau de son visage, posa le plat de la lame contre son cou.

— Et moi, je vous assure que vous avez intérêt à me le dire.

Il s'aperçut qu'elle louchait. Très peu, à peine.

— Je ne sais pas. Je sais seulement qu'il vous cherche.

— Donc vous savez. Il est allé à Versailles. Et il va vous téléphoner. C'est bien ça? Il va vous dire : « C'est moi, ma chérie, j'ai fait chou blanc, je rentre, on va trouver autre chose.»

— Peut-être, dit Marianne, conciliante.

— A propos de «trouver autre chose», je vous félicite, pour hier. C'était bien joué. Joli numéro.

— Le vôtre aussi, dit Marianne.

Elle reprit courage. Un dé à coudre de courage. Elle essaya de montrer qu'elle n'avait pas trop peur. Tentative pitoyable. Elle défaillait de peur, c'était évident. Et Zyto s'en délectait. Faire l'amour avec Marie l'avait terriblement stimulé. Il était comme un adolescent qui oublie que son premier rapport sexuel ne s'est pas très bien passé, tout à son exaltation qu'il se soit passé. *Baiser* une femme la nuit et en terroriser une autre quelques heures plus tard... De grands moments pour lui. Depuis l'expérience de Louveciennes, il ne vivait que de grands moments. Et il continuerait d'en vivre quand il serait redevenu Michel Zyto, délivré de la menace du neurinome.

A deux reprises, Marianne s'était penchée en avant et s'était vaguement massé les tibias, par nervosité, pour calmer son tremblement, parce qu'elle se tortillait de peur. Zyto avait aperçu ses jolis seins par l'encolure lâche de son fin lainage passé à même la peau.

Maintenant, elle était recroquevillée dans le coin droit du canapé. Lui se tenait debout face à elle, à un mètre cinquante environ, le couteau bien en main. Il avait envie de revoir ses seins.

Et envie de la tuer.

Quant à Marie, pensa-t-il, elle ne perdait rien pour attendre. Mais Marie, il avait encore besoin d'elle, tant qu'il restait son «époux». Et il avait encore besoin de son corps, de la pénétrer, de répandre sa semence en elle. Et ainsi de s'engendrer lui-même. Tel était son sentiment confus de ce qui s'était passé entre eux.

249

Bon acteur, lui aussi, avait dit Marianne.

— N'est-ce pas? Il faut vous dire que je suis excellent dans tout ce que j'entreprends. Bon, eh bien, on va attendre ensemble. S'il téléphone, ayez une voix naturelle, s'il vous plaît. Le trac, ça se surmonte. Vous le savez.

Marianne se rendait compte que le fou n'était pas vraiment présent à ce qu'il disait, qu'il pensait à autre chose, elle le voyait dans ses yeux, et sa peur revint aussi forte, aussi paralysante que lorsqu'il était entré dans la pièce.

— Partez, dit-elle. Marc ne va pas téléphoner. Il va arriver, il va arriver d'une minute à l'autre!

— Alors encore mieux, dit Zyto. Ce sera plus simple.

Il s'approcha d'elle, le couteau en avant. Ses gestes étaient lents, comme précautionneux. De la main gauche, il tira sur le haut du pull, de manière à bien voir les seins.

Pas très pratique.

— Déshabillez-vous, dit-il.

— Non! Laissez-moi, gémit Marianne. Marc va arriver. C'est contre votre intérêt, ce que vous faites. Vous agissez contre vous. Marc ne vous veut pas de mal. Il acceptera les arrangements que vous voulez, mais ne gâchez pas tout. Partez, ou attendez-le tranquillement, je vous jure que tout se passera bien, que vous ne le regretterez pas. Vous voulez tous les deux la même chose, vous et lui, dans ces conditions ce n'est pas la peine de...

Elle haletait de nervosité. Elle ne put continuer, et d'ailleurs Zyto l'interrompit. Elle comprit que quelque chose était en route dans sa tête, qu'il serait difficile de stopper. Mais quoi? Simplement lui faire peur, la voir nue? Il n'était tout de même pas assez fou pour...

Si. Peut-être.

Elle luttait, elle luttait encore contre la panique.

— Déshabillez-vous, dit-il d'un ton sans réplique, en s'écartant un peu. Ne me faites pas attendre.

250

Il n'essayait même pas de la rassurer. Parce qu'il n'avait pas de trop mauvaises intentions? Ou bien parce que, au point où il en était...

Elle fit non de la tête. Il se pencha, approcha le couteau de son cou, puis de la pomme d'Adam. Il voulait faire seulement pression sur la chair, mais la lame était si pointue qu'elle s'enfonça de deux millimètres. Il la retira aussitôt. Une goutte de sang perla. Marianne porta la main à son cou. Ses yeux s'écarquillèrent. Que faire, sinon obéir, en espérant qu'il n'irait pas trop loin, que Marc téléphonerait, que l'horreur cesserait bientôt, sinon elle allait devenir folle !

— C'est oui, ou je vous tranche la gorge. Alors?

— Oui, dit-elle dans un souffle.

Elle ôta son pull, libérant ses seins magnifiques, parfaits et imparfaits, et montrant son ventre bien plat et ferme malgré sa position.

Zyto était hypnotisé et mal à l'aise, une gêne agaçante qui le rendait encore plus hargneux.

— Qu'est-ce que ça vous a fait, cette nuit, de vous frotter contre mon corps? Contre le corps du malade mental?

— Rien. On n'a rien fait cette nuit. Vous dites n'importe quoi. Partez, maintenant, laissez-moi !

Elle se répétait ce que Marc lui avait exposé hier soir, que Michel Zyto était incapable d'avoir un rapport sexuel avec une femme, et que pour cette raison (Marc avait développé des explications compliquées, et elle dormait à moitié), Zyto n'était pas un vrai meurtrier. Rien à voir avec ces cas fréquents où le meurtre remplace l'acte.

— Je ne vous crois pas, dit-il. Déshabillez-vous. Complètement.

Elle se déshabilla. Sans se lever elle défit les boutons du jean, le tira vers le bas. Elle eut du mal à franchir l'obstacle de son derrière rebondi. Puis le tissu glissa d'un coup, elle dégagea ses genoux, le jean était tout plissé sur les chevilles,

251

et elle en resta là. Elle gémissait, des larmes lui chatouillaient le nez.

Zyto était fasciné par les longues jambes, bien nettes, bien lisses, comme échappées du désordre du jean. Et fasciné par le bas-ventre, c'était la première fois qu'il voyait un sexe blond, et avec tellement de poils, un beau triangle bien fourni, et même ça continuait d'être poilu après le pli de l'aine, ça avançait un tout petit peu sur les cuisses. Quelle différence avec Marie! Tout était différent, la chair si claire, si blanche, les formes, tout.

Marianne dut renifler pour pouvoir parler.

— Maintenant, laissez-moi, partez, ou arrêtez de me faire peur, avec ce couteau! C'est idiot, vous avez tort, je vous jure que vous avez tort!

Tort? Pourquoi, tort? Tort, oui, peut-être, mais pourquoi exactement? Voyons ce qui se passerait si... Il essaya de réfléchir. Mais ses tentatives de raisonnements s'effritaient aussitôt.

Il se baissa légèrement. Il avança la main gauche, toucha le ventre. Il voulait faire à Marianne comme à Marie, glisser les doigts dans ses poils, les écarter, trouver la chair tendre. Mais elle avait les jambes serrées. Il se redressa. Il était prêt à frapper. Il se retint. Il voulait la caresser mieux. Et la haïr encore plus.

Et, pour la haïr plus, la pénétrer elle aussi. Il ne se l'avouait encore pas, mais au fond c'était ce qu'il souhaitait, la pénétrer avant de la tuer. Il répéta, d'un ton plus sec:

— Déshabillez-vous complètement.

Marianne parvint à se lever du canapé, à tenir sur ses jambes. Elle parvint à tirer sur la jambe gauche du pantalon. La droite, maintenant. Elle trébucha, pour se retenir elle posa la main sur la petite table, sur le walkman. Zyto regardait les seins, qui ne bougeaient pratiquement pas, très peu, malgré les mouvements de Marianne, et qui étaient pointés en direction du sol, laissant voir entre eux, à l'arrière-plan, la touffe de poils dont un instant auparavant il avait senti la douceur.

— Vous savez, Marie et moi, cette nuit... Notre ami a une femme vraiment charmante, et très belle. Ne le répétez pas, mais je l'ai baisée. Marc aurait du mal à le croire, pourtant c'est vrai.

Il avait parlé sans réfléchir, poussé par le besoin de se vanter, de se valoriser aux yeux de Marianne, de compenser la peur qu'il avait d'elle.

Mais il avait dit la vérité. Et Marianne le crut. Encore penchée, elle lui jeta un coup d'œil, et elle comprit qu'elle était perdue. Si ce que Marc lui avait expliqué était juste, elle était perdue.

Les angles de plastique pouvaient faire très mal. Elle allait le frapper à la tempe avec un coin de l'appareil. Il ne s'y attendrait pas. Son instinct de conservation l'arracha à sa terreur, lui donna le courage d'agir.

Elle vint à bout du jean. Sa main se crispa sur le walkman.

Soudain, comme si elle avait reçu une décharge électrique, ses forces revenues et décuplées par la conscience qu'elle sauvait peut-être sa vie, elle se mit debout, le bras droit légèrement écarté du corps, elle pivota sur son pied gauche et abattit le walkman, un angle en avant, sur la tempe gauche de Michel Zyto.

Zyto, surpris en effet, ne bougea que très peu la tête, dans une amorce de parade. Ce fut suffisant pour que le walkman dérape. Le choc fut violent, le couvercle vola en éclats, mais Zyto ne fut pas blessé.

Et, par réflexe, en un geste symétrique de celui de la jeune femme, il lui enfonça le couteau dans le flanc gauche, la lame entière.

Marianne sentit qu'elle avait été frappée. Elle n'eut pas vraiment mal. Elle renonça à toute défense. C'était sans espoir. Elle risquait une blessure plus grave, se dit-elle, car elle croyait sa blessure légère. Quelque chose céda en elle, quelque chose l'abandonna, qui était peut-être en partie sa raison. Et elle vit que sa blessure saignait, qu'elle saignait beaucoup. Elle fut saisie de tremblements violents des pieds à la tête. Elle regarda Zyto droit dans les yeux, se protégea la poitrine de ses bras croisés et lui dit d'une voix rauque, hachée par d'horribles sanglots :

— Non, Marc, non... tu ne vas pas me tuer, Marc, pas toi, je t'aime trop...

Il ne répondit rien. Il la frappa au ventre, trois fois. Puis, comme elle allait hurler, il lui plaqua la main gauche sur la bouche, la referma sur son nez, sa lèvre supérieure, une partie de la joue, et il tira à lui, obligeant Marianne à se pencher en avant, à lui tomber pour ainsi dire dans les bras.

En même temps, il lui planta le couteau dans le cœur.

La lame s'enfonça à la base du sein, de haut en bas, jusqu'à la garde.

Aussitôt il retira le couteau, d'un geste rapide et net, et repoussa la jeune femme sur le canapé. Elle tomba en arrière, bras en croix, jambes écartées, dans une position de repos alanguie. Mais ses yeux étaient révulsés, sa bouche tordue.

Zyto haletait. Il la regardait. Il reprit son souffle.

Le sang s'écoulait maintenant des plaies, on le voyait, on l'entendait couler.

Marianne était morte.

Il le vérifia rapidement, mais il savait qu'il avait tué, il savait qu'elle était morte, il en était sûr.

La joie et l'exaltation l'envahirent. Il venait de franchir une autre étape de sa renaissance.

En apparence, il était très calme. Il jeta le couteau à côté du corps. Il s'examina. Pas de sang sur lui, elle ne l'avait pas taché. Sauf sur les mains, il avait un peu de sang sur les mains. Il alla se les laver à la cuisine, revint. Il tira sur sa veste pour en effacer les plis, mais les plis du costume de lin n'étaient pas de ceux qui s'effacent.

Une érection presque douloureuse tendait son sexe. Il s'en aperçut alors seulement. Aurait-il été capable de pénétrer Marianne avant de la tuer? Il lui en voulait de son geste agressif, avec ce walkman ridicule, qui avait précipité les choses. Il ne savait pas. Il pensait que oui.

Il observa le cadavre. Le sang coulait moins fort. Le ventre de Marianne était inondé de sang, entièrement rouge, comme si on l'avait peint.

Zyto n'éprouvait nul dégoût. Il avait fait ce qu'il devait faire, et l'apaisement qui était en lui était plus fort que tout. Il ignorait le dégoût et le remords.

Il lui restait un petit travail à accomplir.

Il s'y connaissait en empreintes. A l'aide d'une éponge humide, il nettoya les quelques objets et surfaces susceptibles d'avoir gardé les empreintes de «Zyto». Il y apporta la perspicacité et le soin minutieux dont il savait faire preuve en certaines circonstances.

Son érection persistait. Il avait faim.

Il s'assit en face du cadavre et attendit Marc. Un coup de fil, ou son arrivée. Évidemment, un coup de fil serait préférable. Si Marc débarquait et voyait Marianne morte, ils allaient encore se battre comme des chiffonniers. Il imaginait la scène. Il avait le dessus. Il amenait Marc à Louveciennes le pistolet dans les côtes. Il le menaçait d'un massacre général en cas de résistance. Il se sentait fort, maître du monde et du déroulement des choses.


Quelques minutes passèrent, et le téléphone sonna.

Après deux sonneries, le répondeur se mit en marche. Il y eut un silence, le temps que le message de Marianne défile, un déclic, puis la voix de Marc. La voix de Michel Zyto.

— Marianne, ma chérie, dit Marc, je rentre, je n'ai pas...

A ce moment, Zyto décrocha et lui coupa la parole:

— Michel, mon chéri, ce n'est pas Marianne, c'est moi, Marc, dit-il tranquillement, presque sans ironie.

# 36

Le soleil s'acharnait sur la cabine téléphonique de la rue Martini.

Marc, déjà trempé de sueur, sentit qu'il se liquéfiait lorsqu'il entendit *sa* voix à l'autre bout du fil.

— Où est Marianne? dit-il d'une voix qui n'était ni la sienne ni celle de Michel Zyto, d'une voix qu'il ne reconnaissait pas.

Zyto lui répondit, toujours d'un ton tranquille :

— A mon avis, elle fait des courses. Je l'ai vue sortir au moment où j'arrivais, il y a une minute. J'en ai profité, je suis monté.

C'était possible. Marianne avait dit à Marc qu'elle irait acheter à manger et lui préparerait un bon déjeuner.

— Pourquoi êtes-vous monté ?

— Je vous cherche. Ne lui en veuillez pas, elle était formidable, hier, au magasin. Mais je suis intelligent. Vous me l'avez dit souvent. Votre femme aussi est intelligente...

Ainsi, Marie avait exprimé un soupçon! Marc ne pouvait le croire, et pourtant... Il ne comprenait pas. Il était de

257

plus en plus accablé.

— Qu'est-ce que vous avez dit?

— Je l'ai rassurée: pas de liaison entre Marianne et moi. Le salopard!

Marc réfléchit très vite. L'urgence était d'éloigner Zyto de chez Marianne. Dieu sait ce qui se passerait si Marianne arrivait maintenant. Ne serait-ce que sa frayeur, lorsque, ouvrant sa porte... Urgent aussi de ne pas laisser Zyto retourner près de Marie et Léonard. Puisqu'il était chez Marianne, autant tirer parti de la situation. Au moins, Marc pouvait lui parler.

— Moi aussi, je vous cherche. Voyons-nous tout de suite. C'est impossible de continuer comme ça, vous vous en rendez compte. Je vous donnerai toutes les garanties que vous voulez. Je vous aiderai à fuir si vous voulez fuir, je vous aiderai de toute façon, vous n'aurez pas de punition à craindre, ce sera comme avant, comme rien ne s'était passé. Je vous le jure. Je vous cacherai, même, s'il le faut. Je vous en prie, rencontrons-nous, tout de suite!

— D'accord, dit Zyto.

Retrouver son corps. Fuir ce «neurinome de l'acoustique». Difficile de continuer comme ça, Marc avait raison. Maintenant était le bon moment. Avant que Marc ne sache que Marianne était morte.

— A Louveciennes? dit Marc. Vous saurez retrouver le chemin?

— Non, dit vivement Zyto.

— Non quoi? Vous ne saurez pas?

— Si, mais... non, pas à Louveciennes.

— Pourquoi?

— Je préfère Paris. En pleine ville. On parlera et on ira ensemble. Je pourrai mieux vérifier que vous ne me tendez pas un piège. Et je n'ai pas le courage d'aller à Louveciennes tout seul. Je veux qu'on y aille ensemble, quand je serai certain que...

Bon comédien.

Marc bouillait d'impatience et de colère contenues.

— Vous n'avez pas confiance en moi?

— Si, mais je préfère comme ça.

Marc se domina. Pas question de gâcher l'occasion. Pas question de faire le moindre faux pas.

De plus, il comprenait très bien Zyto.

— Comme vous voulez, dit-il. C'est du temps perdu. Mais comme vous voulez. Où?

Zyto ne sut que répondre. Paradoxalement, il attendait que Marc prenne la situation en main. Ce que Marc perçut aussitôt.

— Écoutez, je vous propose rue de Médicis, devant une librairie médicale qui s'appelle *Au Jardin d'Épicure*, je crois que c'est au 5. La rue de Médicis va de la rue de Vaugirard à la place Edmond-Rostand en longeant le Luxembourg. Vous trouverez. *Au Jardin d'Épicure*.

— Des piqûres, comme une piqûre? dit Zyto de manière un peu enfantine.

— Non, d'Épicure, en un seul mot, Épicure, E - p - i - c - u - r - e.

Jean Fin, le libraire, un médecin qui n'exerçait plus, était un homme assez drôle, et qui l'aurait été plus encore s'il ne s'était pris pour l'homme le plus drôle du monde. Tous les clients avaient droit à ses jeux de mots. Marc ne l'aimait pas, mais sa librairie médicale était de loin la meilleure de Paris.

*Au Jardin d'Épicure*.

— Pourquoi là? dit Zyto, soudain agressif. Vous pensez débarquer avec une armée de flics et d'infirmiers?

— Ne soyez pas stupide. Le plus simple serait Louveciennes, vous ne voulez pas. Dites-moi où, alors. Je vous propose cet endroit parce que je le connais bien, il me vient à l'esprit, et aussi pour vous rassurer, figurez-vous. Il y a une

cabine téléphonique à cinq mètres de la librairie. Dix mètres.
Je me garerai devant, dans une Autobianchi rose. Vous arri-
verez avant moi. Vous pourrez prendre le numéro de la cabine et me téléphoner de l'autre bout de Paris, si vous n'êtes
pas tranquille. Mais je vous...

— Une Autobianchi?

— La voiture de Marianne.

Zyto comprit. Marc et Marianne lui avaient monté un
joli coup la veille.

— Ah! très bien. Bravo!

Marc ne releva pas l'ironie. Il était malade d'impatience.

— Je vous attendrai, soit vous, soit un coup de fil de
vous. Si vous avez la moindre inquiétude, mais je vous jure
que vous n'avez pas à en avoir, vous pourrez changer d'avis
et me téléphoner, me donner rendez-vous ailleurs, comme
vous voudrez. Ça vous convient?

Zyto buvait les paroles de Marc. Il redevenait attentif,
docile, un enfant, un jouet entre les mains habiles et bien-
veillantes du docteur Lacroix. C'était agréable et énervant. Et
troublant, dans la mesure où il entendait dans le téléphone sa
propre voix, où il se parlait à lui-même...

— D'accord, dit-il.

— Vous ne le regretterez pas, je vous assure. Quittez
tout de suite l'appartement. Moi-même, je me dépêche. Vous
n'aurez pas longtemps à attendre. A tout à l'heure?

— A tout à l'heure, dit Zyto.

Ils raccrochèrent, Marc le premier.

Pendant qu'il téléphonait, Zyto avait presque oublié le
cadavre de Marianne, pourtant tout proche de lui.

Le sang ne coulait plus. Le bras gauche, qui s'était posé
dans sa chute à l'extrême bord de l'accoudoir du canapé, retomba soudain à côté de la cuisse. L'équilibre du corps tout
entier s'en trouva modifié. La tête pencha davantage du côté

gauche, entraîna le torse, qui glissa peu à peu, et, la pesanteur continuant de manœuvrer la chair inerte, Marianne roula en douceur de l'étroit canapé sur le sol. Elle s'immobilisa à plat ventre, le visage contre la moquette.

Zyto avait observé le macabre mouvement sans en être affecté. Il s'était seulement dit, avec une amorce de ricanement intérieur, que Marianne n'irait pas plus loin. Le spectacle de la mort et de l'agonie lui était indifférent. Il avait assisté à l'agonie de son oncle Nicolas, emporté en quelques heures par une hémorragie interne consécutive à un cancer de l'estomac jamais détecté. Même le jeune médecin qui était présent avait détourné les yeux au moment du dernier spasme. Michel Zyto, non. Il avait vu le sang sortir de force de la bouche fermée, le regard devenir fixe et vitreux. Ça ne l'avait pas dérangé.

Il avait raconté cette scène à Marc plusieurs fois. Plusieurs fois aussi un rêve simple, transparent, en rapport direct avec sa peur des femmes: il entrait dans une pièce où se trouvait une femme attachée, nue, de dos, les yeux bandés, les bras en V au-dessus de la tête (des bras qui donc ne pouvaient pas le menacer, l'empêcher de faire ce qu'il voulait), les jambes très écartées, aussi écartées que possible. Elle avait les poignets, les chevilles et le cou fixés par des lanières de cuir à une grande planche (sûrement une planche) inclinée, inclinée et mobile, s'il le souhaitait, grâce à un système de treuil. Il ne lui faisait pas de mal. Elle n'était pas endormie ni droguée, simplement elle ne pouvait pas bouger, elle ne pouvait pas non plus le voir. Lui la touchait, la caressait. Il n'avait ni peur ni honte. Il s'apprêtait à se déshabiller, en fait à baisser seulement son pantalon, de manière à vite se rhabiller si quelque menace se présentait. Et il imaginait ce qui allait se passer ensuite, comment il allait s'allonger sur elle et la pénétrer, et le rêve s'arrêtait là.

Marc lui avait demandé un jour s'il se voyait, en rêve ou

261

éveillé, faisant l'amour avec une femme morte. Non. Il avait répondu non, il ne pensait jamais à ça.

Ces souvenirs lui revinrent au spectacle de Marianne étendue sur le ventre, ses cheveux épars dissimulant son visage.

Il téléphona à Marie (qui revenait de déjeuner avec Léonard) pour justifier son absence, plus longue que prévue. Il lui parla avec beaucoup de naturel. Et il s'en alla. Il n'avait plus rien à faire ici. En posant sa main sur la poignée de la porte, il se dit qu'il pouvait laisser toutes les empreintes qu'il voulait. Ce ne seraient pas les siennes... Rien à craindre de la loi.

Sauf si Marc le dénonçait, se dit-il en fermant la porte.

Or, après l'expérience, Marc le dénoncerait. Dès qu'il apprendrait la mort de Marianne, Marc s'acharnerait à sa perte.

Donc, il devait tuer Marc.

Tant qu'il s'était trouvé à l'intérieur de l'appartement, et porté par l'exaltation de ce qu'il y accomplissait, Zyto avait eu le sentiment qu'il bénéficiait d'une sorte d'impunité, qu'il pouvait agir en toute puissance, que rien n'avait d'importance. Mais, dès qu'il eut donné le deuxième tour de clé au deuxième verrou, les conséquences de son acte lui apparurent dans toute leur netteté.

Il devait tuer Marc.

Il n'avait plus le choix. Il fallait repasser dans la machine compliquée et ronronnante de Louveciennes avant que Marc ait le moindre doute, et le supprimer. Et maquiller le crime en suicide. Ce devait être possible. Il y avait déjà pensé. Un suicide.

D'ailleurs, l'arme qu'il avait sur lui était celle de Marc.

# 37

Dans le Nissan Terrano, il consulta en tremblant un plan de Paris, l'ancien, celui qui était tout abîmé.

Il faillit avoir un accident place de la Concorde, au dernier feu rouge avant le pont de la Concorde, feu qu'il ne vit même pas tant il était perdu dans ses pensées. Une voiture frôla son pare-chocs arrière. Le conducteur klaxonna, et continua de klaxonner de colère sur au moins cent mètres.

En un quart d'heure, Michel Zyto était passé d'une joie profonde à l'un des pires états de malaise qu'il eût connus. Il se sentait maintenant coupable aux yeux de Marc, terriblement coupable. A cause de Marianne. Et de Marie. Comment pourrait-il affronter le docteur Lacroix tout à l'heure? Et l'idée de Marc mort, loin de le soulager, engendra un conflit auquel il ne s'était pas attendu: il devait tuer Marc, mais sans Marc plus rien n'avait de sens. Il devait se débarrasser de lui, et il avait besoin de lui pour trouver la force même de s'en débarrasser. L'angoisse lui soufflait ce genre de raisonnement emprisonnant. Il avait envie au fond de raconter à Marc qu'il avait couché avec Marie, qu'il avait tué Marianne, et qu'il tuerait d'autres femmes, Marie s'il pouvait – mais alors Marc deviendrait fou et se retournerait contre lui. Il avait besoin de la protection de Marc, et besoin de se protéger de lui. Voilà, il devait se protéger de ce qui le protégeait, c'était insoluble, inextricable, un étau qui l'empêchait de respirer. Une seule solution, tuer Marc, mais une seule solution aussi, ne pas le tuer !

De plus, prenant la rue de Vaugirard, Zyto se mit à redouter la perspicacité de Marc. Le docteur Lacroix n'allait-il pas se rendre compte au premier coup d'œil que quelque chose n'allait pas, quelque chose de grave ?

Zyto pensa à un moyen de l'abuser, de garder au moins le contrôle de la situation si Marc devenait trop méfiant et s'énervait. Il consulta à nouveau le plan. Au lieu de s'engager dans la rue de Médicis, il rebroussa chemin, contourna le Luxembourg par la rue Guynemer et la rue Auguste-Comte, et se gara avenue de l'Observatoire.

Il n'avait jamais mis les pieds au Luxembourg.

Il entra par la place André-Honnorat. Il y avait du monde, beaucoup de personnes âgées, beaucoup d'enfants avec leur mère ou leur baby-sitter, des gens promenant des chiens, des jeunes filles, des étudiantes sûrement, qui lisaient sur des bancs et exposaient discrètement leurs jambes au soleil. Quelques «dragueurs», on les reconnaissait tout de suite.

Zyto eut la certitude que deux femmes au moins, dont une très jeune, lui jetèrent des regards intéressés, ce qui lui rappela qu'il avait un beau visage, une silhouette élégante, un costume de riche. Il les regarda aussi. Il aurait pu leur parler, elles ne l'auraient sans doute pas repoussé, se dit-il avec satisfaction.

Il traversa tout le jardin et arriva aux grilles qui le séparaient de la rue de Médicis. Il repéra sans peine la librairie *Au Jardin d'Épicure*. La cabine téléphonique.

Des piqûres ! Marc avait dû se moquer de lui.

Il n'attendit pas longtemps. Marc était bon conducteur, Zyto le savait. Une Autobianchi rose ralentit, se gara le long du trottoir exactement au niveau de la cabine. Il reconnut Marc à l'intérieur, il *se* reconnut, malgré la petite surprise d'ailleurs pas très surprenante des nouveaux habits, des cheveux tirés en arrière, des lunettes noires, de la moustache rasée. C'était ce qu'il aurait fait lui-même.

Marc descendit de l'Autobianchi, regarda avec attention la rue de Médicis dans les deux sens, puis se rassit. Zyto aurait dû être là. Allait-il téléphoner ? Peu probable. Marc avait parlé en toute sincérité, et il avait deviné, flairé que Zyto lui faisait confiance. Comme toujours.

Après quelques secondes, il entendit siffler, un sifflement puissant, aigu, perçant, de ceux qu'on produit en se mettant des doigts dans la bouche contre la langue repliée. Et qu'on entend, plutôt que rue de Médicis, dans certains quartiers lorsqu'une belle fille passe à proximité d'un café à clientèle masculine. Marc n'y prêta pas une attention particulière, occupé qu'il était à surveiller le trottoir face à lui, et derrière lui grâce au rétroviseur, en un mouvement constant du regard. Mais, lorsqu'un autre sifflement retentit, il tourna la tête en direction du Luxembourg.

Personne sur le trottoir.

Derrière la grille, si. Michel Zyto était là, un bras levé, lui faisant des signes.

Marc Lacroix subit encore le choc de se voir lui-même. Ces grilles, ces gestes de la main de l'«autre», dehors, en plein Paris... C'était encore plus étrange, comme une apparition, comme s'il voyait son fantôme lui adressant des signes, sa propre mort cherchant à l'attirer.

Il sortit de la voiture et traversa la rue, redoutant une catastrophe. Pourquoi Zyto s'était-il posté là ? Il se tenait à un mètre des grilles, immobile, le visage décomposé. Marc lutta pour endiguer le flot des hypothèses funestes. Il s'approcha, ôta ses lunettes, désigna le jardin d'un geste vague.

— Pourquoi êtes-vous là?

Zyto trouva que Marc tenait bien son rôle de «Michel Zyto en cavale». Qu'il avait de sacrées ressources. Il en fut secrètement dépité, et même un peu plus malheureux. Il aurait préféré la rencontre de deux épaves geignardes.

— Par précaution, dit-il. Je ne voulais pas perdre de temps en vous téléphonant pour vous fixer un rendez-vous ailleurs, mais je voulais être sûr...

— Sûr de quoi? Que je viendrais seul?

— Oui.

— Vous le saviez bien, que je serais seul!

— Je me méfie. J'ai peur. (Sa voix trembla.) J'ai eu une crise ce matin, j'ai vomi deux fois. J'ai eu peur d'une aggravation, j'ai eu très peur. Est-ce que ça vous est arrivé, à vous, de vomir? Mais très fort? Moi aussi, je suis pressé d'en finir!

Telle était la ruse de Michel Zyto, tout faire passer sur le compte de son hypocondrie: Marc le voyait dans un état aussi peu reluisant à cause de ce matin, à cause des vomissements. Si Marc tombait dans le panneau, il voudrait profiter de cet état et de ces dispositions. Même s'il téléphonait à Marianne, il penserait qu'elle n'était pas rentrée, qu'elle allait rentrer d'un moment à l'autre, et il n'aurait qu'une idée, foncer à Louveciennes avec Zyto, obsédé et excité qu'il serait par la fin toute proche de son calvaire.

Et s'il ne tombait pas dans le panneau, eh bien! Zyto pourrait s'enfuir facilement, grâce à ces grilles entre eux. Rentrer à l'hôtel et aviser. Ce serait un moindre mal. Et, pensée inavouée, il serait pour un temps encore Marc Lacroix.

La ruse faillit réussir. Que Zyto soit capable, en des circonstances aussi extraordinaires, de se plaindre auprès de Marc et de chercher à se faire rassurer par lui était si stupéfiant et lui ressemblait tellement que Marc fut presque dupe, et qu'il eut presque envie en effet de le rassurer. Mais presque seulement. Il était aux aguets, et il le connaissait trop bien.

Deux choses l'alarmèrent. Tout d'abord, Zyto était resté en arrière des grilles pour lui parler, sur la défensive. S'il avait peur à cette minute, c'était de Marc, de Marc avant tout. Pourquoi, et pourquoi à ce point ? Deuxième chose : Marc savait combien Zyto manifestait de façon différente son malaise psychologique selon qu'il souffrait de peur hypocondriaque ou de culpabilité. On aurait pu dans ces moments-là le montrer à des étudiants en médecine pour qu'ils constatent par observation directe la différence clinique entre anxiété et angoisse. Dans le premier cas, Zyto était nerveux, agité, la voix plus aiguë que d'habitude, et il ne fuyait pas le regard de Marc, au contraire, il le scrutait, comme pour y chercher une protection, ou la confirmation de ses craintes. Dans le deuxième cas, il était terrassé. Il avait la voix sourde, ses yeux se détournaient sans cesse.

Or, tel il était là, maintenant. Marc en fut certain, même s'il devait lire cette certitude sur *son* visage, jauger sa propre voix. Zyto avait fait quelque chose de mal. Une grosse bêtise. Et donc il en méditait forcément d'autres. Il n'allait pas se prêter docilement à l'opération, se laisser enfermer à Stéphen-Mornay après le passage à la maison de Louveciennes.

Dont le salopard avait les clés...

Cette fois, le flot des hypothèses déferla sur Marc. Marianne ? Oui, plutôt Marianne. Comment savoir ?

Tenir bon une minute, jouer la comédie. Poser calmement des conditions normales, celles qu'il avait prévues, et observer les réactions de Zyto.

— Écoutez, ne soyez pas ridicule avec vos petits malaises physiques. Vous n'aurez bientôt plus rien à craindre. Pour le reste, vous savez très bien que vous pouvez me faire confiance. Vous le savez. Ne revenons pas là-dessus. Vous allez me dire où sont Marie et Léonard. Vous allez leur téléphoner. Je prendrai l'écouteur, de manière à entendre leur voix. C'est tout ce que je vous demande. (Puis il lâcha la petite phrase qu'il méditait, d'un ton aussi détaché que possible:) Il faut d'abord que je joigne Marianne, sinon elle va s'inquiéter et elle risque de prévenir la police. Ensuite on ira à Louveciennes, et ensuite je vous ai promis que tout se passera bien pour vous. Ce sera comme vous voudrez, je vous l'ai promis, vous pouvez y compter.

Au nom de Marianne, Zyto avait pâli. Il était coincé. Il restait muet. Marc ne pouvait saisir son regard. Voir *son* corps exprimer tant de désarroi le déconcertait, lui faisait mal. Et il ne pouvait se résoudre à poser la terrible question.

Il se décida. Il demanda doucement – il affirma plutôt, il formula une question affirmative, destinée à extorquer l'aveu :

— Vous avez tué Marianne ?

Michel Zyto le regarda enfin, avec une expression de détresse infinie.

Marc se sentit devenir fou.

— Je ne l'ai pas fait exprès. J'ai pris un couteau, mais seulement pour lui faire peur, pour qu'elle me dise où vous étiez, mais elle a eu peur, elle a voulu se défendre, elle n'aurait pas dû, à un moment elle a cru que je l'attaquais, mais je ne l'attaquais pas, c'était seulement pour lui faire peur, c'est elle qui s'est jetée sur le couteau, c'est un couteau dangereux, qu'elle avait dans sa cuisine, vous le savez sûrement, elle s'est jetée dessus, je vous le jure, la lame a... ça s'est fait tout seul, je vous jure que je ne voulais pas la tuer !

Marc écoutait en haletant. Il ne contrôlait plus sa respiration, il produisait des bruits rauques.

— Vous êtes bien certain qu'elle est morte ?

Zyto baissa la tête.

Alors Marc se rua contre les grilles, tendit le bras. Il voulait saisir l'autre à la gorge et l'étrangler. A cet instant, il l'aurait étranglé.

Zyto était trop loin, et il recula encore. Marc s'obstinait, il soufflait et grognait comme un animal, il se meurtrissait le visage contre les barreaux, sa main s'ouvrant et se refermant sur le vide.

Il avait l'impression d'être devant un miroir, et de lutter contre un reflet désobéissant.

Zyto lui en voulut de tant de haine. Soudain il lui dit avec une ironie méchante, brutale, inattendue :

— Calmez-vous, Michel Zyto. Vous vous êtes évadé d'un asile. Vous avez tué ce matin mon amie Marianne. Et maintenant, vous faites un accès de démence en pleine rue. Calmez-vous, je vous en prie !

Marc laissa retomber son bras. Le visage toujours appuyé aux barreaux, il se mit à sangloter, quelques sanglots sans larmes qui secouèrent douloureusement sa poitrine.

Puis il se calma en effet, comme le lui demandait Zyto, ou parut se calmer. Il se redressa, regarda l'autre deux secondes avec une impassibilité totale, se retourna et s'éloigna à grands pas.

Ce fut au tour de Zyto de se précipiter contre les grilles, de tendre le bras avec désespoir :

— Attendez ! cria-t-il.

Mais déjà le vrai docteur Lacroix montait dans l'Autobianchi et démarrait sans plus s'occuper de lui.

Il y avait peu de monde dans la rue, personne n'avait rien remarqué.

## 38

Marc fonça à Pigalle, commettant malgré lui mille imprudences.

Il s'arrêta à l'immense Crédit Lyonnais du boulevard des Italiens et retira six mille francs au distributeur de billets grâce à la Carte «Premier» de Marianne.

Avant de repartir; il enleva son pansement à la nuque et le jeta discrètement dans le caniveau, portière entrouverte. Il n'en avait plus besoin.

Boulevard de Clichy, il acheta un plan de Paris et demanda au marchand s'il connaissait le bar *Le Terminus* : oui, un peu plus loin, place Blanche, on prenait la petite rue Gevels, on trouvait une impasse à droite, il y avait une pharmacie qui faisait l'angle, le bar était au fond de l'impasse.

Marc se gara dans l'impasse.

Le café, aux murs verts, était laid, propre et tout en longueur, une sorte de couloir avec le comptoir au bout, presque lointain.

Toutes les places étaient occupées sans exception.

«Raton», l'homme dont lui avait parlé Zyto, serait-il là ?

270

Marc s'avança lentement, passant en revue les visages masculins. A trois mètres de lui, un homme fit sonner deux pièces de dix francs sur sa table et se leva. Il avait une moustache aux poils rares, longs, raides, qui partaient sur les côtés, une moustache de chat ou de rat. Ses yeux paraissaient anormaux tellement ils étaient petits. Était-ce lui?

L'homme arriva à la hauteur de Marc. Ils se regardèrent.

— Vous me reconnaissez? dit Marc à voix basse.

Du pouce et de l'index d'abord réunis à la base du nez, puis s'écartant l'un de l'autre en lissant sa moustache, l'homme lui fit comprendre qu'il le reconnaissait, à la moustache près.

Raton avait l'œil.

— Je viens pour la même chose, dit Marc à tout hasard.

— Exactement la même?

Marc pensa qu'il faisait allusion au type d'arme choisi par Zyto la première fois.

— Oui, exactement la même.

— Attendez-moi une seconde.

Le dénommé Raton était maigre, et vêtu chaudement, on transpirait pour lui. Il s'éloigna en direction du comptoir. Il décrocha le téléphone.

Marc, resté debout, eut soudain mal à l'estomac. Il mit la main devant sa bouche, puis essuya son front trempé. Par bonheur, il n'eut pas à attendre longtemps, déjà Raton revenait et lui dit:

— Dans une demi-heure. Serge Martic, 31 bis, rue Véron, quatrième droite.

— Je me souviens, dit Marc, qui ne savait même pas où était la rue Véron.

Raton porta la main à sa tempe en une espèce de salut militaire et sortit du café, sans un mot de plus, se rendant là où l'appelait son destin.

Marc regarda sa montre, l'horrible montre de Zyto. Il

avait besoin de se reposer un peu. Il ne tenait plus debout. Il se dirigea vers la place laissée libre par Raton. Il était dans un état second, il pensait aux choses, à Marianne, à tout, comme à travers un brouillard.

Il s'assit à la table, en face d'une femme. Il marmonna: «Vous permettez?» tout en lui jetant un coup d'œil. Il reconnut la jeune femme qu'il avait croisée la veille sur les marches du métro Place d'Italie, quand il s'enfuyait. Il la reconnut sans erreur possible.

— Je vous en prie, dit-elle d'une voix bien posée, douce, agréable.

— Merci, dit Marc, sortant le plan de sa poche.

La rue Véron était à côté, troisième à droite en montant la rue Lepic. Marc se laissa aller sur son siège en s'essuyant à nouveau le front.

Une odeur de savon bon marché traînait dans le bar.

Il commanda une infusion, une verveine-menthe.

— Vous ne vous sentez pas bien? lui demanda sa voisine avec beaucoup de simplicité.

Marc la regarda mieux, son beau regard sombre, la finesse des lèvres, des narines, des yeux allongés. Son visage émouvant avait une perfection de portrait, de peinture ancienne, et le désordre des abondants cheveux châtains le rendait plus précieux encore.

Elle était vêtue, comme la veille, d'un blouson de cuir noir très mince ouvert sur un chemisier blanc, et d'un pantalon.

Elle buvait du thé. Se trouvait-elle par hasard à la table de Raton, parce qu'il n'y avait pas de place ailleurs?

Marc s'apprêtait à lui répondre lorsque le garçon arriva avec la verveine-menthe. Marc attendit qu'il soit parti.

— Non. Mais ça va mieux, merci, dit-il, surpris de s'entendre parler avec autant de naturel.

Il commença à boire par petites cuillerées, le dos voûté,

272

les sourcils légèrement froncés par la douleur.

— Je vous ai croisé hier au métro Place d'Italie, je m'en souviens bien, dit-elle.

— Oui, c'est vrai, dit Marc. Moi aussi, je m'en souviens.

Il eut d'abord l'impression d'être entraîné malgré lui dans une conversation qu'il ne souhaitait pas. Mais non, finalement, il acceptait de se laisser un peu aller, l'inconnue le distrayait de ses monstrueux soucis. Il était frappé par ses cheveux. Ils formaient une auréole autour de son visage, comme un soleil foncé, et ils étaient très emmêlés, irrémédiablement emmêlés pensait-on, mais l'effet ressenti était presque un effet d'art, on croyait voir parfois d'innombrables traits de couleurs voisines posés et retouchés à l'infini par un peintre minutieux.

Marc but son infusion en évitant de produire des bruits de déglutition, chose qui lui avait toujours fait horreur chez ses parents. Il en avait parlé à Vérapoutsimila le premier jour de son analyse, à la première séance, il y avait de cela bien des années. Douze ans? Quinze ans? Le petit déjeuner, en été, pendant les vacances, le café au lait dans lequel ses parents, malgré leur bonne éducation, trempaient leurs tartines et leurs nez, dans un vacarme de succions et de gargouillis... C'était insupportable. Devenu adulte, il s'était appliqué, lui, à manger en silence.

— Je m'appelle Katarina, dit sa voisine en versant ce qui restait de thé dans la théière, deux doigts d'un liquide roux.

Pourquoi lui disait-elle son prénom? Était-ce une prostituée? Il était sûr que non.

— Vous savez ce que ça veut dire, en grec? dit-il.

— «La plus pure», c'est ça? dit-elle avec un sourire éclatant et bref. Et vous, quel est votre prénom?

Cherchait-elle une aventure? Non, pas elle, pas de cette

façon, pas dans ce café, dans ce quartier. Et pas avec lui. Enfin, pas avec Michel Zyto. Elle avait un moment à passer, elle parlait volontiers aux gens, elle bavardait un peu, rien de plus.

Mais tout de même, que faisait ici une personne aussi raffinée d'apparence, de manières, de langage?

— Mon prénom ? Je ne sais pas trop...

— Excusez-moi, je suis indiscrète. Et naïve. A mon avis, un tiers des personnes qui sont ici ont quelque chose à cacher. Un secret. Vous en faites peut-être partie. Moi, j'en fais partie.

Elle sourit encore. Elle inspirait confiance. Marc aurait aimé pouvoir tout lui dire, parler de Marianne, de Michel Zyto, de Marie, de Léonard. De sa souffrance morale infinie. Elle continua:

— Moi non plus, d'une certaine façon, je ne sais pas trop. Je vais quitter Paris pour trois semaines sous un faux nom, avec de faux papiers. Voilà mon secret. Je pars ce soir. Je peux vous le dire, c'est sans importance. A moins que vous ne soyez de la police.

Donc elle aussi était venue voir Raton. Sans doute. Raton ou quelqu'un d'autre.

— En effet, c'est sans importance, dit Marc. Non, je ne suis pas de la police.

Elle finit sa tasse de thé.

— Vous voulez prendre autre chose? dit-il.

— Non, merci.

L'envie de lui livrer son propre secret, sans rien dire de compromettant, devint irrésistible.

— Je suis un peu dans le même cas que vous, en plus compliqué. Je ne peux pas tout vous dire. Mais je peux vous dire le plus important. Vous allez penser que je suis fou. Tant pis. (Il baissa la voix, se pencha vers elle.) Je ne suis pas dans mon corps, mon vrai corps. Je suis dans le corps d'un autre. Ce n'est pas moi que vous voyez. Et c'est quelqu'un d'autre qui est dans mon corps, ailleurs. (Il se redressa.) Voilà. Vous pensez que je suis fou?

Impossible de savoir ce que pensait Katarina, la plus pure. Elle le regardait exactement comme avant, sans surprise, sans incrédulité.

— Non, dit-elle.

— Vous me croyez?

— Je ne vois pas pourquoi vous me mentiriez.

Marc se dit que bien sûr elle ne le croyait pas. Par gentillesse, elle ne contrariait pas un pauvre fou qui croisait sa route.

Il eut hâte soudain d'être parti. Quand il regarda à nouveau sa montre, vingt minutes avaient passé. Il paya sa consommation. Il proposa à Katarina de payer son thé, mais c'était déjà fait. Elle remercia.

— Je dois y aller, dit-il en se levant. Je vous remercie de m'avoir écouté. J'espère que tout ira bien pour vous.

— Moi aussi, j'espère que tout ira bien pour vous.

Elle ne dit rien d'autre, ne demanda rien d'autre. C'était fini. Ils se saluèrent d'un signe de tête, et Marc quitta le bar, un peu gêné qu'elle puisse voir sa nuque en partie rasée par le docteur Antoine Fabricant.

## 39

Dans la rue Véron, une petite rue calme et déserte, on se sentait d'un moment à l'autre très loin de l'agitation de la ville, du boulevard de Clichy pourtant tout proche.

Marc sonna à la porte de Serge Martic. Une demi-heure, à la minute près, s'était écoulée depuis le coup de fil de Raton. Serge Martic vint ouvrir. C'était un homme de type étranger, slave, âgé d'au moins soixante-dix ans, petit et large d'épaules, le visage empreint d'une sorte de bonté et d'honnêteté naturelles, se dit Marc. Son sourire imperceptible – un vague étirement du coin gauche des lèvres – mais très expressif pouvait signifier qu'il reconnaissait Marc.

— Venez, dit-il.

Il referma la porte et précéda Marc dans un couloir entièrement tapissé d'épaisse moquette bordeaux, sol, murs et plafond. Au bout du couloir, il le fit entrer dans une pièce minuscule, peu meublée, nette et anonyme qui ressemblait à une salle d'attente de médecin.

Il le laissa seul.

Marc jeta un coup d'œil par la fenêtre. La vue sur Paris

était d'une ampleur et d'une beauté inattendues. Il s'assit, mais se releva presque aussitôt : Martic était de retour avec un grand sac en plastique Félix Potin d'où il tira une boîte en fort carton, de la boîte un étui en cuir et de l'étui un petit revolver.

— Colt. 38, dit-il. Un bijou. Il est presque neuf. Je vous ai mis l'étui et six balles de plus.

L'arme donnait une impression d'inachèvement, parce qu'elle avait un canon très court et une crosse normale. Martic rangea le tout dans le sac.

— Parfait, dit Marc. Je vous dois combien?

— Un peu plus. Cinq mille. Ce n'est pas une denrée qui baisse.

Il lui tendit le sac et empocha dix billets de cinq cents francs.

— Merci, dit-il.

— Merci, dit Marc.

Marc ne faisait pas mine de repartir.

— Autre chose? lui dit Serge Martic d'un ton très doux.

— Oui, dit Marc. (Il tenta un sourire, qui ne rayonna pas de joie de vivre.) Exactement la même chose que la dernière fois.

— Attendez une minute, dit Serge Martic très naturellement.

Il sortit, revint.

— La chambre est libre, mais seulement jusqu'à demain en début d'après-midi.

— Ça ira, dit Marc. Rue Piat...

— Au 51.

— Oui, 51.

On ne faisait aucun bruit en marchant dans le couloir. Et on ne voyait rien de l'appartement de Martic. Toutes les portes, quatre, étaient fermées. La porte d'entrée était munie d'un blindage impressionnant.

Après avoir étudié le plan, Marc reprit le boulevard de Clichy, jusqu'au boulevard de Magenta dans lequel il s'engagea à droite. Il arriva place de la République. Rue du Faubourg-du-Temple, il acheta dans un supermarché deux sandwichs sous cellophane, deux paquets de biscuits fourrés à la figue, deux canettes de bière, des rasoirs jetables et du savon à barbe. Puis il continua, rue de Belleville, dans le prolongement.

La rue Piat, la sixième à droite dans la rue de Belleville (Marc se l'était répété toutes les trente secondes durant son trajet), montait d'abord sur une courte distance, puis redescendait. Le 51 se trouvait à droite un peu avant la bosse. La configuration des lieux en faisait une «planque» idéale, d'où l'on pouvait voir sans être vu. Pas d'immeubles alentour, un hangar, quelques garages, d'autres maisons mais seulement de loin en loin.

Marc poussa le portail en bois d'un jardinet ceignant une petite maison d'un étage fraîchement retapée, à la fois pimpante et sinistre, toit rouge, volets verts, fleurs le long des murs.

Il sonna. L'hôte lui ouvrit aussitôt, comme s'il attendait derrière la porte. Le dénommé Jacquot faisait partie de ces chauves qui se rasent entièrement la tête, nuque et tempes comprises, pour obtenir une sorte de victoire sur leur calvitie, avoir le dernier mot, suggérer à autrui qu'ils ont pour ainsi dire choisi leur sort. Le personnage ne manquait d'ailleurs pas d'allure, il avait une «gueule», un nez fort et bien dessiné, de grands yeux noirs, qu'il ne clignait apparemment jamais.

Il tendit la main à Marc tout en lui disant:

— Garage ?

— Non, dit Marc.

278

Au premier, Marc proposa de payer tout de suite.

— Huit cents, dit Jacquot.

Marc lui donna huit cents francs. Il lui restait les mille cinq cents francs pris à Zyto, et dès le surlendemain il pourrait retirer de nouveau six mille francs dans un Crédit Lyonnais. Mais il espérait bien que le surlendemain, tout serait fini.

— Journaux?

— Oui, merci, dit Marc.

Jacquot sortit.

La chambre était de dimensions modestes, mais luxueuse, Marc en fut surpris: un tapis persan sur le sol, aux murs une tapisserie douce comme du tissu – c'était peut-être du tissu – et fixée par des baguettes de bois verni, d'épais doubles rideaux bleu marine à la fenêtre. Une télévision, une table ronde en marbre style table de bistrot toute brillante d'avoir été astiquée, un petit réfrigérateur.

Marc posa sur la table le sac en plastique Félix Potin dans lequel il avait fourré toutes ses possessions, arme, victuailles et rasoirs, et s'approcha de la fenêtre. La rue Piat était déserte. Il prit conscience d'une forte envie d'uriner. L'infusion. Par le vasistas de la salle de bains, on voyait le jardinet, et d'autres jardins semblables entourant d'autres petites maisons.

Un calme campagnard régnait.

Il examina le fonctionnement du Colt . 38.

Puis il s'étendit sur le lit. Tout le désespoir du monde l'accabla. Son estomac continuait de l'agacer, il avait des accès de douleur et de nausées. Il geignit, se tortilla, se tourna sur le côté, en chien de fusil. Il ferma les yeux. Il attendit que le temps passe.

Marianne morte. Et Marie et Léonard, en un lieu ignoré de lui, entre les mains du salopard, du fou dangereux. Mais Marc pensait que Zyto ne ferait plus de bêtises dans l'immédiat. Et que lui aussi devait se tortiller, de trouille et d'angoisse. Maigres consolations. Marc se félicitait de l'avoir quitté brutalement, sans un mot, comme s'il se moquait de tout, et surtout comme s'il l'abandonnait. Zyto, affolé, allait essayer de le retrouver. Et de le retrouver ici, chez Jacquot.

Une autre idée soutenait Marc, au plus profond de lui: il savait qu'il tuerait Michel Zyto.

A six heures et demie, son hôte lui apporta deux journaux du soir. Marc les dépouilla. Il ne trouva rien le concernant. Il ne s'y attendait pas vraiment, pas aussi vite, mais l'envie de vérifier avait été irrésistible. Aux informations, peut-être?

A huit heures, il avala deux comprimés de Maktarin, grignota un sandwich devant la télévision et but une des bouteilles de bière. A la fin des informations, il sursauta: on diffusait deux portraits de Michel Zyto. Un psychopathe sans doute dangereux s'était évadé d'un asile modèle, méfiance, aucune piste pour l'instant. Le ton du commentaire était légèrement persifleur. Le rédacteur du journal avait choisi la complaisance et la démagogie. Il caressait le public dans le sens du poil en sous-entendant clairement qu'on était trop gentil avec les assassins et les fous.

Pas de nouvelles de Marianne. Quand découvrirait-on son corps?

Marc alla se regarder dans le miroir circulaire de la salle de bains. Il mit ses belles lunettes, les ôta, les mit à nouveau, et trouva qu'il ne ressemblait pas trop aux portraits.

Il se sourit, un quart de seconde.

Puis il retourna s'allonger sur le lit, le Colt.38 à porté de main.

Le sandwich et la bière étaient plutôt bien passés.

Il attendrait Zyto jusqu'au lendemain. D'ailleurs, il ne se sentait pas le courage de bouger. Il n'en pouvait plus.

Il pensait à Marianne sans arrêt. Il imaginait des scènes

280

atroces. De temps en temps, il se levait avec difficulté et allait regarder la rue Piat. Si Zyto ne venait pas d'ici à demain midi, il aviserait. Hugues, Martial, la police ? Il échafaudait des plans, mais aucun ne le satisfaisait. Il devait préserver Marie et Léonard du moindre risque. Marianne morte...

Mais il était sûr que Zyto viendrait. Il oublia Hugues, Martial, la police.

Il tuerait Zyto.

La nuit tomba peu à peu.

## 40

La chambre à coucher bleue et jaune or des Cazanvielh,
donnant sur le jardin, ses arbres et ses statues, était à coup
sûr la pièce la plus belle et la plus étrange de leur étrange et
belle maison 1900. Et, à coup sûr, la curiosité la plus spectaculaire de la chambre était leur lit à baldaquin, qui datait de
1410 et avait appartenu à une nièce d'Henri IV. Martial
l'avait acquis peu après leur mariage, pour une petite fortune,
à une vente aux enchères à Arles, puis l'avait fait transporter
à Versailles pour une autre petite fortune. Les deux panneaux
du lit, portant un ciel gris clair et or, étaient divisés en trois
tables dont les deux longueresses, légèrement entaillées de
fleurs (des tulipes, semblait-il), étaient encadrées de quatre
colonnettes tournées avec une surprenante fantaisie, un véritable travail d'artiste.

Cette pièce de musée dressait au milieu de la chambre
sa silhouette cubique d'étoffe simplement relevée aux angles
par quatre panaches, cela quand les rideaux étaient abaissés.
Quand ils étaient relevés – c'était le cas ce soir –, on ne
voyait ni le lit proprement dit, caché par les soubassements,

ni les colonnes, cachées par des cantonnières, ni le dais lui-même caché par les pentes.

Et c'est dans ce lit, sorte de petite chambre dans la chambre, que, en cette nuit du 4 au 5 août, vers onze heures du soir, et depuis une bonne heure déjà, Martial faisait défaillir de plaisir son épouse Marie-Thérèse sous ses étreintes vigoureuses. Elle poussait un gémissement quasi continu qui s'amplifiait fortement à chaque orgasme, ensuite elle buvait de l'eau (elle avait toujours une carafe à portée de main dans ces circonstances), accablait Martial de mots gentils, et peu à peu ils recommençaient à s'agiter et à geindre. Elle semblait moins maigre nue qu'habillée. Leurs rapports sexuels étaient peu fréquents, trois ou quatre par mois, mais prolongés et intenses, ce qui leur convenait à tous les deux depuis fort longtemps.

Si quelqu'un avait dit à Marie-Thérèse que Martial la trompait, ou simplement qu'il souhaitait la tromper, elle aurait ri. Elle adorait son Martial et avait toute confiance en lui. Elle savait ce qui se passait entre eux dans le secret de leur lit. Un homme qui se conduit ainsi avec une femme, lui manifeste une telle passion physique – jusqu'à la frénésie parfois, ils en riaient, « ils sont fous, ils sont complètement fous ! », disait Marie-Thérèse en parlant de leurs organes génitaux –, un tel homme selon elle ne pouvait pas trahir, un tel homme n'allait pas « voir ailleurs ».

Bien sûr, elle avait perçu très tôt (avec beaucoup de finesse) la part adolescente de Martial, qui le poussait à s'évader en imagination, à se raconter des histoires, à rêver.

A rêver à Marie Lacroix, par exemple.

Marie-Thérèse (avec beaucoup de sagesse) avait accepté ce trait de caractère, s'en était accommodée, n'en avait jamais dit un mot, certaine de la fidélité de Martial.

A onze heures vingt-cinq, les sens apaisés pour une grande semaine, ils descendirent au salon. Marie-Thérèse apporta sur un plateau de bois peint et laqué des petits fours salés et la bouteille de champagne qu'ils n'avaient pas finie au dîner.

Tout en grignotant et en buvant, ils regardèrent la télévision, le dernier journal de la troisième chaîne. Ils entendirent prononcer le nom de Michel Zyto. Ils le virent.

— Alors c'est lui? dit Marie-Thérèse. Il n'est pas si mal. Il n'a pas l'air d'un fou. Marie va sûrement rappeler demain, non?

C'était surtout Marie qui leur téléphonait. Marc, plus rarement.

— Je pense, oui, dit Martial.

Quand Marie-Thérèse était arrivée, vers six heures, elle avait voulu téléphoner aux Lacroix. Inutile, avait dit Martial, ils doivent être à l'hôtel.

— Comment tu le sais?

— Marie a appelé ce matin.

— Ah bon! Quel hôtel?

— Je ne sais pas. Ils ne savaient pas encore.

Michel Zyto était rentré à l'hôtel Pavillon de la Reine dans un état de panique, de solitude et d'abandon douloureux, desséché de l'envie de revoir Marc, de s'expliquer avec lui, de se justifier, de faire la paix. La nécessité finale de le tuer, de le supprimer, ne lui apparaissait pas contradictoire. Les deux envies coexistaient dans son esprit.

Sur la route, il avait acheté une douzaine de serviettes éponge bleues.

Comment retrouverait-il Marc? En se rendant rue Piat, chez Jacquot? Il commencerait par là. La colère de Marc allait diminuer. Lui aussi ne pouvait que souhaiter une nouvelle rencontre. Et un nouveau passage dans le psycho-ordinateur. Donc il s'arrangerait pour être «retrouvable». Pour-

284

quoi pas rue Piat? Zyto se souvenait d'avoir été précis dans ses confessions – dans l'intimité et la paix de la chambre rose de Stéphen-Mornay, à une époque où il se sentait tellement bien avec le docteur Lacroix, tellement proche de lui, tellement rassuré, tellement aimé par lui...

A Belleville, chez Jacquot. La supposition était culottée, mais elle n'était pas invraisemblable. Et puis, c'était Marc qui était culotté. Il ne cessait d'épater Zyto depuis son évasion.

Michel Zyto, malgré son désarroi, appréciait la situation avec logique et perspicacité. Marc, de son côté, ne s'était pas trompé dans ses prévisions concernant Zyto. Mais ces prévisions étaient incomplètes. Il ignorait la relation qui s'était établie entre Zyto et Marie. Il ne pouvait pas savoir que l'usurpateur ne serait pas particulièrement pressé de repartir en chasse, qu'il prendrait le temps de s'apaiser auprès de Marie, de faire une halte avant d'agir à nouveau.

Zyto lui-même ne le savait pas. Le soulagement qu'il éprouva en retrouvant Marie l'étonna tant il fut immédiat et fort. Et la joie qu'elle manifesta quand il lui tendit les belles serviettes le rendit heureux. Il lui raconta de sa journée ce qu'il pouvait lui en raconter, il broda, inventa. Il inventait bien. Il fit durer habilement son récit.

— Si tu avais vu la pauvre infirmière, son visage complètement abîmé, défoncé! C'était affreux. Après, j'ai eu envie de passer au *Jardin d'Épicure*. Il y a un nouveau manuel de neurologie qui vient de sortir, je connais bien l'auteur. Enfin, je l'ai bien connu. Ce n'est pas que ça me passionne en ce moment, mais...

— Je comprends, mon chéri, dit Marie.

— Je me suis garé devant la librairie. J'ai fait quelques pas au Luxembourg, pour me détendre. Tu m'as manqué. Je me disais: si seulement Marie était là, maintenant, tout de suite!

Ils étaient assis tous les deux sur le lit, immense, recouvert de tissu marron foncé avec de fines rayures marron clair. Zyto caressait la joue de Marie tous les dix mots. Elle était attendrie. Jamais Marc n'avait été si démonstratif, jamais il ne s'était autant confié. Jamais il ne s'était autant montré petit enfant.

Elle lui passa la main dans les cheveux, l'embrassa.

— Et ton ami, lui dit-elle, toujours aussi fin?

— Quel ami?

— Le libraire.

— Le libraire?

Zyto commençait à être inquiet.

— Marc! Fin, le libraire, Jean Fin!

Ouf. Marc connaissait le libraire, évidemment, qui s'appelait Fin, Jean Fin, un nom qui prêtait à des jeux de mots idiots.

— Oh! pardon, ma chérie. Je ne sais pas, s'il est toujours aussi fin. En fait, je ne suis pas entré dans la librairie, après ma petite promenade. Plus envie.

Elle le regarda. Il avait l'air un peu pitoyable. Elle se pencha et l'embrassa encore, sur le bout du nez. Il aperçut ses seins sous la robe rouge, pris dans un soutien-gorge blanc de dentelle. Il pensa aussitôt à Marianne.

Il eut un début d'érection.

Il se dit qu'il était invulnérable, dans cette chambre d'hôtel. A l'abri de Marc. Il allait passer quelques heures tranquilles avec Marie. Après, il verrait. Après, c'était après.

— Tu devrais essayer de dormir un peu, lui dit-elle.

Il dormit, plus de deux heures, d'un sommeil profond et sans rêves.

Puis il rejoignit Léonard dans sa chambre. Léonard s'infligeait une indigestion de télé. Il regardait tout. Il savait qu'une fois rentré à la maison, il tomberait sous le coup des anciens règlements, et que la télévision redeviendrait un plaisir nettement plus rare.

Walkman et télé, Croc-Rock et feuilletons. Il était parfaitement heureux. Pour l'instant, il ne s'ennuyait pas, pas du tout.

Zyto bavarda un peu avec lui, et l'amusa par une description détaillée d'un chien qu'il avait vu au Luxembourg, tout petit, très poilu, avec le museau très plat, écrasé, renfrogné vers le haut, comme s'il avait agacé un brave cheval et en eût récolté le juste châtiment d'un coup de sabot en pleine face.

Pris d'un accès de nervosité, Zyto mima la scène supposée entre chien et cheval, termina en se donnant un coup du plat de la main sur le visage et conserva une horrible grimace, qui déforma son élocution :

— Tu les vois, ces chiens ?

Léonard parvint à garder son sérieux le temps d'imiter la grimace de son père et de dire en parlant du nez : « Je les vois très bien ! », puis il éclata de rire, et ils se donnèrent des bourrades comme des écoliers.

Puis ce fut l'heure d'un feuilleton américain de science-fiction que Léonard ne voulait rater à aucun prix. Zyto resta dans la chambre, regardant le bel enfant brun, admirant sa frange épaisse et un peu féminine, ses yeux sombres, brillants, ses bras et ses jambes graciles mais d'un dessin raffiné, ses genoux plus bronzés Dieu sait pourquoi que le reste de ses jambes. Il le trouvait joli comme un petit animal.

Encore plus beau que Marc, se dit-il. Léonard avait hérité des beautés réunies et mêlées avec art de ses deux parents.

— Pourquoi tu me regardes ? dit Léonard.

Il rit délicieusement et sans détourner les yeux – sinon, délicieusement, une fraction de seconde – de la poursuite entre engins spatiaux qui faisait rage sur l'écran.

— Je n'en sais rien, dit Michel Zyto.

287

Il se sentait étrangement bien.

Plus tard, lorsque le soleil déclina, Marie leur proposa d'aller faire quelques pas place des Vosges. Zyto descendit une minute avant eux et consulta dans le hall de l'hôtel (en évitant l'œil froid de l'employé de la réception) un dépliant publicitaire sur lequel figuraient des renseignements historiques concernant la place. Ainsi, il pourrait faire face aux questions de Léonard, qui ne manqueraient pas de pleuvoir.

Ils se promenèrent un petit quart d'heure.

— Qui c'est, la statue, là, le type à cheval?

— Louis XIII, dit Zyto.

— Et elles datent de quand, toutes ces jolies maisons?

— Je te l'ai déjà dit la dernière fois qu'on est venu. D'accord, il y a longtemps.

Quel jeu excitant pour Michel Zyto! La dernière fois qu'ils étaient venus!

— Non, tu ne me l'as jamais dit.

— Si.

L'enfant était ébranlé.

— J'ai oublié.

— Elles ont été construites entre 1605 et 1612. C'est tout? Tu ne veux pas que je te dise aussi la date de naissance des locataires du deuxième étage de cet immeuble?

Il désignait un immeuble du doigt. Léonard pouffa. Zyto jubilait, il était certain que Marc aurait pu faire la même plaisanterie, mot pour mot. Même Marie souriait.

Comme ils regagnaient l'hôtel, un petit car s'arrêta juste devant eux, le long du trottoir, côté place des Vosges. Une quinzaine de personnes âgées en descendirent. Une petite femme s'approcha de Zyto avec un sourire qui ajoutait mille rides à ses mille rides naturelles. Elle avait le souffle court et bruyant.

C'était Germaine Halbronn.

— Docteur! Bonjour! Je suis contente de vous revoir!

288

D'où sortait cette momie? Elle trouvait qu'il n'avait pas eu assez d'ennuis aujourd'hui? Pas d'autre solution que de répondre bonjour, et de serrer la main qu'elle lui tendait. Elle avait dit «docteur»: une cliente de Marc, une cinglée, mais guérie et sympathique? En tout cas, Marie ne la connaissait pas. Ni Léonard. Germaine Halbronn les regardait avec timidité, étonnée que Marc ne fasse pas de présentations, étonné surtout qu'il ne parle pas de Cookie, qu'il se conduise comme si Cookie n'existait pas. Finalement, elle se présenta elle-même, avec une sorte de distinction naturelle que l'âge n'avait pas entamée: Germaine Halbronn. Marie lui serra la main, souriant gentiment, puis Léonard. «Ma femme, mon fils», marmonna Zyto. Il fallait ajouter un mot ou deux, en évitant de préférence quelque énormité hors de propos susceptible d'interloquer la vieille. Il s'en tint au plus simple:

— Vous allez bien?

— Très bien, dit-elle sans conviction. Je passe le temps.

Elle désigna le car d'un geste désabusé. Marie percevait l'embarras de Zyto. Elle vint à son secours:

— On vous fait visiter Paris?

— Oui. On nous emmène voir les beaux endroits. Après, il y a un déjeuner, ou un dîner. Ce soir, on ira dîner dans une brasserie à la République.

Ce projet ne semblait pas la réjouir outre mesure. Elle regarda à droite et à gauche, comme si Cookie pouvait encore apparaître. Était-il concevable que le docteur Lacroix ne lui en dise pas un mot? Elle demanda doucement:

— Et... comment va Cookie?

Compris! Cookie, le chien offert par Marc à la grande Cazanvielh, et acheté donc à cette Germaine Machin, l'asthmatique. Le chien qui avait servi à la première expérience.

— Très bien, il va très bien! dit Zyto.

Puis il se tut, cette fois sans remède. Germaine Halbronn ne put s'empêcher de prendre un air triste. Le docteur lui avait pourtant dit, promis, même... Et il lui avait paru si sincère, quand il était venu chez elle! Décidément, on ne pouvait se fier à personne.

Elle sentit qu'elle gênait. Elle salua et rejoignit à petits pas, à cause de ses jambes où le sang circulait mal, le groupe de vieillards qui mâchaient leurs gencives de bon cœur en roulant des yeux furtifs.

— Qui c'est? dit Léonard.

— La dame à qui j'ai acheté Cookie.

— Elle est mignonne comme tout, dit Marie. Tu as vu comme elle était triste, quand elle a demandé des nouvelles du chien?

— Oui.

— La pauvre! J'ai remarqué qu'elle avait de jolies mains, pour son âge.

Dans le hall de l'hôtel, l'employé antipathique leur adressa un sourire qu'il sembla déclencher en appuyant sur une pédale sous le comptoir, un sourire de commande qui disparut instantanément et intégralement de son visage quatre secondes après. Zyto trouva que la pièce aux douze tableaux (il les avait comptés) était encore plus impressionnante dans le jour finissant. Question d'éclairage. Il n'y connaissait rien en peinture. Les toiles valaient-elles cher? Combien un voleur avisé aurait-il pu retirer de la vente des douze?

Il n'avait pas envie d'aller dîner au restaurant, pas envie de ressortir. Il préférait se terrer à l'hôtel, réduire son univers, ce soir, aux quatre murs de la chambre, profiter de la présence de Marie.

Marie téléphona à la réception et ils se firent monter dans la chambre un excellent dîner, des paupiettes de bar aux queues d'écrevisses accompagnées d'un puligny-montrachet bien frais. Léonard mangea en glouton. Il se dépêchait pour regagner au plus vite ses appartements et suivre un film d'horreur sur la sixième chaîne. «Dans le programme, ils

290

mettent que ça ne ferait pas peur à un enfant de cinq ans»,
avait-il dit pour emporter la permission de ses parents.

Marie et Michel Zyto regardèrent aussi la télévision, à
partir de dix heures, une émission sur la Grèce antique, la
première d'une série de douze. A dix heures vingt-cinq, ils
entendirent frapper à la cloison, des coups lointains, la cloison était épaisse.

Marie se rendit à la chambre voisine, dit: «Voilà!» en
ouvrant la porte, et Léonard clama de son lit: «Voilà, voilà!»

— Plus de télé?

— Non, j'ai trop sommeil.

— C'était bien?

— Non. Tout bête. Ça ne ferait pas peur à un enfant de
cinq ans.

Elle rit, l'embrassa. Il avait fait sa toilette et s'était bien
brossé les dents. Il sentait bon.

Michel Zyto vint aussi lui souhaiter une bonne nuit.
Léonard dormait à moitié. Ils le laissèrent.

L'émission sur la Grèce s'acheva. Les dernières nouvelles suivirent. Ils n'avaient pas mis les informations en
début de soirée, pour épargner Léonard. Moins il entendrait
parler de Michel Zyto et mieux ce serait. Ils virent «Marc»,
les deux photos.

— Alors c'est lui, dit Marie. Ça doit te faire drôle, de le
voir à la télé. J'espère qu'on va vite l'arrêter.

— J'espère, dit Zyto.

— Tu crois qu'il a rasé sa moustache?

— Sûrement. Plus des lunettes de soleil. Ce n'est rien,
mais ça change pas mal un visage. Mais ne t'inquiète pas, ma
chérie.

— Toi non plus, ne t'inquiète pas.

Il ne s'inquiétait pas. Il continuait de se sentir bien,
comme si quelque chose d'important et de nouveau s'était
passé, il n'aurait su dire quoi.

Ils s'embrassèrent. Il caressa les jambes de Marie, son ventre.

Puis ils firent l'amour, presque sous les yeux de Marc, se dit Zyto. Il pensa que Marc, accaparé par sa maîtresse, avait dû négliger Marie. C'est sans doute ce qui expliquait la réserve de Marie lors de leurs premiers contacts. Mais ce soir, elle fut beaucoup moins réservée. Et lui beaucoup plus entreprenant, enhardi par son succès de la nuit précédente, et excité par le souvenir de son érection devant le corps de Marianne.

A son tour, Marie eut une impression de première fois. Elle n'avait jamais connu un plaisir aussi intense avec «Marc».

Zyto, après une heure d'enlacements et deux éjaculations qui ne l'épuisèrent pas, au contraire, osa placer Marie dans la position des femmes de son rêve. Et il comprit ce que signifiait l'expression être fou de désir: les belles fesses blanches et rebondies, bien rondes, comme exposées sur le rebord du lit, le rendirent fou de désir, il fit avec elles tout ce qu'il avait envie de faire, tout ce qu'il s'apprêtait à faire quand son rêve s'interrompait.

Son envie et sa décision de tuer Marie ne faiblissaient pas. Au contraire, elles avaient crû et culminé avec le bien-être sexuel qu'il connaissait auprès d'elle.

Mais pour l'instant, il l'aimait.

Ils essayaient d'être le plus silencieux possible. Marie ne voulait pas que Léonard perçût des bruits venant de leur chambre. Mais on n'entendait rien de chambre à chambre. Et Léonard devait dormir depuis deux bonnes heures.

Or, Léonard ne dormait pas.

Il s'était promis toute la journée qu'il profiterait de la télévision le soir aussi longtemps que ses capacités de résistance au sommeil le lui permettraient. Il simula fort bien l'épuisement et l'endormissement, puis, un quart d'heure après le départ de ses parents, il remit la télévision en marche, hélas sans le son.

Tout d'abord, il s'ennuya. Les programmes étaient assommants. Le seul film diffusé montrait des gens qui n'arrêtaient pas de parler. Ils parlaient dans des appartements, en allant à leurs voitures, ils continuaient de parler dans la voiture, puis dans un ascenseur, et dans un autre appartement. Léonard, n'entendant pas ce qu'ils disaient, avait l'impression de regarder des poissons. Il faillit s'endormir. Mais il résista, changea mille fois de chaîne, et finit par être récompensé de son obstination: sur la sixième chaîne se mirent à défiler des clips montrant des femmes dévêtues, et parfois des hommes et des femmes à demi-nus simulant la copulation. Bien entendu, on ne voyait pas «tout». Mais quand même, c'était assez nouveau et alléchant pour le petit Lacroix.

Plus tard encore, une chaîne privée passa un film pornographique. Cette fois, on voyait tout, de près, et longtemps. Léonard, réveillé comme si on lui avait versé des seaux d'eau glacée sur la tête, demeurait sidéré par l'inconcevable spectacle.

Et c'est alors, dans l'état d'attention extrême où il se trouva au bout de trois quarts d'heure, qu'il crut percevoir des bruits venant de la chambre voisine, la chambre des parents. Était-ce possible? Ils ne dormaient pas, à cette heure?

Il alla coller son oreille à la cloison. Il appuya sa tête aussi fort qu'il pouvait. Il entendit mieux. Des bruits bizarres. Des halètements et des gémissements, des râles, de petits cris étouffés.

Il n'avait pas quitté la télévision des yeux.

Il regardait et il écoutait, troublé, intrigué, et un peu dégoûté. Son petit sexe s'était tout raidi.

Il en eut brusquement assez. Il coupa la télé, se mit au lit et se cacha sous le drap, comme si quelqu'un pouvait le prendre.

Bertrand Berchet, l'employé de la réception, se tenait les yeux baissés dans une attitude de profonde méditation. Un témoin aurait pu penser qu'il ruminait un souci sérieux. En fait, il fixait une minuscule télévision portative qu'il dissimulait sous le comptoir à partir d'une certaine heure et qui l'aidait à passer le temps, jusqu'à ce qu'Antoine Englenden, l'employé de nuit, vînt le relayer. Sans doute le propriétaire de l'hôtel, Hervé d'Ollandier-Ferlet, n'aurait pas refusé à Bertrand Berchet la permission de tuer une ou deux heures creuses à l'aide du petit poste que les clients, quand il s'en présentait à ces heures, ne pouvaient ni voir ni même entendre vraiment. Mais Berchet, cachottier et sournois de nature, préférait ne rien dire et se complaire bêtement dans l'impression de tromper le monde.

Quand il vit les deux portraits, aux informations, il crut reconnaître Michel Zyto. Il avait déjà vu cet homme. Il scruta l'image. Non, il se trompait, il ne le connaissait pas.

Il changea de chaîne, plusieurs fois. Rien ne lui plut. Il se rabattit sur les clips de la sixième chaîne. Mais, avec le son à si faible puissance, et malgré les femmes nues, ce n'était pas très drôle. En revanche, il se réjouissait toujours de la qualité de son petit récepteur, un gadget hors de prix, d'une marque japonaise peu connue, que lui avait offert Estelle Esteban, sa dernière petite amie. En voilà une qu'il ne regrettait pas. Elle était riche, mais vraiment trop âgée et tyrannique.

Il ne fallait pas exagérer. Il n'était pas gigolo à ce point.

Antoine Englenden, un petit gros très frisé de quarante ans à l'œil globuleux et humide, arriva. Berchet rangea vite la petite télé dans son sac de voyage Vuitton (un cadeau de

Sophie Sorrente, l'avant-avant-dernière). Il aurait pu laisser le poste, au moins une fois de temps en temps, pour qu'Antoine en profite. Mais il n'était pas prêteur. Et il n'aimait pas Antoine. D'ailleurs, il n'aimait personne.

Zyto, Michel Zyto... Non, ça ne lui disait vraiment rien.

Pour redevenir lui-même, Marc était forcé de s'écorcher vif, d'arracher la «couche» Michel Zyto, centimètre carré par centimètre carré. C'était bien Marc Lacroix qui apparaissait dessous, mais au prix de telles souffrances qu'il préférait interrompre l'opération, et il se retrouvait à la fois Marc Lacroix et Michel Zyto, un mélange odieux, confus et sanguinolent des deux corps.

Dans un grand lit, avec Marianne dans ses bras, sous lui, il se rendait compte qu'il serait une masse liquide aux formes de Marianne. A ce moment, dans une sorte d'explosion silencieuse, le corps liquide se désagrégeait, cédant sous la pression de ses bras, se transformait en une masse de sang qui inondait le lit et dans laquelle il s'enfonçait malgré ses efforts pour se dégager.

Ou bien Marie et Léonard se mettaient à hurler en l'apercevant et allaient se réfugier auprès de Michel Zyto. Tous trois le montraient du doigt. Puis Marc distinguait mal les trois personnages agrippés l'un à l'autre, ils se brouillaient de plus en plus, ils formaient un magma indistinct. Un voile rouge s'interposait entre lui et les choses. C'était son regard qui se voilait, et il avait mal, quelqu'un lui donnait des coups de couteau dans le dos, soudain il ne voyait plus rien, il s'écroulait.

Ou encore, il quittait Paris avec Katarina, d'une seconde à l'autre ils étaient loin de la ville, roulant en voiture à grande vitesse, la voiture quittait la route et tombait dans la mer immense qui la bordait, une mer rose et noire agitée de hautes vagues, qui les engloutissait.

Les mêmes cauchemars tourmentaient Marc, revenant avec régularité chaque fois qu'un mauvais sommeil le terrassait, une dizaine de minutes par heure. Il se réveillait en nage, la bouche ouverte, retenant de justesse le cri qui montait en lui et qui dans son rêve l'étouffait.

Il se levait alors. Il regardait par la fenêtre la rue Piat tristement éclairée. Il buvait de l'eau, il but des litres d'eau cette nuit-là. Puis il s'allongeait à nouveau et s'abîmait dans les mêmes réflexions qui toujours l'amenaient au même point: il ne tiendrait plus longtemps le coup. Si Zyto ne venait pas, Marc mettrait fin à cet enfer au cours de la journée du lendemain. A tout prix. Mais à quel prix? se demandait-il alors. Quel prix était-il disposé à payer? Des blessures infligées par le fou à Marie et Léonard? Des blessures, ou pire? Et il se perdait de plus belle dans sa rumination et dans son angoisse. C'était intolérable.

Mais il ne le tolérerait plus. Le lendemain, il agirait.

A six heures du matin, il entendit remuer au rez-de-chaussée. Il était si profondément malheureux qu'il eut envie de descendre et de parler à Jacquot, de tout lui raconter, de lui demander son aide.

Mais cela ne se pouvait.

Amédée Hamond, connu dans le Milieu sous le nom de Jacquot, s'était couché tôt, à dix heures, et levé tôt, selon sa vieille habitude. Il se prépara du café. Il avait bien dormi. Il dormait toujours bien. Il avait aménagé sa vie avec bon sens et intelligence. Il ne gagnait pas des fortunes, mais il estimait gagner assez pour être heureux. Il avait toujours résisté aux propositions trop alléchantes, donc dangereuses. Il ne prenait que de petits risques, comme un joueur misant de petites sommes et s'y retrouvant à long terme. Il n'avait jamais dit un mot de trop à quiconque, jamais rien répété, il était connu pour cette discrétion qui lui avait valu par ironie son surnom de perroquet, Jacquot.

Il avait quelques amis. Il s'enivrait avec eux une fois par semaine. Et, une fois par semaine aussi, il rendait visite à une prostituée de Belleville, une femme qui savait se taire, la même depuis plus de dix ans.

Il but son café. Délicieux. Il savait bien le préparer, il avait essayé mille marques et mille dosages.

Il ne pensait pas vraiment à son locataire du dessus.

# 41

Le samedi 5 août, à huit heures du matin, Martial sortit de sa salle de bains du premier étage rasé, lavé, habillé, parfumé de baume après-rasage Mark Cross, en forme, heureux de vivre.

Il sifflotait. Il continua de siffloter mais sans bruit, émettant seulement un peu de souffle, quand il entra dans la chambre à coucher où Marie-Thérèse dormait encore. Il l'embrassa sur la joue. Elle gémit, s'étira, le serra dans ses bras en ouvrant un œil, puis se tourna de l'autre côté. Après le baiser, Martial recommença à siffloter en silence, puis, hors de la chambre, à siffloter normalement.

Impasse des Soldats, il sortit sa grosse Volvo du garage. Avant de s'éloigner, il jeta un coup d'œil sur la façade de la maison. Il vit Marie-Thérèse à la fenêtre du premier, en robe de chambre. Elle lui faisait des signes. Elle avait sans doute estimé qu'elle ne lui avait pas assez bien dit au revoir. Prise d'un petit remords, et s'arrachant au sommeil qui la reprenait, elle était accourue.

«Ce n'est peut-être pas la plus brillante des femmes, se

dit Martial, mais quelle bonne personne, mon Dieu quelle bonne personne!» Il lui envoya un baiser du bout des doigts. «Pourvu que les Lacroix ne passent pas trop de temps à l'hôtel», se dit-il presque au même moment.

Marie Lacroix lui manquait. Il avait hâte de la revoir.

Il accéléra en agitant le bras par la vitre, et en surveillant Marie-Thérèse dans le rétroviseur. Puis il prit l'avenue de Paris à gauche.

En route pour Melun! Grand air, tir au pigeon, cheval avec saut d'obstacles... Une excellente journée en perspective. Venant après une nuit excellente.

Physiquement, Marc se sentit un peu mieux dans le courant de la matinée. Il rasa deux fois de suite une barbe nettement plus dure que la sienne, se lava les cheveux, resta un bon quart d'heure sous le jet de la douche.

Son estomac lui permit d'absorber sans dommage le bon petit déjeuner que lui monta son hôte silencieux.

Il posa successivement chacun de ses habits sur la table de marbre et les défripa autant qu'il était possible.

Il attendit.

Michel Zyto ne venait toujours pas.

Que se passait-il? Que faisait-il, pendant ce temps? Mais Marc persistait à ne pas envisager l'éventualité d'un nouveau méfait.

A une heure cinq, il quitta sa «planque».

Il se rendit à Versailles, avenue de Paris, chez les Cazanvielh. Le temps pressait. Il les convaincrait coûte que coûte. Il faudrait bien que Martial l'écoute, fût-ce sous la menace du Colt.38.

Il avait renoncé à utiliser l'étui. Il avait glissé le petit revolver dans la poche intérieure gauche de sa veste.

Première déception: Martial n'était pas chez lui, le garage était ouvert, vide, pas de voitures, ni Volvo ni Innocenti, la petite Innocenti de Marie-Thérèse. Il sonna à la porte. Même Martine, la bonne, n'était pas là. C'était un jour sans Martine. Sinon, il lui aurait raconté une histoire. Ou il l'aurait enfermée quelque part. Et il aurait attendu. Il était prêt à tout.

Tant pis. Il savait comment pénétrer dans la maison des Cazanvielh. Tant pis, ou tant mieux : il serait seul pour attendre. Pourvu que Martial revienne le premier ! Il préférait dix mille fois avoir affaire à Martial. Marie-Thérèse, ce serait un désastre.

Il retourna avenue de Paris, fit une soixantaine de mètres, prit à droite une sorte de chemin entre deux murs, un passage étroit et mal entretenu. Ce passage tournait d'abord à droite, puis à gauche. Vingt mètres environ après le virage à gauche, on se trouvait au niveau du jardin des Cazanvielh. Marc se servit de la première branche d'un acacia comme marchepied, parvint à s'agripper des deux mains au sommet du mur, effectua un rétablissement laborieux, puis sauta de l'autre côté. En retombant, il se cogna assez fort le menton sur le genou.

Il n'eut pas besoin de briser une vitre pour entrer dans la maison, la porte d'une espèce de buanderie était grande ouverte. Du linge séchait. Martial ne supportait pas d'étendage dans le jardin.

Zyto avait décidément un corps beaucoup plus résistant, doué d'une faculté de récupération beaucoup plus grande que celui de Marc, un corps qui obéissait sans rechigner malgré la fatigue, l'insomnie, la faim.

Marc eut la gorge serrée de se retrouver dans l'immense et magnifique salon où ils avaient passé ensemble tant de bons moments. L'odeur du parfum de Marie-Thérèse et de ses cigarettes blondes flottait un peu partout. Il vit les hautes et fines pièces de métal du jeu d'échecs placées en position

300

de départ. Il bougea un pion, é2 en é4, son ouverture favorite. Généralement, Martial répondait par c7 en c5. Puis Marc lançait un cavalier, Cg1 en f3, et Martial: é7 en é6, et ainsi s'enfonçaient-ils dans les rigoureux méandres du système de Latokroyziï, le célèbre Transylvain.

Il hésita, laissa le pion avancé.

Zyto avait-il eu l'audace de venir chez les Cazanvielh?

Il passa un doigt sur la table en marqueterie sur laquelle était posé le jeu, douce et lisse. Les pièces de bois précieux, anis, carouge, ébène, myrte, appliquées par incrustation et non par simple placage, formaient diverses figures géométriques joliment assemblées. Marc se dit qu'il aurait bien aimé avoir chez lui une aussi belle table. Qu'il n'avait plus accordé assez d'importance à son intérieur, au confort de sa famille, obsédé qu'il était par sa machine. Et par Marianne.

Comment pourrait-il vivre sans Marianne, même si tout s'arrangeait au mieux? Idée insupportable, qui ne le laissait jamais en repos.

La cuisine donnait sur l'impasse des Soldats. Il se posta derrière le rideaux et attendit. Pas longtemps: quelques minutes plus tard, Marie-Thérèse arrivait dans sa petite voiture, Cookie à côté d'elle, sur le siège du passager, très fier. La voiture entra dans le garage.

Marie-Thérèse, évidemment! Sans doute revenait-elle de quelque brunch dans un salon de thé de Versailles. Avec Martial, ç'aurait été plus simple. Comment s'y prendre avec la grande Marie-Thérèse pour éviter perte de temps et crise de nerfs?

Elle était allée chez le coiffeur. Elle avait les cheveux courts.

Il entendit s'ouvrir et claquer la porte d'entrée de la naison.

Après avoir déjeuné en famille et pris un café place des Vosges, au restaurant *Le Louis XIII*, et un autre café à l'hôtel, Michel Zyto dit à Marie qu'il allait passer à Stéphen-Mornay faire le point avec Hugues et rendre une nouvelle visite à la pauvre Adeline, il le lui avait vaguement laissé entendre, il se sentait responsable («Mais non, mon chéri, tu n'es responsable de rien, de rien!»). Et aller à la police pour voir où en étaient les recherches. Il ferait l'une des trois choses, ou deux, ou les trois, il ne tenait pas en place, il avait besoin de bouger, de se donner l'impression d'agir.

— D'accord, mon chéri, lui dit Marie.

Elle le comprenait, mais comprenait moins, sans se l'avouer, qu'il soit si peu attentif à Léonard ce matin, alors que l'enfant n'était évidemment pas dans son assiette. Il s'était levé fatigué, pâle, morose. Après le déjeuner, il avait voulu aller dormir, lui qui détestait les siestes. Il était pourtant si gai, la veille, si détendu.

— Je t'assure que c'est une question de digestion, dit Zyto avant de partir. Ce n'est pas la première fois qu'il digère mal le poisson.

Il dit cela au hasard, il trouva que la phrase sonnait bien. En tout cas, Marie ne parut pas surprise. Il ajouta:

— Dormir va lui faire du bien.

Elle le prit dans ses bras, heureuse que son dernier mot soit pour Léonard. Ils s'embrassèrent, et Zyto partit pour Belleville, rue Piat.

# 42

Marc aperçut Marie-Thérèse, de dos, par deux portes entrebâillées. Elle s'avança dans le salon. Elle jeta son sac à main sur un fauteuil et s'approcha du téléphone. Quant à Cookie, il s'était faufilé en jappant jusqu'à la cuisine. Arrivé devant Marc, il hésita – Marc lui faisait «chut!» du doigt – puis cessa de japper, remua la queue et vint se frotter contre sa jambe.

Le plus adorable et le plus intelligent des chiens.

Marc se baissa et lui tapota le crâne. Puis il quitta résolument la cuisine.

Marie-Thérèse, vautrée dans le coin-téléphone, une cigarette non allumée aux lèvres, feuilletait son carnet d'adresses. Elle leva les yeux et le vit. Il s'arrêta.

— N'ayez pas peur, Marie-Thérèse, je vous en supplie! N'ayez pas peur, je vais vous expliquer, voyez, je ne bouge pas, je vais vous expliquer!

Il ne bougeait plus en effet, et il tenait ses bras écartés, mains ouvertes, en un geste apaisant. Mais rien ne servit à

rien. Marie-Thérèse, terrifiée, l'entendit à peine. Elle soupçonna qu'elle avait devant elle «le fou de Marc», et presque
en même temps le reconnut, malgré la moustache rasée. Elle
jeta au sol cigarette et carnet d'adresses et se leva en poussant un hurlement qu'elle interrompit tout net pour consacrer
son énergie à échapper au tueur de femmes.

Elle recula, de plus en plus vite, tourna la tête pour repérer la porte par laquelle elle allait fuir – quitter la pièce, sau-
ter par une fenêtre et ensuite galoper n'importe où, elle verrait bien – mais trop tard : la porte était à demi-ouverte,
Marie-Thérèse en plein élan donna du front contre une arête
du battant. Le choc fut violent, elle s'assomma toute seule.
Marc n'avait toujours pas bougé.

Elle glissa sur le sol, sans connaissance. Marc s'approcha, précédé de Cookinouche interloqué qui se mit à donner
de petits coups de museau à sa maîtresse en couinant de
toutes ses possibilités de couiner, qui étaient grandes.

Assommée. Elle saignait au front. Rien de grave, Marc
le constata aussitôt. Non, décidément, il n'arriverait à rien
avec cette bécasse. Le temps pressait, il ne cessait de se le répéter. Il décida d'employer les grands moyens.

Il prit Cookie sous le bras, l'enferma dans la cuisine et
revint près de Marie-Thérèse avec un couteau à découper la
viande.

Au moins, pensa-t-il avec méchanceté, elle saurait pourquoi elle avait peur.

Il pensa aussi que les cheveux courts lui allaient bien.

Il se mit à califourchon sur elle. Il lui remua le visage à
droite et à gauche, et lui donna de petites gifles, pour
l'éveiller. Il se retenait de lui picoter les joues avec la pointe
du couteau. Il l'injuriait intérieurement. Il lui en voulait de
s'être affolée. Elle l'énervait, il la détestait de lui faire perdre
du temps.

Il se trouvait injuste et odieux.

Elle cligna des yeux plusieurs fois, les ouvrit pour de bon. Elle sentit son visage humide de sang.

Le fou était là, tout près, sur elle, il l'écrasait, et il avait un couteau à la main!

Elle était terrorisée. Elle ne remuait pas un orteil.

— Où sont les Lacroix? demanda Marc.

— Je ne sais pas, dit Marie-Thérèse d'une voix de petite fille.

Son entaille au front saignait toujours.

— Dites-le moi tout de suite, ou je vous tranche le cou! dit Marc en approchant la lame du visage de Marie-Thérèse.

— Je ne sais pas, dit-elle dans un souffle.

Il la crut.

— Et Martial? Où est Martial?

— Je ne sais pas.

Elle savait. Ce n'était pas le même «je ne sais pas» que les deux précédents.

— Si, vous savez! Il vous l'a dit. Il vous le dit toujours. Je n'ai pas l'intention de lui faire du mal, je vous le jure. Je veux seulement savoir où sont les Lacroix.

— Je n'en sais rien, dit-elle. Je lui ai demandé, il m'a dit qu'il n'en savait rien.

— Où est Martial? répéta-t-il. Dites-moi où il est, nom de Dieu, tout de suite!

Il avait élevé la voix, presque crié. Il appuya la lame sur le cou de la pauvre Marie-Thérèse. Elle dit encore qu'elle ne savait pas, mais aucun son ne sortit de sa bouche, il fallait lire sur ses lèvres, «je-ne-sais-pas».

Elle était plus courageuse qu'il ne pensait.

Les grands moyens. Il brandit soudain le couteau, comme s'il s'apprêtait à frapper. Et elle crut effectivement qu'il allait frapper.

— Attendez! dit-elle.

Le mot gargouilla dans sa bouche. Elle avait le visage

rouge de sang. Ses yeux étaient exorbités. Quel gâchis ! pensa Marc. Il n'était pas très fier de lui. Mais il n'éprouvait pas de vrai remords. Il constatait à quel point la certitude de l'impunité tempère les remords.

— Vous allez me tuer, après ?

— Non ! cria-t-il. Non, et je ne ferai pas de mal à Martial. Où est-il ?

— A Fontainebleau. Rue des Frères, dans une propriété qui s'appelle « Les Bloudes ». Il fait du cheval.

Elle tourna la tête sur le côté. Le sang avait taché le tapis. Elle sanglotait. Disait-elle la vérité ? Sûrement. Martial parlait souvent de ses séances d'équitation à Fontainebleau. Et puis, elle avait trop peur pour mentir, il suffisait de la regarder. Et Marc n'avait pas le choix. Il faudrait bien qu'il se contente de ce renseignement. Il n'allait tout de même pas la découper en morceaux pour être sûr qu'elle ne mentait pas.

Que faire d'elle, maintenant ? Elle pleurait en silence. Elle était pitoyable. Mais elle ne l'apitoya pas, pas tout de suite. Au contraire. Quelque chose de mauvais l'incita à aller au bout de sa comédie, au cas où Marie-Thérèse lui cachait encore quelque chose, à ne pas frapper mais à faire tout le reste, tout sauf frapper : il redressa le torse, leva le couteau en grimaçant, exactement comme s'il allait la tuer, maintenant qu'il était parvenu à ses fins, maintenant qu'elle avait parlé.

Marie-Thérèse poussa un immense soupir et s'évanouit. Cette fois, elle s'évanouit de frayeur. Marc, toujours assis sur elle, la sentit se vider d'air, se dégonfler sous ses fesses comme un matelas pneumatique.

Ce n'était pas plus mal, se dit-il, il allait pouvoir s'occuper d'elle tranquillement. Il arracha les cordons de trois rideaux et lui lia les chevilles et les poignets. Dans son sac, il trouva un mouchoir en soie qu'il lui fourra dans la bouche. Puis il alla dans la salle de bains. La pharmacie était bien pourvue. Il en rapporta du coton, de l'alcool à 90° et du Sté-

306

rilstrip, un sparadrap sophistiqué qui pouvait remplacer deux ou trois points de suture dans le cas de petites plaies.

Il se servit du Stérilstrip d'abord comme bâillon. Il en colla une bonne longueur sur la bouche de Marie-Thérèse. Privée de bavardage pour quelques heures. Ça la reposerait.

Pour finir, il prit soin d'elle en médecin. Il lui mit sous la nuque un coussin du canapé, pour qu'elle ne risque pas de s'étouffer. Il tâta son pouls. Un peu faible, mais c'était normal. Puis il lui lava le visage à l'alcool à 90°.

La brûlure de l'alcool la tira de son évanouissement. Elle ouvrit les yeux et se remit aussitôt à pleurer. Elle essaya de parler. Impossible. Elle émit quelques grognements ridicules. Cette fois, Marc eut pitié. Tenant jointes les lèvres de sa blessure, et y appliquant soigneusement quelques centimètres de Stérilstrip, il lui dit doucement:

— Pardonnez-moi, Marie-Thérèse. Et ne vous inquiétez pas, il n'arrivera rien à Martial, je vous l'ai promis. Je veux seulement retrouver les Lacroix. Mais il n'arrivera rien à personne, ne vous en faites pas.

Marie-Thérèse, perdue dans l'abîme de sa terreur, ne comprenait rien, n'écoutait pas, entendait à peine. Au point où en étaient les choses, se dit Marc, il valait mieux qu'elle croie dur comme fer avoir été agressée par Michel Zyto, un fou, bizarre, imprévu, qui pouvait bien avoir glané quelques renseignements sur elle et Martial au cours de sa psychothérapie un peu particulière avec le docteur Lacroix.

Il détourna les yeux, se redressa.

Les Bloudes, rue des Frères, Fontainebleau. Que d'efforts encore, que de temps, pour retrouver Martial! Marie-Thérèse roulait des yeux. Elle commençait à espérer qu'elle allait échapper à la mort. Le fou s'éloignait d'elle.

Marc traversa le salon, passa près du coin-téléphone. Son regard glissa sur le téléphone vert aux formes biscornues, sur les trois cendriers, propres sauf le moyen, sur le bloc aux feuilles carrées. Sur la corbeille à papiers.

Il s'arrêta, à tout hasard.

Il s'assit dans le fauteuil en cuir, près de la fenêtre. Rien sur le bloc-notes. La première feuille était vierge. Et rien dans la corbeille, ou pas grand-chose, elle avait dû être vidée récemment: un paquet de cigarettes vide, un chèque annulé, une grande feuille de papier blanche et froissée, un gros trombone en métal rouge, rien.

Il s'empara du bloc.

Dans les romans d'aventure de son enfance, le héros plaçait parfois un buvard devant une glace, et dans la glace apparaissait un message très utile à ses recherches. Ou, plus simplement... Marc examina la première feuille du bloc. Elle était blanche, mais ce qui avait été inscrit sur la feuille précédente, jetée, pouvait se lire en léger creux. Il inclina le bloc, pour que la lumière accroche les arêtes et que les lettres se dessinent mieux. Des lettres majuscules. Il vit aussi des chiffres. Un numéro de téléphone? C'était même facile à lire. Il prit un stylo et s'appliqua à suivre la trace des caractères:

XARCOIL

P de la R

42 19 19 45 26

Incompréhensible.

Si, très compréhensible! Un coup de ce petit singe de Léonard. Xarcoil égale Lacroix. Marie avait bien téléphoné à Martial, vraisemblablement à l'insu de «Marc».

Une petite pointe de jalousie chatouilla Marc. Martial et Marie avaient leurs petits secrets. Car Martial, bien sûr, n'avait rien dit à Marie-Thérèse.

P de la R... Il consulta l'annuaire. Hôtel P de la R... Pavillon de la Reine. Le téléphone correspondait, 42.19.19.45. Chambre 26.

Marie-Thérèse ne pouvait le voir. Que faisait-il ? Il lui tournait le dos, et les plantes vertes dans leurs bacs le dissimulaient. Pourquoi restait-il ?

Voilà, il s'en allait...

Sauvée !


Marc quitta la maison de la même façon qu'il y était venu.

Xarcoil. Il venait de gagner des heures de démarches hasardeuses.

Après avoir repassé le mur, en s'appliquant à une chute mieux contrôlée pour épargner son menton encore endolori, il regarda la montre de Michel Zyto, elle marquait deux heures et quart.

# 43

Place de la République, rue du Faubourg-du-Temple, après c'était tout droit jusqu'à la rue de Belleville.

Zyto rangea le vieux plan et démarra.

On sortait du garage, rue de Béarn, au moyen d'un ticket fourni par l'hôtel. On l'enfonçait dans une fente, la barrière se soulevait et le ticket était aussitôt rendu.

Trois minutes plus tard, Zyto roulait sur le boulevard Beaumarchais, passant les vitesses avec entrain.

Il avait eu une idée la veille, dans l'après-midi. Une idée d'abord confuse, qui lui avait apporté de la paix, il l'avait bien senti. Puis qui avait pris forme et consistance, et qui s'imposait à lui de plus en plus. Une idée qui lui permettait d'entrevoir une issue à ses débats sans issue, un soulagement sans précédent, celui d'être libéré d'un conflit torturant sans s'acharner à le résoudre, mais en l'écartant tout entier, d'un bloc. Le soulagement de s'évader de la prison du «ou bien, ou bien», comme disait le docteur Lacroix.

Il se gara rue de Belleville, quelques mètres avant la rue Piat, devant une boucherie-charcuterie. Malgré les vacances

310

et la chaleur de l'après-midi, beaucoup de promeneurs déambulaient rue de Belleville. Mais la rue Piat, une rue de riverains, était déserte.

Zyto ne vit pas l'Autobianchi rose. Il s'attendait un peu à la voir.

Il traversa le jardinet du 51 d'un pas décidé, sans trop s'inquiéter d'être repéré. Il remarqua que les rideaux bleus du premier étaient tirés.

Dès qu'Amédée Hamond ouvrit la porte, Zyto lui enfonça dans le ventre le canon du pistolet suisse 9 mm SIG P210.

— Salut, Jacquot. On rentre, vite !

Jacquot l'examina sans cligner des yeux, puis obéit, ni étonné ni effrayé. Il pensa seulement que l'homme à qui il avait affaire ne ressemblait en rien, par son apparence, à ses clients habituels, ni aux gens qu'il fréquentait en général. Ils entrèrent dans la petite maison. Zyto referma la porte. Il attaqua tout de suite :

— Dis-moi, est-ce que ton locataire est un type costaud de trente-sept ans, châtain, avec un costume gris ? Remarque, le costume, il a pu changer. Il s'appelle Michel Zyto. C'est un cinglé en cavale. Tu l'as peut-être même vu à la télé, hier soir. Non ? Allez, je t'écoute.

Amédée Hamond ne se démonta pas. Il avait connu des incidents analogues et s'en était toujours bien tiré. Il estima qu'il n'était compromettant pour personne de répondre à la question. Il fit non de la tête.

— On va vérifier, dit Zyto.

— Ce n'est pas lui, dit Jacquot, parlant enfin. Il y a un type qui dort au premier, mais ce n'est pas lui. Sûr. Pas de grabuge, s'il te plaît, ce n'est pas le genre de la maison.

Zyto fut ébranlé. Jacquot n'avait pas l'air de lui raconter des histoires.

— On va voir quand même.

311

— Ne t'entête pas, ce n'est pas lui.

— Tourne-toi, dit Zyto.

Il colla le canon sur la nuque rasée.

— Allez. On monte doucement. Ne t'en fais pas, il n'y aura pas de grabuge. Je serais con de ne pas vérifier, maintenant que j'ai fait le voyage.

Le locataire n'était pas «Zyto-Marc» en effet, mais quelqu'un d'autre, un homme très brun, d'une trentaine d'années, aux cheveux plantés bas sur le front. Et il dormait bel et bien, tout habillé sur le lit. Il fut réveillé en sursaut par l'entrée brutale de Zyto poussant Jacquot devant lui dans la chambre.

— N'aie pas peur, lui dit Zyto. J'en ai pour une seconde. Depuis quand es-tu là?

L'homme, d'abord éberlué, reprit ses esprits très vite. Il regarda Jacquot, puis sa montre, puis l'arme braquée sur lui. Comme Jacquot tout à l'heure, il réfléchit à la question et estima qu'elle n'était pas de nature à déclencher une guerre des gangs.

— Une demi-heure, dit-il avec un fort accent italien.

Puis il se cala sur ses deux coudes et attendit la suite.

— Très bien, dit Zyto. Tu peux dormir tranquille et m'oublier. Et continuer de faire confiance à Jacquot.

Du canon du 9 mm, il indiqua au maître des lieux qu'ils sortaient.

Au rez-de-chaussée, il lui demanda, les yeux dans les yeux et en le menaçant toujours de l'arme:

— Le type que je t'ai dit, Michel Zyto, il était là juste avant lui, non? Il vient de partir?

Question plus délicate. Jacquot ne répondit rien. Une manière de répondre oui? Zyto en était presque sûr. Quelque chose dans l'attitude de Jacquot, dans la qualité de son impassibilité et de son silence, disait plutôt oui que non. Il ne pouvait pas dire oui, mais il laissait entendre que oui. Sinon,

312

il aurait dit non. Il pouvait dire non, si c'était non.

Peut-être. Assez raisonné, se dit Zyto. D'ailleurs, quelle importance? Que Marc ait été là ou non, en tout cas il n'y était plus.

Il joua encore quelques secondes la comédie de l'interrogatoire.

— Réponds, Jacquot. En répondant, peut-être que tu sauves ta vie.

— Jusqu'à maintenant, dit Jacquot, qui en avait vu d'autres, c'est en ne répondant pas à des questions comme ça que j'ai sauvé ma vie. Et aujourd'hui, ça va être pareil.

Zyto, toujours prêt à admirer ce qui lui paraissait digne d'admiration, fut séduit par le calme et l'assurance de Jacquot. Il sourit, abaissa son arme.

— Bravo. Tu as raison. Aujourd'hui, c'est pareil. Je vais te laisser. Ah oui, une chose, avant de partir: Michel Zyto, le cinglé que tu as logé cette nuit, en fait, c'est moi. J'ai changé de corps. C'est lui qui a mon corps. Tu comprends? Dur à comprendre, hein? Pourtant, c'est comme ça. Tu ne me crois pas? Tu m'avais déjà logé il y a deux ans. Tu te souviens?

Jacquot ne répondit pas. Il se souvenait de Zyto comme des autres, il se souvenait de tout, mais il ne voulait pas se souvenir, il ne voulait rien savoir. Il voulait que ce grand type bien mis s'en aille. Un fou. Quand quelqu'un trouve que les autres sont fous, c'est lui qui est fou, telle était l'expérience de Jacquot.

Zyto lui sourit encore.

— Salut, ravi de t'avoir revu.

Il ouvrit la porte, sortit à reculons, non par prudence, mais parce qu'il avait encore quelque chose à dire, qu'il avait gardé pour la fin:

— J'avais raté une marche en montant l'escalier. L'avant-dernière marche. Je m'étais un peu cassé la gueule. Réfléchis à ça, Jacquot.

Il claqua la porte.

Cette fois, il avait fait mouche. Jacquot resta songeur. Comment cet homme, qui n'était pas l'autre, pouvait connaître un détail aussi précis et insignifiant concernant la première visite de l'autre ? Oui, ça, c'était bizarre. Néanmoins, il continuait de s'en moquer.

Zyto traversa le jardinet. Il se retourna, constata que l'Italien avait écarté le rideau et l'observait. Zyto lui adressa un signe de la main.

Il était content de lui. Il s'était bien rendu intéressant.

## 44

Marc repéra sans peine le garage, rue de Béarn. Il y entra. Pas de Nissan Terrano. Il remonta dans l'Autobianchi et explora tout le quartier sans voir le 4 x 4. Avaient-ils quitté l'hôtel? Sûrement pas. Sortis, plutôt. Ou bien Zyto seul était sorti. Les sachant en sécurité, il ne les traînait pas avec lui dans ses petites démarches. Dans ses recherches de Marc.

Zyto parti avec le 4 x 4, Marie et Léonard à l'hôtel.

Il téléphonait à Marie, la convainquait, montait la voir.

Il se gara rue des Minimes, une petite rue qui coupait la rue de Béarn.

Et il se rendit à l'hôtel Pavillon de la Reine. Il tentait un petit coup de force.

Deux minutes plus tard, il pénétrait dans le hall de l'hôtel.

Les Lacroix ne s'étaient privés de rien...

Il était aux aguets. Pourvu qu'il ne tombe pas sur eux!

Personne, à part l'employé de la réception. Aucun bruit.

— Est-ce que Monsieur Xarcoil est ici, s'il vous plaît?

— Non, Monsieur, répondit Bertrand Berchet. Monsieur

Xarcoil est sorti il y a environ une heure.

— Madame Xarcoil?

— Oui. Voulez-vous...?

— Je peux lui téléphoner?

— Bien sûr. Cabine de gauche. Vous connaissez le numéro de la chambre?

— Le 26?

— C'est ça. Vous faites le 1, vous attendez la tonalité, et vous faites le 26.

— Merci.

— Je vous en prie.

Enfin un événement heureux. Marc entra dans la cabine de gauche.

Dès qu'il en eut refermé la porte, Berchet, qui l'avait reconnu sur-le-champ, décrocha son propre téléphone et appela la police.

— Police secours?

— Oui, répondit une voix grave et pressée.

— Ici l'hôtel Pavillon de la Reine, 12, place des Vosges. Le fou qu'on recherche, Zyto, je crois, on l'a vu hier aux informations à la télévision, il est chez nous, dans le hall, il téléphone.

— Qui êtes-vous?

— Bertrand Berchet, le réceptionniste.

— Vous êtes certain que c'est lui?

— Certain.

— Ne bougez pas, ne faites rien, on arrive dans deux à trois minutes, dit l'homme.

Il raccrocha.

Berchet lorgnait Marc du coin de l'œil. Il le vit raccrocher, refaire le numéro. Pourquoi? Curieux. La femme et le gamin étaient pourtant là.

316

Léonard dormit une heure tout rond et s'éveilla en grande forme. Un bon sommeil avait effacé les cauchemars de la nuit, cauchemars dans lesquels sa mère, ensanglantée des pieds à la tête et gémissante, lui faisait des signes de détresse, mais il ne pouvait pas y répondre, elle ne le voyait pas, elle ne l'entendait pas, pourtant il était tout près d'elle.

Marie lui reparla des écrevisses de la veille. Il l'assura à nouveau qu'il les avait parfaitement bien digérées. Il était tout rose. Il avait un peu transpiré dans son lit. Marie lui suggéra de prendre une bonne douche. Ensuite, ils iraient visiter la maison de Victor Hugo, de l'autre côté de la place des Vosges, au 6.

Léonard prit une douche. Il se changea des pieds à la tête. Il passa un tee-shirt sur lequel était également inscrit HELP! mais en lettres noires sur fond blanc, le contraire de l'autre. Marie avait acheté ces deux tee-shirts dans un surplus américain, rue du Faubourg-Saint-Honoré, l'hiver dernier, un jour qu'elle faisait les boutiques avec Marianne. Un jour déjà lointain. C'était comme une autre époque de la vie, songea-t-elle avec un peu de tristesse.

Ils quittèrent la chambre. Pour deux étages, ils ne prirent pas l'ascenseur. Léonard descendit un étage entier à reculons, comme les écrevisses, dit-il à sa mère. Puis il se retourna et descendit normalement le dernier étage.

Toujours pas de réponse. L'employé se serait-il trompé? Marc raccrocha et sortit de la cabine, inquiet.

— Vous êtes certain que Madame Xarcoil et son fils ne sont pas également sortis? Je n'ai pas de réponse.

Bertrand Berchet leva la tête.

— Certain, non... Mais il me semble, pourtant.

C'est alors que Berchet vit Marie et Léonard arrivant dans le hall. Que pouvait bien leur vouloir le fou, quel rapport y avait-il entre eux? Berchet était très excité.

Marc les vit aussi. Ils étaient descendus pendant qu'il téléphonait.

Il fut bouleversé.

Il ne sut que faire immédiatement. Sa chance tournait. Quel malheur de n'avoir pas eu Marie au téléphone!

Il s'avança dans leur direction, la bouche déjà ouverte pour dire: «Pardon, Madame, je voudrais vous parler une minute...», mais il n'en eut pas le loisir. L'employé – qu'est-ce qui lui prenait? – se propulsait de derrière son comptoir et marchait sur lui en hurlant:

— Remontez, Madame, remontez vite! C'est le fou évadé de l'asile! La police arrive, j'ai téléphoné!

Marie empoigna Léonard par le bras et disparut en un clin d'œil.

Marc demeura paralysé, hébété, une demi-seconde. Vite, il fallait faire face à cet enragé. Il se tourna mais déjà Bertrand Berchet le ceinturait, tentait de le ceinturer.

Dès qu'il avait reconnu Zyto, il avait rêvé de le livrer tout chaud à la police. Quelle gloire pour lui!

Marc avait les bras emprisonnés, pas question de sortir son arme. Mais ses jambes étaient encore assez libres malgré la prise de Berchet pour que, prenant un bon appui, il pût lui envoyer de toutes ses forces son genou droit dans les testicules, de toutes ses forces, comme s'il voulait le soulever du sol.

L'employé trop zélé porta ses mains au bas-ventre en poussant une espèce de bref aboiement. Marc était fou de rage. Ce pauvre imbécile avait tout fait rater. Marc tira le Colt.38 de sa poche. Berchet eut peur, une peur atroce: le fou était armé, il s'apprêtait à le tuer! Il commença à hurler: «Au secours!», mais Marc l'interrompit après: «au sec...» en le frappant avec le canon de l'arme. Berchet reçut le choc sur les lèvres et les incisives du haut. Il se mit instantanément à

318

saigner. «Waaa! Ausk! Mmou!», tels furent les cris de bêtes qu'il émit à quatre secondes d'intervalle avant de retourner malgré la douleur à petits pas de vieillard derrière son comptoir où il s'écroula sur un siège, les larmes aux yeux.

Deux femmes de ménage, suivies d'un client, débouchèrent dans le hall. Marc rangea son arme et marcha vers la sortie sans leur prêter attention.

Le client, estomaqué par la vue du Colt. 38, rebroussa chemin à toute vitesse en imaginant les tours de clé féroces qu'il allait donner à la porte de sa chambre. Plus courageuses, et voyant que Marc disparaissait, les deux femmes restèrent.

— Qu'est-ce que c'est? s'écria l'une.

— Berchet, regarde, il a l'air mal! dit l'autre.

Elles s'approchèrent. Berchet avait la tête penchée vers le sol, presque entre ses genoux. Une salive rouge et gluante s'échappait de sa bouche en un filet continu.

Marc traversa la cour intérieure, passa le porche et déboucha place des Vosges. Des promeneurs regardaient en direction de la rue des Francs-Bourgeois. La voiture de police, silencieuse, compacte et foncée, arrivait de là.

Marc tourna à gauche, marcha normalement jusqu'à la rue de Béarn, puis, une fois dans la rue de Béarn, déserte, il se mit à courir.


Après ses exploits de Belleville, Michel Zyto se demanda s'il allait passer voir Hugues. Il décida que non. Assez pour cet après-midi. Il lui téléphonerait plus tard et lui dirait: voilà, on était dans un hôtel qui ne nous convenait pas, Léonard y dormait mal, on en cherche un autre, je vous rappelle bientôt. Rien de nouveau? Non, moi non plus, à bientôt mon cher Hugues.

Il avait envie de rentrer et de réfléchir un peu.

Il était perplexe.

Mais ses états d'âme restaient à l'arrière-plan. Maintenant, il savait ce qu'il voulait.

Du boulevard Beaumarchais, il prit la rue Saint-Gilles à droite, puis la rue de Béarn à gauche, et roula doucement en direction du garage.

Il vit accourir un homme. Marc Lacroix. Michel Zyto.

Calmement, il stoppa la voiture, ouvrit la portière du passager et attendit.

Marc reconnut aussitôt son Nissan Terrano, et le conducteur avec son beau costume clair en lin.

La voiture s'arrêta. La portière du passager s'ouvrit.

Marc n'hésita pas. Il continua de courir, monta dans le 4×4 aux côtés de Michel Zyto, et claqua la portière.

# 45

— Reculez ! dit Marc, haletant. La police est à l'hôtel. Reprenez la rue Saint-Gilles, la rue, là !

Zyto lui obéit. Il recula, sûr et rapide dans sa manœuvre.

Avec quelle satisfaction Marc lui aurait posé sans délai le Colt. 38 sur la tempe ! Mais, depuis la mort de Marianne, il croyait le fou prêt à toutes les folies, prêt à tuer, à se tuer, à se laisser tuer.

— Ça ne peut plus durer, dit Marc. On en finit maintenant ?

— D'accord, dit Zyto. J'allais vous le dire aussi. Je n'en peux plus. Mais est-ce que vous me promettez...

— Tout ce que vous voulez, dit Marc. Et vous savez que vous pouvez me croire.

— Malgré...

Ils se parlaient très vite. Zyto allait dire : « Malgré Marianne. » Marc comprit.

— Oui. Ça n'empêche pas qu'il faut en finir, maintenant. Je m'en tiens à mes promesses d'avant. Moi non plus, je n'en peux plus.

Zyto simula le soulagement.

— Comment m'avez-vous retrouvé ? demanda-t-il.

— Maintenant, la rue de Turenne, là, à droite. Après, vous prendrez à gauche, la rue Vieille-du-Temple.

Zyto fonça.

— Je ne suis pas plus bête que vous, dit Marc. Vous m'avez retrouvé, moi aussi je vous ai retrouvé.

Zyto s'engagea dans la rue Vieille-du-Temple. Il répondit à la place de Marc. Il devinait la réponse.

— Par vos amis, dit-il. Martial. Martial et Marie-Thérèse. Votre femme a dû leur parler.

Il avait failli dire «Marie» et non pas « votre femme». Plus tard. Cette flèche-là, il la décocherait plus tard. Le carquois entier. Pour l'instant, il fallait ménager Marc, gagner sa confiance.

— Oui, dit Marc.

Il se retournait fréquemment. Pas de poursuivants. Le sale employé devait s'expliquer avec les policiers. Et se tamponner la bouche avec une serviette toutes les trois secondes, pour émettre autre chose qu'un gargouillis de bébé.

— On prendra la rue de Rivoli à droite, dit Marc.

Soudain Zyto pensa à une chose, et la peur lui glaça les os.

— Vous leur avez tout raconté ? A vos amis ? Parce que si vous leur avez tout raconté, qu'est-ce qui m'attend, moi, après ? La prison à vie ?

Ce fut au tour de Marc de lutter contre la panique. Lui aussi craignit pour l'exécution de ses projets.

Rassurer Zyto à tout prix, à tout prix !

— Je n'ai rien raconté du tout.

— Vous me le jurez ? Qu'est-ce que vous avez dit, alors ?

— Je vous le jure. Je n'ai même pas vu Martial.

Et il expliqua à Zyto, en détail, comment les choses

322

s'étaient passées, son interrogatoire infructueux de Marie-Thérèse blessée au front, comment il l'avait attachée, bâillonnée et soignée, son idée au dernier moment d'examiner le bloc-notes. Il n'eut pas à se forcer pour avoir le ton de la vérité: il lui dit la vérité. Pour cette raison, Zyto le crut. Pour cette raison, et parce qu'il n'imaginait pas le docteur Lacroix capable de lui mentir.

Ils roulaient rue de Rivoli.

Après le récit de Marc, les deux hommes se calmèrent. Ils étaient trempés de sueur.

— Maintenant, c'est tout droit jusqu'à la porte Maillot, dit Marc.

— Qu'est-ce qui est arrivé, à l'hôtel?

— Je voulais vous téléphoner de l'hôtel même. Pour vous proposer de faire ce que nous sommes en train de faire. L'employé m'a reconnu. Ils ont montré des photos, aux informations.

— Je sais, dit Zyto.

— Il a appelé la police. Marie et Léonard sont descendus de leur chambre à ce moment-là. Marie a eu peur, l'employé est intervenu. Voilà. Vous avez rencontré Martial et Marie-Thérèse?

— Oui, dit simplement Zyto.

Le salopard était vraiment très fort. Il avait réussi à tenir son rôle auprès de Marie, de Léonard, des Cazanvielh, de tout le monde!

Marc le haïssait de tout son être.

Il y eut un moment de gêne.

— Pas si mal, votre déguisement, dit Michel Zyto. Mais je suis pressé de retrouver ma moustache.

Ils se regardèrent. Marc se força à lui sourire.

La seule chose que Marc, lui, n'était pas pressé de retrouver, c'était son neurinome de l'acoustique. Il y pensait un peu.

— Qu'est-ce que je fais? Les Champs-Élysées?

— Oui, dit Marc. Tout droit, toujours tout droit.

Zyto le regarda d'un air malheureux.

— Quand on sera arrivé, vous prendrez toutes les précautions que vous voulez. Je ferai comme vous voudrez. Mais je vous jure que vous n'avez plus rien à craindre de moi. J'ai l'impression de sortir d'un mauvais rêve. J'ai déjà eu cette impression.

Excellent comédien. Il ajouta:

— Et je vous jure, je vous jure que je ne voulais pas, pour Marianne! Je n'ai pas fait exprès, c'était un accident, je vous ai expliqué. Vous me croyez?

— Oui, dit Marc avec une profonde lassitude.

Il le croyait presque. Selon ses théories sur Zyto, et dans l'ignorance où il était de ses «progrès» dans ses rapports avec les femmes, il était porté à le croire.

Et il avait intérêt à se montrer le plus conciliant possible avec lui, puisqu'il allait le tuer.

Place de l'Étoile. Avenue de la Grande-Armée.

Il le détestait de si bien se débrouiller avec «sa» voiture.

— Je vous crois, répéta-t-il. Moi aussi, je vous jure encore que vous n'avez rien à craindre de moi.

— On ne va pas me soupçonner?

— Non. Ne vous en faites pas. S'il le fallait, je vous fournirais un alibi. Mais ce sera inutile.

— Vous ne m'avez pas déjà dénoncé?

— Non.

— Vous me le jurez, encore une fois? dit Zyto, presque suppliant.

— Je vous jure que je n'ai parlé de rien à personne, ni de Marianne ni de rien d'autre.

Zyto sentit que Marc était agacé. Il affecta de se concentrer sur la conduite du 4x4.

— Et là? A droite?

— Oui. Dans deux minutes, vous prendrez l'autre autoroute à droite. L'autoroute de l'Ouest. Qu'est-ce que vous souhaitez... après?

La réponse de Zyto fut immédiate:

— Revenir à Stéphen-Mornay. Si vous m'assurez... Je dois vous agacer, avec toutes ces promesses que je vous demande...

— Je vous l'assure, dit Marc. Tout ira au mieux. Et je vous assure que je vous associerai publiquement à une nouvelle expérience, comme je vous l'avais promis. Je ne vous tiens pas pour responsable de ce qui s'est passé. Je vous guérirai complètement. Car je pense malgré tout que vous êtes en partie guéri.

Marc aussi se découvrait bon comédien.

Ils quittèrent l'autoroute à Maupas.

A un feu, talonné par un poids lourd qui semblait vouloir les aplatir et leur rouler dessus, Zyto manqua le virage à droite que lui avait indiqué Marc.

— Ce n'est pas grave, dit Marc. Vous prendrez la prochaine à droite.

Ils traversèrent le beau Louveciennes. Ils passèrent devant le château de Voisins, dont la façade de style grec avait toujours étonné Marc.

Quand ils débouchèrent dans la rue du Général-Leclerc. Zyto tourna à gauche selon les indications de Marc et ils arrivèrent très vite devant le 101.

— Je vais ouvrir le portail, dit Zyto.

Il alla très naturellement ouvrir la grille.

Ils pénétrèrent dans la propriété en voiture et se garèrent devant le perron.

La vue de l'étang entouré de saules, au milieu du vaste parc, était rafraîchissante. La façade vernie de la maison étincelait aux rayons du soleil. Les sculptures des balcons se dessinaient avec une précision presque irréelle.

Le silence était total.

— Vous étiez chez Jacquot, cette nuit? demanda Zyto, comme s'il venait d'y penser.

— Oui, dit Marc. Vos tuyaux étaient bons.

— J'étais sûr que vous y étiez. Bravo.

— J'espérais votre visite, dit Marc avec une certaine drôlerie.

Zyto sourit.

— Je suis passé. Mais vous veniez de partir, si j'ai bien deviné.

Marc avait-il sur lui l'arme de Martic? Sûrement. Petite arme (Colt.38? Sûrement), sous la veste, on ne pouvait pas voir. Aucune importance. Marc ne ferait rien contre lui avant l'expérience.

Zyto lui tendit le gros trousseau de clés.

Ils entrèrent dans la maison.

Dans le hall, Marc manœuvra un interrupteur. L'escalier de la cave s'alluma. D'une allure décidée, Marc descendit le premier. Il ouvrit la première porte en bois, puis composa le code.

Zyto l'observait: A2B34, il s'en souvenait bien. Il se souvenait de tout, point par point.

L'épaisse et lourde porte de métal coulissa presque sans bruit.

Marc alluma l'immense sous-sol.

Ils s'avancèrent. Marc referma la porte derrière eux.

Ils se turent, émus tous deux de se retrouver là, dans ce décor de bois à la fois intime et étrange, qui paraissait étrange aujourd'hui à Marc lui-même.

Les deux cabines de chêne, avec leur fauteuil aux pieds galbés, semblaient les attendre, gentiment impatientes, sûres de leur retour.

Émus, le cœur battant – mais chacun replié et durci en secret sur son inébranlable résolution.

# 46

Marc avait accumulé une haine sans limites contre Zyto, une haine qui avait peut-être même ébranlé sa raison. Zyto lui avait tout pris, Marc allait tout lui prendre. Le tuer était pour lui une nécessité, un rétablissement obligatoire de l'ordre des choses, un désir qu'il ne pouvait plus remettre en question, aussi fort qu'avait été le désir de fabriquer sa machine et de tenter la première expérience.

Il n'avait pas peur.

Il prenait le calme relatif de Zyto et sa docilité pour le signe certain que sa longue crise était passée, qu'il était décidé à fuir le corps malade de Marc et à retrouver son corps.

Le signe aussi qu'il regrettait ce qui s'était passé. D'ailleurs, quand Zyto vit, sur la table ronde du coin-salon, les verres dans lesquels ils avaient bu cinq jours auparavant, il dit d'une voix bouleversée :

— Je ne sais pas ce qui m'a pris. J'aimerais pouvoir tout effacer. J'ai honte. Et j'ai peur.

— Peur de quoi ? dit Marc gentiment.

Zyto fit un mouvement de tête en direction des cabines.

— Vous êtes sûr que ça va bien fonctionner?

— Évidemment

— Depuis l'autre jour, ça... il ne peut pas y avoir une panne, qui serait dangereuse pour nous?

— Impossible. A la moindre panne, même insignifiante, même une panne qui n'affecterait pas le fonctionnement de l'ensemble, le voyant du bouton de mise en marche se mettrait à clignoter.

— Et alors?

— Alors rien, rien du tout. De l'autre côté de la cloison, un autre voyant me signalerait immédiatement et exactement le problème. Surtout, ne soyez pas inquiet.

— D'accord, dit Zyto, soulagé. Ça vous ennuie, si on boit? Je meurs de soif.

— J'allais vous le proposer, dit Marc. Moi aussi, je meurs de soif. Limonade?

— Limonade, dit Zyto en souriant.

Marc posa les verres sales dans le lavabo, en sortit des propres du placard, et du petit réfrigérateur une bouteille de limonade toute neuve et bien glacée.

Ils s'assirent de part et d'autre de la table ronde. La bouteille se couvrit de buée. Marc l'ouvrit, elle émit un pschchch! formidable qui résonna dans tout le sous-sol.

Et ils se retrouvèrent face à face, un verre à la main. Zyto pensait à la phrase qu'il allait prononcer. Une phrase simple, franche, qui achèverait de lui livrer Marc pieds et poings liés.

Marc lui-même comptait sur cet intermède pour régler le problème de l'arme, ou des armes. Lui aussi pensait à une phrase simple et directe, lorsque Zyto, une fois de plus, le devança:

— J'ai votre pistolet dans la poche de gauche, dit-il en ouvrant sa veste de costume et en se penchant. Tenez...

328

*Votre* pistolet? Marc dissimula sa surprise.

— Vous pouvez le sortir vous-même, dit Marc.

Zyto posa sur la table le pistolet suisse. Qu'il portât une arme ne surprenait pas Marc. Mais que cette arme fût le cadeau de Martial... («Puisque vous n'en voulez pas de vrai, mon cher Marc... On ne fait pas mieux. Même un armurier s'y tromperait.»)

Le salopard avait eu accès au petit coffre de la salle de bains. Et il prenait le pistolet d'alarme pour un vrai.

— Acheté chez Martic, dit Marc en posant sur la table son propre Colt.38.

— Vous pouvez le garder, dit Zyto. Je comprendrais très bien.

— Non, dit Marc. Si je le garde, après l'expérience c'est vous qui l'aurez.

Zyto fut sincèrement étonné :

— Je n'avais pas pensé à ça. (Il réfléchit une seconde.) Il faudrait que je garde une arme, alors? Comme ça, vous seriez complètement tranquille? C'est ce que vous voulez?

— Franchement, oui, dit Marc, très décidé. Ne m'en veuillez pas, mais je serais en effet plus tranquille.

— D'accord, dit Zyto.

Et Marc, se levant de son siège, lui fourra le Colt. 38 dans la poche.

Zyto ne fit pas un geste.

— J'espère qu'un jour vous redeviendrez plus confiant.

— Ne m'en veuillez pas, dit Marc.

— Je ne vous en veux pas.

C'est ainsi que les choses s'arrangèrent à merveille pour chacun d'eux. Zyto avait gagné la confiance de Marc, et Marc, sûr de Zyto jusqu'à l'expérience, savait qu'ensuite il n'aurait qu'à tirer le Colt.38 de sa poche.

Zyto finit son verre.

— On y va? dit Marc.

— Oui, dit Zyto.

Zyto se leva d'un coup, comme s'il se forçait à une attitude ferme et courageuse.

Marc finit également son verre, le posa sur la table, s'appuya des deux mains sur les accoudoirs, se pencha, commença à se soulever.

A ce moment, Zyto saisit la bouteille de limonade et la lui abattit sur la tête au terme d'une course brève et rageuse.

Marc, assommé, retomba dans le fauteuil.

D'un geste preste, Zyto récupéra le Colt.38. Puis il écarta la table de manière à pouvoir se tenir commodément devant Marc.

Marc ouvrit les yeux à demi. Il pesait du plomb, il était incapable de bouger. Il avait à peine conscience de ce qui se passait.

— Vous m'entendez? lui dit Zyto d'une voix forte.

Marc l'entendit. Il hocha faiblement la tête, sur le point de s'évanouir à nouveau.

— Je l'ai baisée, dit Zyto à pleine voix. Pas Marianne, Marie. Marie! Je l'ai baisée, vous m'entendez? Plusieurs fois!

Marc perçut l'horreur des choses. Il trouva la force de porter la main à sa veste. Plus d'arme.

Zyto l'observait, hagard, la bouche ouverte, en une expression répugnante. Il tenait toujours la bouteille de limonade à la main, prêt à frapper.

Et il frappa.

Marc tentait de s'arracher à son siège. Zyto brandit la bouteille, la fit tournoyer et lui asséna un coup sur la tête à toute volée, comme s'il voulait tout briser, crâne et bouteille. Il eut l'impression d'entendre l'os craquer.

Désormais, blesser son propre corps lui était indifférent.

Il se retint de cogner encore. Il n'avait pas l'intention de tuer. Pas encore.

330

Marc, les bras ballants, la tête inclinée sur le côté, ressemblait à un paquet de chiffons. Il saignait, mais peu. Zyto se dit qu'«il» avait la tête dure.

Au cours de ses explications détaillées, quelques jours auparavant, Marc avait ouvert le joli petit meuble qui servait de pharmacie: «Des tranquillisants, avait-il dit, mais inutiles.» Zyto trouva du Xanox 60. Il connaissait. Il en avait pris des tonnes. «Il» pouvait bien en prendre encore quelques-uns.

Tenant la tête de Marc en arrière, par les cheveux, il lui fourra une demi-douzaine de gélules vertes et blanches dans la bouche et les lui fit avaler avec de la limonade. Le liquide ne voulait pas descendre. Il y avait de la limonade partout.

Il mit le flacon de Xanox dans sa poche.

Dans la salle des machines, où il pénétra avec une sorte d'appréhension, il s'empara d'un rouleau de fil électrique.

Puis il fit coulisser la porte métallique.

Il lui fallut plus d'un quart d'heure pour traîner le corps inerte et pesant dans le Nissan Terrano. Là, il lui passa la ceinture de sécurité et le disposa dans une attitude de sommeil, appuyé contre la portière, pour qu'il ne lui tombe pas dessus pendant la route.

Il était hors d'haleine. Il entendait son cœur battre irrégulièrement, en véritables rafales parfois.

Il referma toutes les portes.

Il prit dans le vide-poches du Terrano un grand chiffon qu'il déchira en plusieurs morceaux. Il épongea la blessure de Marc, nettoya le front et le reste du visage, crachant parfois sur l'étoffe pour mieux effacer les traces, et garda dans sa main serrée un morceau de chiffon au cas où ça coulerait encore.

Puis il démarra et quitta Louveciennes.

## 47

Ce fut nettement moins pénible de transporter le corps de la voiture à l'entrée de la cave, chemin du Maréchal-ferrant. Zyto ne se servit ni de la brouette ni du diable, comme il l'avait d'abord prévu : une fois qu'il eut défait la ceinture de sécurité retenant Marc endormi, il put le charger sur son épaule, jambes d'un côté torse de l'autre, et franchir ainsi les quelques mètres qui le séparaient de la maison.

Il le déposa dans le vestibule et s'accorda une minute pour souffler. Il en profita pour lui faire les poches. Il trouva la Carte bleue de Marianne. Dans la cuisine, il la découpa en six avec des ciseaux. Il éparpillerait les morceaux dans la nature, tout à l'heure, en repartant.

Puis il alla ouvrir la porte de la cave, alluma, remonta et, prenant le corps sous les aisselles et le tirant, il descendit à reculons. Le bref trajet était ponctué par le claquement des talons de Marc sur chaque marche.

Zyto l'allongea au milieu de la cave. La blessure ne saignait plus. Du sang avait coulé, durci et noirci sur une partie du cuir chevelu.

Marc dormait. Il respirait bruyamment. Zyto lui lia les poignets et les chevilles. Le fil électrique était mince, souple, solide, il faisait parfaitement l'affaire.

Du premier étage de la maison, il rapporta un mouchoir et du sparadrap, du Sterilstrip, et confectionna un bâillon semblable (mouchoir fourré dans la bouche, sparadrap collé sur les lèvres) à celui avec lequel Marc avait rendu muette la grande Marie-Thérèse.

Puis il éteignit et quitta la cave en refermant la porte à clé. Restait à espérer que Marie n'aurait pas envie d'y descendre. Sinon... sinon, il devrait un peu modifier son plan.

Dernière chose – il faisait tout à toute vitesse : il dissimula l'un des deux couteaux de cuisine de Marie, le plus effilé, le pistolet suisse, le Colt. 38 et les gants dans la chambre de Léonard, sous un drap, dans le dernier tiroir de la commode.

Presque cinq heures. Il était urgent d'appeler Marie. Il téléphona à l'hôtel et tomba sur une femme qui lui passa aussitôt la chambre 26 quand il eut donné son nom, Xarcoil. Marie décrocha au milieu de la première sonnerie. Elle était très nerveuse.

— Marc, enfin ! Où es-tu ?

— A la maison, je t'expliquerai.

— Marc, je suis soulagée de t'entendre ! Il est venu, Michel Zyto, on a eu peur, Léonard et moi, il a blessé l'employé, et avant il avait agressé Marie-Thérèse chez elle !

— Je sais, ma chérie, je sais tout, dit calmement Zyto. Je viens d'avoir la police à l'instant, ils m'ont tout raconté. Ça va, toi ? Léonard ?

— Oui, ça va, maintenant.

— On n'a plus à s'en faire. Il y a du nouveau. Il a été repéré gare de Lyon. Il va essayer de prendre un train. Cette fois, on va l'arrêter, soit à la gare soit à l'arrivée des trains.

— Tu crois ?

— Oui, c'est sûr.

— Mais comment est-ce possible qu'il soit allé chez Martial?

— J'ai dû laissé traîner mon carnet d'adresses, un jour ou l'autre. Et je lui ai peut-être parlé un jour d'amis à Versailles. Je ne me souviens pas, mais c'est très possible. Comme il est malin et qu'il se souvient de tout... Ce qui est plus étonnant, c'est l'hôtel. Il a dû me repérer par hasard et me suivre, je ne vois pas d'autre solution. Comment va Marie-Thérèse?

— Pas trop mal. C'était en début d'après-midi. Martial faisait du cheval à Melun. Il est prévenu, il va rentrer d'un moment à l'autre. J'ai appelé Marie-Thérèse après le passage de Zyto à l'hôtel. Ça n'a pas répondu, mais j'ai entendu le téléphone dégringoler, et après plus rien. Elle était attachée et bâillonnée, elle était arrivée à se déplacer jusqu'au téléphone, quand il a sonné elle l'a fait tomber. J'ai eu peur, j'ai cru qu'elle avait un malaise. J'ai appelé la gendarmerie de Versailles. Bien entendu, ça ne m'a même pas effleuré l'esprit qu'il y avait un rapport entre... Je ne comprends toujours pas.

Elle avait parlé vite, avec fébrilité. Elle s'arrêta, hésita une seconde, puis:

— Marc, il faut que je te dise quelque chose, maintenant, tout de suite...

Elle était horriblement mal à l'aise. Zyto la tira d'affaire:

— Je sais, ma chérie. Je crois que je devine. Tu as parlé à Martial? (Il ne la laissa pas répondre.) Ne te reproche rien, c'était par pure précaution que je t'avais demandé... De toute façon, ce n'est ni Martial ni Marie-Thérèse qui lui ont donné l'adresse.

— Non! Marie-Thérèse ne la connaissait pas, et Martial l'avait apprise par cœur. C'est pour ça que je te dis que je ne comprends pas.

— Il a dû me voir quelque part, près de Stéphen-Mornay, et me suivre. Peu importe, maintenant c'est fini, ma chérie, ne te fais plus de souci pour rien.

— Je t'aime. J'ai hâte de te revoir, dit Marie doucement, soudain calmée. On est dans la chambre, on t'attend.

— Moi aussi, je t'aime. J'arrive.

Sur la route, il s'arrêta dans une pharmacie et acheta deux masques Quies. Il jeta les boîtes et mit les masques dans sa poche.

Marie et Léonard lui sautèrent au cou. Léonard répéta au moins quatre fois qu'il n'avait pas eu peur, rien, pas du tout, peur, lui? ha, ha! «La prochaine fois, pensa Zyto, je te promets que tu auras peur», et il ricana lui aussi, dans sa tête. Ce qui ne l'empêchait pas de participer de bon cœur aux embrassades et aux consolations. Puis il inventa une histoire:

— En partant, j'ai failli avoir un accident sur les Champs-Élysées. Figure-toi que l'autre conducteur était un collègue de Sainte-Anne. Il a perdu sa femme avant-hier, le pauvre. Il était aussi distrait que moi. On a parlé un bon moment. Après, je suis allé à Stéphen-Mornay, mais au dernier moment j'ai changé d'avis, je ne suis pas entré. Il faut que j'appelle Hugues sans faute. Je ne suis pas entré, et... j'ai foncé chemin du Maréchal-ferrant. Je me suis dit que Zyto y était peut-être passé. Je voulais absolument jeter un coup d'œil.

— C'est malin! dit Marie.

— Tu vois, tu devrais toujours avoir ton pistolet sur toi, dit Léonard. Comme ça, si tu étais tombé sur lui...

Il allait dire: «Boum!», mais il se retint. Apparemment, l'allusion au pistolet ne plaisait guère à ses parents, surtout à sa mère. Il n'avait peut-être pas intérêt à trop rappeler le souvenir de sa bêtise.

Et, à propos de bêtises, ce qu'il avait vu et entendu la

335

nuit à l'hôtel lui revint très fort. Il essaya d'imaginer ses parents se conduisant comme les gens du film. Impossible.

— Qu'est-ce qui t'arrive ? dit sa mère. A quoi tu rêvasses ?

— A rien, maaaman !

— Ne pense plus à ce pistolet. D'ailleurs, ton père va s'en débarrasser.

Léonard regarda Zyto, qui fit oui de la tête, gravement, puis l'attira à lui et ébouriffa sa frange noire.

— Alors, ces poissons, ils ont fini par descendre ?

— Ouais. En courant, même. Tu sais, le monsieur de l'hôtel, j'ai entendu qu'il allait être obligé de se faire mettre un truc sur les dents, comme l'infirmière.

— Un bridge ?

— Oui.

— Sacré Zyto ! dit Zyto. S'il continue, les dentistes de Paris vont se mettre d'accord pour lui verser un petit pourcentage.

Marie sourit (c'était bien le style de plaisanterie de Marc !), Léonard comprit et éclata de rire. Zyto appuya la tête de l'enfant contre sa poitrine, lui caressant le front du bout des doigts.

— Alors, Marie-Thérèse ? dit-il à Marie. Raconte.

Sa curiosité sonna très juste. Une grande curiosité, certes, mais son attitude avec Léonard montrait bien qu'elle passait loin derrière sa tendresse paternelle...

— Elle s'est blessée toute seule contre une porte en cherchant à s'enfuir. Zyto l'a crue quand elle lui a dit qu'elle ne savait pas où on était. Il a voulu savoir où était Martial. Je trouve qu'elle a été très courageuse. Il a levé un couteau sur elle, comme s'il allait la tuer. Elle a eu la présence d'esprit de lui donner une fausse adresse. Elle a dit qu'il était à Fontainebleau alors qu'il était à Melun. Il a traîné un moment dans la pièce avant de repartir.

336

— Ça, c'est curieux, alors! dit Zyto.

A ce moment, le téléphone sonna. C'était Martial. Zyto lui exprima à quel point il était désolé, pour Marie-Thérèse. Il se sentait un peu coupable. Martial (qui se sentait, lui, vraiment coupable) protesta avec force. Puis il énuméra quelques détails bizarres qui le troublaient beaucoup, qui les troublaient tous, renchérit Zyto, le dernier étant, dit Martial, que Zyto avait déplacé un pion du jeu d'échecs, é2 en é4.

— Votre début habituel, conclut-il.

Zyto reprit un à un les problèmes soulevés par Martial et tenta de les résoudre: Zyto connaît un peu le jeu d'échecs, dit-il. Les prénoms, il les a lus un jour dans mon carnet d'adresses. Ajoutez beaucoup de bluff et de comédie, il est malin comme un singe. Quant aux soins, le sparadrap bien collé, d'une part il vient d'être soigné lui-même pour une blessure analogue, d'autre part il a dû trouver très amusant de jouer au médecin. Ça correspondrait bien à sa psychologie.

Petit discours valable. Zyto continuait d'être fier de lui. Restait la vraie question, l'adresse de l'hôtel. Que Zyto ait repéré Marc par hasard et l'ait suivi n'était pas impossible, mais bien tiré par les cheveux, «Marc» lui-même en convenait.

— Qu'est-ce que vous allez faire, maintenant? dit Martial.

— Rentrer. On peut considérer cette histoire comme terminée. C'est une question d'heures.

— Vous voulez passer à la maison? Ça nous ferait plaisir de vous voir.

— Volontiers, dit Zyto. A nous aussi, ça nous fera plaisir.

Il s'en réjouissait d'autant plus qu'il était sur le point de le proposer à Martial.

Son plan l'exigeait.

Léonard alla rassembler ses affaires dans sa chambre. Sa

mère l'accompagna. Il ne retrouvait plus les écouteurs de son walkman, et il lui manquait une cassette.

— Si tu ne trouves pas, je viendrai t'aider, lui dit-elle.

Puis elle alla dans la salle de bains se préparer pour la soirée.

Zyto en profita pour appeler Hugues à Stéphen-Mornay.

— Vous êtes à l'hôtel? lui demanda Hugues.

— Oui. Place des Vosges. Plus pour longtemps. Je crois qu'on va rentrer. J'ai failli passer vous voir cet après-midi, mais notre ami a fait des siennes.

Zyto le tint au courant des événements, en omettant ce qui devait être omis, par exemple l'imminence d'une arrestation. L'excellent d'Oléons avait très envie de revoir le docteur Lacroix. Zyto lui promit une visite prochaine, le lendemain sans doute.

Il décrocha à nouveau et composa le numéro de Marianne. Dès que le répondeur se mit en marche, il parla, en même temps que la voix de Marianne. Le message était suffisammment long pour qu'il puisse jouer sa petite comédie.

— Allo? Oui, docteur Marc Lacroix (...) C'est ça. Vous avez du nouveau? (...) Ah! oui, d'accord. (...) D'accord. De mon côté, je vous donne un autre numéro de téléphone si jamais vous ne me trouvez pas chez moi: 39-69-06-06. (...) D'accord, merci.

Il raccrocha au moment où le signal sonore du répondeur, indiquant que c'était à lui de parler, retentit.

Quand Marie sortit de la salle de bains, tenant à la main une trousse de toilette blanche à rayures bleues, il lui rendit compte de ses deux coups de fil:

— Ils surveillent toujours la gare, dit-il. Ils fouillent les trains. La police est prévenue à Lyon et à Dijon. Ils me rappelleront dès qu'il y aura du nouveau. J'ai laissé le téléphone de Martial.

— Si j'avais su que les choses en arriveraient là, j'aurais envoyé tout de suite Léonard chez mes parents. J'ai peur pour lui. Cette atmosphère de menace...

— C'est fini, dit Zyto. Il n'a pas eu vraiment peur, cet après-midi. Je veux dire qu'il n'a pas eu le temps d'avoir vraiment peur. Rien de traumatisant, je t'assure. J'en suis certain.

Et il déposa un baiser sur chacune des paupières de sa belle épouse vêtue de sa belle robe rouge.

Les Cazanvielh et les Lacroix tombèrent dans les bras les uns des autres. Seul Cookie se montra réservé. Immobile, tête penchée, il regardait Zyto avec des yeux tout ronds. Il éternua deux fois et décida de se désintéresser de cet homme qui était et qui n'était pas l'homme qu'il connaissait, le même et pas le même que celui de l'après-midi. Un grand mystère pour le chien.

Marie-Thérèse pleura beaucoup. Tous la consolèrent. Zyto examina son pansement et convint que «Zyto» s'en était bien tiré.

Léonard arborait une mine de circonstance assez convaincante, mais il ne pensait qu'au flipper. Et quand Martial, qui l'avait pris sur ses genoux, l'incita à aller faire quelques parties, Léonard lui dit: «Tu crois?» avant de détaler au premier comme un lapin.

Zyto convainquit alors Marie et les Cazanvielh de ce dont ils étaient tous convaincus depuis longtemps, à savoir que le docteur Marc Lacroix était un esprit supérieur, en éclaircissant peu après son arrivée le point demeuré obscur: comment le fou avait fait, tout malin qu'il était, pour savoir dans quel hôtel les Lacroix s'étaient réfugiés. Tel Sherlock Holmes, Zyto fureta dans le coin-téléphone, examina les objets, s'attarda sur le bloc. Il se le mit sous le nez, l'inclina selon divers angles, passa le doigt sur la première feuille. Les autres le regardaient faire.

— C'est là-dessus que vous aviez noté, Martial?

— Oui.

— Je crois que j'ai trouvé. Regardez, on peut facilement voir ce qui a été écrit sur la feuille précédente. Vous avez appuyé assez fort pour que votre écriture marque en creux, regardez.

Ils vérifièrent l'un après l'autre. Ils s'extasièrent. Marie-Thérèse était béate d'admiration.

— Bravo! dit Martial. En effet, je me souviens bien, je tenais le téléphone de la main gauche et j'ai été obligé d'appuyer très fort pour que le bloc ne glisse pas. Marc, vous êtes formidable!

— Michel Zyto aussi, dit Zyto. Il y a pensé le premier.

Il sourit, les autres également, assez détendus maintenant pour apprécier une telle réplique. Les deux couples se racontèrent en détail ce qu'ils avaient vécu en cet après-midi mémorable, puis Marie-Thérèse proposa aux Lacroix de rester avec eux le soir, et même la nuit.

— On dîne, on passe une soirée tranquille, vous dormez ici, demain matin on se retrouve au petit déjeuner... Qu'est-ce que vous en pensez? Marc? Je serais tellement contente!

Zyto réfléchit. Pourquoi pas? Oui, pourquoi pas...

L'idée plut beaucoup. En un rien de temps, tout fut prévu et organisé, à commencer par le repas: Marie et Marie-Thérèse prépareraient un bœuf bourguignon, Marie-Thérèse avait ce qu'il fallait. Elle nomma son amie cuisinière en chef et s'octroya prudemment le rôle d'assistante, elle qui avait du mal, expliqua-t-elle, à réussir des œufs durs qui ne soient ni trop mous, ni cassés, précipités contre la paroi de la casserole par une eau bouillant trop fort, ni calcinés au fond de la même casserole sans une goutte d'eau, la casserole bonne à jeter. Ce qu'elle avait pu jeter comme casseroles depuis son mariage...

— Je vais rappeler la police, dit soudain Zyto. Pour rien, mais enfin...

Il s'installa, à quelques mètres des autres, et se livra à la même comédie qu'à l'hôtel Pavillon de la Reine. La répétition avait été utile : il fut bref et parfait dans son faux coup de fil et le commentaire qu'il en donna.

Il parla en même temps que la voix de Marianne, raccrocha presque comme si on lui avait coupé la parole et qu'il attendît encore des explications.

— Selon eux, il a pris un train, un TGV. Ils sont certains de l'arrêter à l'une des gares d'arrivée. Je n'en sais pas plus. Ils sont toujours pressés, débordés. On a l'impression de leur casser les pieds. Évidemment, pour eux, c'est une affaire comme une autre.

— Pas pour moi, dit Marie-Thérèse d'un air très sérieux.

Sa remarque les attendrit et les amusa, et lui valut une nouvelle série de démonstrations affectueuses.

— Les cheveux courts vous vont très bien, lui dit Marie.

— Vous croyez ?

— J'en suis sûre.

— Eh bien vous, Marie, votre robe est magnifique. Si seulement je pouvais me permettre de porter des robes pareilles!

Le fou dans le train, fuyant Paris. Très bien, ce coup de fil à la police. Maintenant, Zyto était tranquille. Il prit Marie à part et lui dit qu'il avait envie d'aller acheter du champagne, pour fêter le dénouement.

— Bonne idée, dit Marie. Prends aussi une tarte aux framboises chez Machon, une grosse.

— Je vais emmener Léonard. Il doit en avoir assez d'être enfermé. Léonard!

— Marc a une course à faire, dit Marie aux Cazanvielh.

341

— Tu veux que j'en profite pour passer à la maison et rapporter...? dit Zyto.

Qu'elle le veuille ou pas, il passerait chemin du Maréchal-ferrant. Mais elle voulait: en effet, deux ou trois habits frais ne seraient pas les malvenus. Et ses gélules pour la circulation, elle avait oublié son flacon à l'hôtel.

Léonard débaroula du premier, un peu énervé.

— Si les magasins intéressants sont encore ouverts, je vais lui faire un petit cadeau, dit Zyto. Et même un gros. Il a été très bien. (A Léonard:) Tu viens avec moi?

— Où?

— Tu verras. Tu ne le regretteras pas. Après, tu pourras jouer au flipper toute la nuit: on reste dormir chez Martial ce soir.

Léonard poussa un «wouaillou» silencieux, yeux plissés et bouche distendue, pour signifier son approbation globale.

Il avait retrouvé ses écouteurs, à l'hôtel, mais pas la cassette de Vivaldi.

Zyto craignit un instant que Martial ne souhaite les accompagner, mais Martial, parce qu'il ne voulait plus quitter Marie-Thérèse d'une semelle aujourd'hui, par discrétion, et parce qu'il voulait faire une bonne toilette après ses activités sportives de la journée, n'y songea même pas.

Donner une fausse adresse sous la menace, sous une menace de mort! Marie-Thérèse l'avait épaté. Quelle femme extraordinaire! D'ailleurs, quand il était rentré, cet après-midi, elle lui avait dit d'une petite voix: «Maintenant, tu sauras que je suis quelqu'un à qui on peut confier un secret.»

Et elle avait fondu en larmes. Il s'en souviendrait toute sa vie.

Zyto embrassa Marie avant de partir.

Cette fois, il ne la reverrait pas. Pas de la même façon. Jamais plus.

Il avait si bien joué la comédie, chez Martial, qu'il y

croyait presque lui-même. Il se serait presque réjoui de la bonne soirée à venir avec des amis chers, de l'arrestation du malade mental, du sommeil près de Marie, du petit déjeuner commun, pris dans la bonne humeur, le lendemain matin.

Et, quand il embrassa Marie, une sorte de lueur perça la nuit de sa folie et lui laissa entrevoir une vie tranquille, une vie de plaisir et de tendresse avec elle, dans la joie d'élever Léonard, cet autre lui-même qu'il aimerait autant que lui-même, et autant que Marie. Et Marie saisit dans le regard de «Marc» un élan, une passion, une complicité fugitifs mais intenses, par lesquels il semblait se donner tout entier à elle, et la vouloir tout entière. Elle l'embrassa à nouveau et lui murmura à l'oreille: «A tout à l'heure, mon chéri...»

— Vous vous reverrez, les amoureux! dit Marie-Thérèse.

Martial fut un peu dépité, puis retomba dans un bonheur parfait.

Marie-Thérèse entraîna Marie en direction de la cuisine. Cookie les accompagna. Marie-Thérèse se baissa et lui donna une petite tape sur le flanc.

— Mon pauvre toutou, enfermé dans la cuisine! Peur, hein? En tout cas, je saurai que tu n'es pas un chien de garde. Hein, mon toutou? Ça ne fait rien, on t'aime quand même.

Le chien les précéda en trottinant.

Marie se retourna et fit un dernier sourire à Zyto. Il remua la main et s'en alla avec Léonard.

Et les ténèbres se refermèrent complètement sur lui.

# 48

Six heures.

Il devait faire vite. La rapidité était une condition de réussite de la deuxième phase de son plan.

— Pourquoi tu m'as dit que je ne regretterais pas, si je venais avec toi? lui demanda Léonard dans la voiture.

Zyto lui expliqua d'un ton naturel qu'il venait de construire en grand secret une machine, dans la maison des grands-parents à Louveciennes.

— Une machine? dit Léonard.

— Oui, une machine formidable, qui met en forme.

— Qui met en forme? chanta quasiment Léonard, exagérant sa surprise.

— Eh oui, qui met en forme. On se pose un casque sur la tête, un peu comme celui du walkman, et cinq minutes après on se sent en pleine forme, on n'a plus sommeil, on a envie de courir et de jouer.

Ils allaient l'essayer ensemble, là, tout de suite. Ils reviendraient chez Martial en triomphateurs (Zyto s'animait peu à peu en parlant), ils leur feraient la surprise, Léonard pourrait jouer au flipper toute la nuit sans la moindre fatigue.

Non, à personne, il n'en avait parlé à personne.

— Même pas à maman?

— Surtout pas à maman!

— Pourquoi?

— Tu sais, c'est presque toujours comme ça, les gens qui inventent des choses. Souvent, ils ne disent rien à leur famille. Ils attendent d'avoir fini. Sinon, tout le monde attend, et si ça ne marche pas, on a l'air bête et les autres sont trop déçus. Le mieux, c'est de ne rien dire, et après on dit: voilà, j'ai inventé ça, j'avais fait une machine comme ci et comme ça, mais pas de chance, elle ne marche pas. Ou alors: formidable, elle marche, venez, vous allez voir ce que vous allez voir. Et c'est ce qui se passe, mon petit rat, ça marche ! J'en suis sûr depuis cet après-midi.

— Tu es allé voir ta machine cet après-midi ?

— Oui.

— Alors, tu as raconté des mensonges à maman ?

— Pas des gros. Et puis tu vas voir maman, tout à l'heure, quand on reviendra ! Tu vas voir comme on va tous les épater! C'est à toi que j'en parle le premier. Et c'est toi qui vas l'essayer le premier, cette machine. Enfin, tous les deux.

— Elle est comment?

Léonard, excité, posa des questions pendant tout le chemin. Zyto y répondit de manière à rendre aussi facile que possible l'exécution de son projet. Ce projet qui avait germé dans son esprit la veille à l'hôtel, pendant qu'il observait Léonard fasciné par la télé, les soucoupes volantes et les Vénusiens du feuilleton.

Ou bien ce projet était né en lui après son premier vrai rapport sexuel avec Marie...

— Non seulement tu vas te sentir en forme pendant au moins vingt-quatre heures, mais en plus tu vas te sentir heureux, je ne sais pas comment t'expliquer, un peu comme tu te sentais quand on t'a acheté ton walkman, mais en bien plus fort et bien plus longtemps. Bientôt, il y aura des machines comme ça dans le monde entier. On nous verra dans les journaux, à la télévision, ça va être formidable!

En cette fin de journée du 5 août, ils mirent moins de huit minutes pour se rendre du centre de Versailles à l'avenue du Général-Leclerc à Louveciennes, dans la maison des parents de Marc que Léonard connaissait si peu. Zyto parlait presque sans arrêt, soûlant Léonard de mots et l'amenant au degré d'excitation et d'enthousiasme qu'il souhaitait, d'impatience d'essayer la machine, et plus tard de retrouver en petit héros sa mère, Martial et Marie-Thérèse.

L'enfant, pourtant, se raidit un peu devant l'escalier de la cave et jeta à son père un regard effrayé. Jusqu'à quel point Léonard avait-il peur des caves? Zyto lui prit le visage dans les mains, le regarda bien en face:

— N'aie pas peur. Tu n'as pas peur, avec moi?

— N.on. Non, dit Léonard. Vakou, cipaldesse, téranoque.

Zyto, interloqué, renonça à comprendre. Vakou...? Quelque fantaisie improvisée par ce gamin fantaisiste.

— Parfaitement! dit-il à tout hasard. Tu verras, le soussol ressemble à tout sauf à une cave. On va se taper une bonne limonade bien fraîche. Et puis alors il y a un truc bien, c'est qu'après l'expérience, tu te sentiras tellement costaud et heureux que tu n'auras plus peur de rien, et surtout pas de descendre à la cave!

— Tu crois?

— Je te le promets.

Léonard, après qu'il eut surmonté sa petite appréhension, tout l'enchanta, la porte métallique coulissant en silence, les boiseries, l'épaisse moquette marron clair («Dommage qu'il n'y ait pas une petite télé!»), le coin-salon,

346

l'ameublement d'antiquaire, et les luxueuses cabines, à la fois étranges et rassurantes.

Pendant qu'il les examinait, Zyto alla sortir une bouteille de limonade du réfrigérateur, la dernière, et en profita pour se mettre dans la bouche deux gélules de Xanox 60. Deux, pas plus.

Léonard le rejoignit. Ils burent. Zyto avala les deux gélules.

Dix fois déjà Zyto avait regardé le bouton de mise en marche. Il ne clignotait pas. Rien ne clignotait de ce côté, et rien n'était allumé de l'autre côté, dans la salle des machines, où il expliqua rapidement à Léonard comment l'énergie nerveuse de leurs corps allait passer «dans ces aimants supraconducteurs, là, là, là; mesurée par ces ordinateurs, celui-ci, celui-ci, surtout celui-ci» (il montrait l'Umay 12), et comment cette énergie leur serait rendue multipliée par soixante. Léonard avalait aussi aisément que la limonade les histoires de Zyto, mais parfois tout de même la stupéfaction lui ouvrait les yeux et la bouche.

— C'est toi qui as fait tout ça? Tout seul?

— Eh oui!

— Ça dû te prendre très longtemps?

— Pas tellement, non.

— En tout cas, tu sais drôlement bien garder les secrets!

— Oui, hein? Allez, mon petit chéri, il faut qu'on se dépêche!

Ils se dépêchèrent. Zyto ôta sa veste, la posa sur l'un des fauteuils du coin-salon, et entreprit aussitôt d'installer Léonard dans la cabine de gauche.

Il attacha le brassard à son poignet gauche.

— On dirait une fusée, dit l'enfant, le nez en l'air.

— Oui. Un obus de canon. Remarque, un obus, c'est une petite fusée.

— C'est vrai, dit Léonard, frappé par cette idée.

Zyto lui passa un masque Quies autour du front, et s'en fixa un lui-même. Les masques étaient élastiques sur quelques centimètres à l'arrière du crâne, et tenaient bien sans serrer.

— Tu le descendras sur les yeux quand je te le dirai, en même temps que moi, d'accord?

— D'ac d'ac.

Zyto l'embrassa sur la joue, un bon gros baiser bien sonore, et s'assit dans la cabine de droite.

Léonard le regardait, ils se regardèrent en souriant. L'enfant était trop infiniment confiant et ravi pour avoir la moindre inquiétude.

«Plus joli sourire que son père, pensa Zyto. Aussi beau que le mien...» Marc avait dit un jour à Zyto qu'il avait un beau sourire, et qu'il ne devait pas redouter de ne pas plaire.

— A un moment, ça va faire un tout petit peu mal, dit-il négligemment, tout en fermant son brassard.

— Beaucoup?

— Non. Un peu plus ou un peu moins selon les personnes, mais c'est supportable, et surtout ça dure une seconde. Moi aussi, ça me fera un peu mal. On dira: «Ouille!» en même temps. D'ac d'ac?

— Ouille en même temps, répéta Léonard.

Premier bouton: mise en route. Deuxième: possibilité d'arrêter à tout moment. Troisième: retour à zéro. Mais normalement, une manœuvre suffisait: enclencher le premier bouton.

Et Zyto appuya résolument sur le premier des trois longs boutons noirs, le plus proche de lui.

— C'est parti, dit-il. Tu vois, ce n'est pas bien terrible.

Le voyant correspondant au bouton numéro un s'alluma en rouge, en même temps qu'ils entendirent naître un léger vrombissement de l'autre côté de la cloison.

— Tu entends?

— Oui, dit Léonard. C'est bien une fusée. Toute la maison va décoller.

— Tu as raison, dit Zyto. Je n'avais pas osé te le dire. Regarde, regarde les cadrans, et ne bouge plus, reste bien immobile, sans bouger. Tu vois, ils s'allument, le 1 et le 4, le tien et le mien, les petites lignes orange, comme je t'avais dit....

L'analyse de leurs cerveaux par R.M.N., par spectroscopie multinucléaire de résonance magnétique nucléaire se déroula. Les ogives de métal dirigeaient sur leurs crânes un fort courant magnétique, et l'ordinateur Cray 6 réalisait une carte en trois dimensions de leur matière cérébrale. Zyto se souvenait bien.

— Hop, fini! dit Zyto.

— Maintenant, les 2 et 5, en marron, et après en bleu, dit Léonard, excité et content de montrer qu'il avait bien retenu la leçon.

Deuxième phase. Les voyants orange s'étaient allumés, puis les cadrans marron en effet, les lignes marron se tortillèrent...

Les électrodes placées dans les brassards effectuaient la première partie de leur travail, transmettre des stimuli imperceptibles. Pendant cette stimulation l'activité cérébrale était enregistrée. Opération banale, mais essentielle pour le déroulement de la troisième phase : c'est ce qu'avait dit Marc, et il avait parlé de chatouilles.

— Tu as raison, ça chatouille le poignet, dit Léonard.

— Oui, moi aussi, ça me chatouille. Bon. Ça va? Maintenant, on met le masque sur les yeux, allez!

Les ondes émises par les ogives durant la troisième phase étaient non pas dangereuses, mais disons pas bonnes pour les yeux, elles les rendaient hypersensibles à la lumière (électrique, et à la lumière du jour), surtout les yeux des enfants. Il suffisait de les protéger, un peu plus longtemps pour

Léonard, alors même qu'ils auraient quitté le sous-sol. Sans parler d'autres effets secondaires bénins, concernant par exemple leurs voix, effets que Zyto avait décrits et qui se dissiperaient grâce à un médicament qu'il avait là, dans sa poche.

Voilà ce que Zyto avait raconté à Léonard.

Le but était de repousser le plus possible le moment où l'enfant commencerait à s'inquiéter. Le Xanox 60 serait d'un bon secours. Déjà, Zyto en ressentait les effets apaisants.

Ils abaissèrent leurs masques.

— Attention, dit Zyto d'une voix douce, c'est maintenant que ça va faire un peu mal. Même si ça devait te faire un tout petit peu plus mal que prévu pendant une seconde, surtout n'aie pas peur, ne t'en fais pas, je suis là. Et tout de suite après, ce sera fini.

Dès qu'il se tut, comme s'il avait calculé la durée de son discours, la troisième phase de l'expérience, brève et décisive, se déclencha.

Les lignes marron des cadrans 2 et 5 se stabilisèrent, les voyants qui les surmontaient s'allumèrent et, au moment où apparurent les lignes bleues des cadrans 3 et 6 – où le deuxième aimant supraconducteur, le N.F.B., piloté par les deux ordinateurs Cray 6 selon la combinaison géniale que le docteur Marc Lacroix avait imaginée, accomplit sa tâche –, à ce moment précis une rude décharge électrique secoua les corps de Léonard et de Michel Zyto.

Léonard poussa un cri, un « aïe ! » prolongé de surprise et de douleur, Zyto grimaça.

Et, quand le courant électrique cessa de les tourmenter, quand toute douleur les quitta, ce fut fini. Les lignes bleues cessèrent de frétiller, le voyant bleu s'alluma.

Fini, et réussi.

Le transfert avait eu lieu, l'expérience avait été menée à son terme.

350

Zyto le sut avant même d'abaisser son casque, lorsqu'il entendit ces mots : « Papa ! Ça m'a fait très mal ! », prononcés par une voix qui n'était pas celle de Léonard, qui n'était pas une voix d'enfant, mais la voix de Marc Lacroix.

Une voix que le Xanox rendait un peu pâteuse.

Zyto enleva son masque. Le corps de Marc Lacroix était en face de lui, dans l'autre cabine. Et Léonard habitait maintenant ce corps, le corps de son père.

Plus de neurinome de l'acoustique.

— Moi aussi, ça m'a fait très mal, mon chéri. C'est parce que j'avais trop serré le brassard, pour être sûr que l'expérience réussisse. Mais c'est fini. Ne bouge pas, fais bien comme je t'ai dit.

— Mais j'ai eu très très mal ! Tu entends, ma voix ?

Il geignait de sa voix d'adulte.

Zyto entendait surtout *sa* voix, la voix de Léonard, il était Léonard, un enfant avec une voix d'enfant ! Il avait libéré du brassard son fin et joli poignet. Et il voyait ses jolies jambes bien faites et bronzées, un peu plus bronzées sur les rotules. Il tremblait, il avait la bouche sèche, son cœur battait très fort, de tension et de nervosité qui se libéraient, mais aussi parce qu'il se sentait heureux, souple, sain, vivant, parce qu'il recommençait à vivre !

Et il recommencerait à vivre chaque fois qu'il le voudrait.

A la rentrée scolaire, on verrait le petit «Léonard» s'intéresser à la science, et plus tard faire des études scientifiques. Il apprendrait à bien connaître la machine, son fonctionnement, à la maintenir en bon état, à la réparer si jamais elle tombait en panne, si le voyant rouge clignotait.

Et un jour, la maison serait à lui.

Et si quelque chose n'allait pas, s'il était malade, ou si la mort approchait, ou simplement s'il en avait envie, il lui suffirait d'amener quelqu'un dans ce sous-sol, de préférence

351

un jeune enfant, et de s'emparer de son corps.

Zyto était en train de comprendre peu à peu qu'il était devenu immortel.

# 49

Il alla défaire le brassard de « l'enfant ». Le malheureux pleurnichait, deux grosses larmes avaient roulé de sous son masque. Zyto continua de lui parler, doucement, d'une voix qu'il forçait autant qu'il pouvait dans le grave. Il lui répéta tout : après l'expérience (« Je t'ai bien expliqué, mon chéri ! »), pendant un quart d'heure, les sensations seraient différentes, déformées, sensation de grosse voix ou de petite voix, d'un corps plus volumineux, comme si on avait enflé, et les yeux resteraient fragiles, surtout les yeux de Léonard. C'était le moment de prendre les gélules pour dissiper tous ces vilains effets, en un quart d'heure justement, moins d'un quart d'heure.

Il ne s'agissait plus de détendre, mais d'assommer, d'endormir : Zyto lui fit avaler cinq comprimés de Xanox avec de la limonade. Léonard but avidement.

Zyto revêtit la veste de costume, deux fois trop grande pour lui maintenant. Il éteignit les appareils.

— C'est fini, on retourne à la voiture. Allez ! Tu peux te lever !

Il le prit par la main. Ils remontèrent au rez-de-chaussée, Zyto guidant Léonard comme un aveugle.

— Tu as enlevé ton masque, toi? dit Léonard d'une voix pitoyable, un peu ridicule. Tu entends comme je parle? Je ne croyais pas que les sensations seraient fortes comme ça. Je me sens tout gros, tout grand.

Il disait «sensation» comme un malade reprend timidement et craintivement un mot employé par son médecin au sujet de son état.

— Ça va passer très vite. Tu me fais confiance, quand même? Oui, j'ai enlevé mon masque. J'ai mal aux yeux, mais pas trop. Dans deux minutes, tu pourras enlever le tien, et dans dix minutes c'est tout fini et on arrive chez Martial.

En haut de l'escalier, précédant Léonard, il profita de ce qu'ils avaient la tête au même niveau pour l'embrasser sur le front et sur les joues.

— On sort. Garde bien ton masque. Je referme les portes, voilà...

Dans la voiture, il l'installa de la même manière que Marc quelques heures auparavant, bien rencogné, ceinture de sécurité verrouillée.

— Avance-toi un peu sur le siège, laisse-toi aller dans l'angle... je mets la ceinture... On y va. Repose-toi, ne bouge pas, on y va. Tu commences à te sentir mieux?

— Oui, dit Léonard d'une voix faible. Mais j'ai sommeil. Je me sens tout grand. On dirait que je vais dormir. J'ai très sommeil.

— Moi aussi. C'est le médicament. On est un peu abruti, mais après, tu vas voir!

— Tu me diras, quand je pourrai enlever le masque?

— Bien sûr. Encore un petit moment. Sinon, ça te ferait trop mal aux yeux.

Zyto avait rapproché son siège au maximum. Sa tête était un peu basse par rapport au pare-brise, mais avec un coussin, il aurait eu du mal à atteindre les pédales. Tant pis. Obligé de se tenir dans une position fatigante, ni debout ni assis, les fesses appuyées sur le rebord du siège.

Il sortit les lunettes de soleil de la veste, en tordit les branches pour les adapter tant bien que mal à son nouveau visage et se les posa sur le nez. Avec la veste et les lunettes, il avait un peu moins l'air d'un enfant de dix ans.

Il démarra.

Il était sept heures moins vingt.

Il chuchotait inlassablement les mêmes mots à Léonard: c'est fini, c'est normal, moi ça me fait pareil, encore deux petites minutes...

Il commençait à être agacé.

Attentif, crispé sur le volant, il passa la deuxième, la troisième, veillant à ne pas rouler au-dessus de quarante-cinq – cinquante à l'heure.

Les sept comprimés de Xanox produisaient leur effet sur Léonard, qui s'avachissait de plus en plus dans son coin. Quand il parlait, il articulait mal, étirait les syllabes, s'arrêtait au milieu d'un mot. Après quelques centaines de mètres, somnolent, il porta la main à son masque pour l'ôter.

Zyto le vit. Il lui frappa la main de son poing refermé en hurlant:

— Pas encore! Pas maintenant! Quand je te dirai!

L'enfant, stupéfait, se recroquevilla comme un animal blessé. Il comprit d'une manière ou d'une autre que quelque chose de mauvais lui arrivait. Il se mit à pleurer, prononça quelques paroles indistinctes, voulut encore porter la main à son masque, sans y parvenir – et il s'endormit d'un coup.

Zyto arracha le masque et le mit dans sa poche.

Léonard dormait.

Les petites routes étaient désertes, et sur le bout d'autoroute personne ne fit attention à ce drôle de bonhomme habillé trop grand et collé à son volant.

La direction du 4×4 était souple, le levier de vitesses facile à manier, mais le jeu des pédales, débrayer, freiner, accélérer, était épuisant. Zyto transpirait, serrait les dents. C'était une épreuve de chaque seconde. De plus, il devait veiller à conduire en douceur pour ne pas ballotter son prisonnier endormi. Il le guettait constamment du coin de l'œil.

A sept heures moins huit, il s'engagea dans le chemin du Maréchal-ferrant.

Il entra dans la cour de la maison, s'arrêta à deux mètres du garage, coupa le moteur. Il avait horriblement mal aux fesses, à l'endroit où le poids de son corps portait tout entier.

Il descendit de voiture. Il ouvrit le garage. Il se sentait léger.

En pleine forme, comme il l'avait promis à Léonard.

Il fit rouler le diable et l'approcha du marchepied de la voiture, de face. Puis il mit la brouette derrière et renversa le diable jusqu'à ce que ses manettes reposent sur un montant de la brouette. Cela faisait un plan incliné, perpendiculaire à la voiture, exactement au niveau du corps de Marc.

Il alla encore chercher la pelle toute neuve.

Puis il remonta en voiture. Il souleva les jambes de Léonard, les longues jambes de Marc, les tint à plein bras au niveau des mollets et entreprit de faire pivoter le corps, d'un effort lent et régulier, ou par à-coups. Lorsqu'il l'eut amené le dos à la portière, il s'arc-bouta, dos contre sa propre portière, posa les pieds sur les hanches de Léonard, sur l'os, et poussa, de toutes ses petites forces d'enfant, mais aussi de toute sa rage d'adulte, toute la rage de Zyto acharné à réussir son entreprise, il appuyait, il poussait, poussait, et il parvint ainsi à gagner quelques centimètres, et à plaquer autant qu'il était possible le dos de Léonard contre la portière.

Lorsque le torse menaça de tomber en avant, il le retint, se mit presque debout à gauche du corps et défit la ceinture de sécurité.

Puis il entrouvrit la portière, se faufila, descendit, contournant Léonard et le tenant ferme par le col de sa chemise. Ses pieds touchèrent le sol, à gauche du diable. Il laissa venir le buste à lui, centimètre par centimètre, encercla le cou de ses deux bras, et tira, jusqu'à ce que la pesanteur lui vînt en aide: les fesses commencèrent à glisser du siège. Zyto s'écarta un peu, tenant Léonard par les cheveux et par l'épaule gauche pour diriger sa chute avec précision, et soudain la chute eut lieu, le corps glissa et tomba à plat dos d'une hauteur de soixante centimètres environ sur le diable.

Il avait gagné.

La tête porta et rebondit sur une traverse métallique du diable, et Léonard, à l'instant où il aurait pu s'éveiller, s'assomma, ce qui évita à Zyto de lui asséner des coups de manche de pelle, comme il avait prévu de le faire en cas de réveil intempestif.

Il l'attacha au diable à l'aide d'une grosse corde qui était dans le coffre de la voiture.

Puis il alla ouvrir la porte de la maison, allumer l'électricité dans l'escalier de la cave, et dans la cave, où il accorda à peine un regard à Marc toujours endormi.

Il remonta.

Il transporta le corps avec facilité, malgré les longues jambes qui traînaient, sur les surfaces planes et lisses de la cour et du vestibule. La descente à la cave fut également facile: Zyto, marchant à reculons, n'avait qu'à diriger les roues du diable, le retenant un peu à chaque marche, et le tirant ensuite tout doucement jusqu'à la marche suivante.

En bas, il défit la corde et déchargea le corps comme un sac de charbon à côté de l'autre corps.

Sa veste lui tenait chaud. Énervé, il l'ôta et la jeta sur le sol après avoir récupéré le masque noir dans la poche, ainsi que le gros trousseau de clés.

Il se rendit compte alors que Léonard avait perdu un

mocassin.

Il le retrouva dans l'escalier et le lui remit.

Puis il le ligota et le bâillonna exactement comme l'autre, et il les laissa, le père et le fils, Marc et Léonard, allongés côte à côte sur le dos, abrutis de coups et de tranquillisants, Marc prisonnier du corps de Michel Zyto, et Léonard du corps de son père.

Il s'installa au salon près du téléphone. Il ouvrit l'annuaire et choisit au hasard un nom de femme: Marthe Lenoir.

Il prit une feuille de papier et griffonna des notes hâtives.

Il regarda la petite montre à quartz extra-plate de Léonard: sept heures, douze minutes, vingt-quatre secondes. Vingt-cinq secondes, vingt-six, vingt-sept, vingt-huit, vingt-neuf: par jeu, il attendit que la montre indiquât trente secondes, sept heures, douze minutes et trente secondes, pour décrocher le téléphone.

Il composa le numéro des Cazanvielh.

Marie-Thérèse répondit.

Il s'adressa à elle d'une voix suraiguë et maniérée. Il y alla carrément. C'était la seule chose à faire: jouer le rôle à fond, oublier qu'il était Michel Zyto, oublier qu'il était Léonard Lacroix, et devenir pendant quelques minutes mademoiselle Marthe Lenoir, travaillant pour l'IFOP et interrogeant une centaine de personnes fortunées, à la retraite, et résidant en région parisienne.

— J'ai quelques questions à vous poser, si vous permettez, cria véritablement «mademoiselle Lenoir» dans le téléphone. Votre collaboration nous serait précieuse, je ne vous ennuierai pas longtemps...

Zyto avait les yeux fixés sur sa feuille de papier, qu'il tenait de la main gauche.

Certes, Marie-Thérèse Cazanvielh était en moins bonne forme et donc en moins bonne forme téléphonique que d'habitude, elle aurait préféré un autre jour, le lendemain après-midi vers deux heures, par exemple, après le café, mais enfin le plaisir d'être interviewée par un organisme de sondage balaya toute autre considération. Elle posa sa main sur le téléphone et dit aux autres, avec une excitation qu'elle ne chercha pas à dissimuler:

— C'est l'IFOP! Pour un sondage. Vous permettez? (Tout le monde permit. Elle ôta sa main:) D'accord, je vous écoute.

— Merci. Depuis combien de temps habitez-vous Versailles?

— Depuis quinze ans. Depuis que mon mari a pris sa retraite. Il est militaire. Colonel.

— Ah! très bien! glapit Zyto. Et pourquoi avez-vous choisi Versailles? Parce que...

Elle l'interrompit, pressée de répondre:

— Parce que...

Zyto l'interrompit à son tour pour achever sa question:

— Parce que vous étiez fixés sur Versailles, ou par hasard?

— Les deux. On avait choisi Versailles, mais si on avait trouvé ailleurs quelque chose de bien, on aurait pris. Mais on a trouvé à Versailles, donc...

— Merci... Impasse des Soldats...

— Oui. C'est drôle, n'est-ce pas?

— Oui! (Glapissement.) Avez-vous l'intention de déménager un jour...

— N...

— ... ou considérez-vous votre résidence actuelle comme définitive?

Définitive. Mademoiselle Lenoir avait un peu bafouillé pendant cette question. Elle continua bravement: où habitiez-vous avant? Travaillez-vous? Avez-vous travaillé? Pas d'enfants? Qui héritera de la maison? Venez-vous à Paris? Combien de fois par mois? Pourquoi (achats, spectacles, visites familiales)? Les amis que vous fréquentez le plus habitent-ils Versailles ou...

Marie-Thérèse écarta le téléphone de son oreille. Cette mademoiselle Lenoir vous perçait décidément les tympans.

— Oui! Versailles. Un peu à l'écart, mais enfin c'est Versailles.

— Ont-ils des enfants?

«Oui, Léonard, moi qui vous parle, ha, ha!»

— Oui, un enfant.

— Allez-vous plutôt chez eux, ou eux chez vous?

— Franchement, les deux.

Quatre questions encore.

Et c'est ainsi que, s'inspirant de son vague formulaire ou improvisant selon les réponses de Marie-Thérèse, Zyto parvint à tenir près de neuf minutes le rôle d'une demoiselle Marthe Lenoir, employée à l'IFOP, à la voix si curieuse, si variable dans son débit, son timbre, sa hauteur, une voix qui parfois allait s'étouffer dans le suraigu, une voix vraiment désagréable pour les oreilles du correspondant.

Zyto remercia avec chaleur, raccrocha.

Il attendit trente secondes, quarante, cinquante.

Soixante. Une minute.

Il décrocha, refit le numéro de Martial, tomba encore sur Marie-Thérèse.

— Marie-Thérèse, c'est moi, c'est Léonard, c'était oc-cupé, tu peux me passer maaaman?

Cela dit avec la voix de Léonard, sa voix normale, et sa façon particulière de dire maman, que Zyto avait parfaite-ment saisie et reproduite, en traînant un peu sur le a. Marie-Thérèse ne fit pas de rapprochement entre les deux coups de fil, elle ne soupçonna pas une farce, pas une seconde, et l'eût-elle soupçonnée qu'elle aurait été convaincue peu après qu'il ne s'agissait hélas pas d'une farce.

360

Elle tendit le téléphone à Marie.

— Allo, maman? Alors voilà, je suis à la maison, tout seul. Quand on est arrivés, ça fait déjà un bon moment, papa a téléphoné à la police, il m'a dit: il n'y aura rien de nouveau mais j'ai quand même envie de téléphoner. Il a téléphoné, et après il a été obligé de partir, il a essayé de t'appeler mais c'était toujours occupé chez Martial.

— Partir où? Pourquoi, obligé de partir?

— Eh bien, ils lui ont dit que justement ils allaient l'appeler juste au moment où il a appelé, parce que le fou a bien pris le train et à l'arrivée il s'est rendu compte qu'on allait l'attraper, alors il est allé dans une salle de la gare et il a pris une personne en otage, une femme, une employée de la gare.

Zyto parlait à toute allure.

— A l'arrivée où? dit Marie.

— A Lyon.

— Et alors? Dis-moi, mon bébé, ne t'énerve pas.

Elle devinait confusément la suite, elle s'attendait à quelque chose du genre de ce que Léonard lui débita:

— Alors ils ont dit à papa que s'il pouvait prendre le train à huit heures gare de Lyon ce serait bien, et même ils lui ont demandé, parce que l'autre a dit qu'il se rendrait si c'était papa qui venait le chercher, sinon non. Ils ont dit à papa que ce n'était pas dangereux pour lui et qu'il valait mieux qu'il aille à Lyon sinon le fou pouvait très bien tuer quelqu'un. Papa a dit d'accord. Il a essayé de t'appeler, il a essayé au moins vingt fois, sans arrêt, et puis il m'a dit tant pis, voilà ce que tu diras à maman; et il est parti avec la voiture. Après, j'ai encore essayé de te téléphoner, jusqu'à ce que ça ne soit plus occupé.

— Calme-toi, mon chéri, ce n'est pas grave. Donc il va être à Lyon à dix heures... Il t'a dit quand il rentrerait?

— Oui! Il m'a dit de te dire qu'il rentrerait à la maison même si c'est très tard, qu'il s'arrangerait. Il m'a dit que tu rentres aussi à la maison. Il va téléphoner dès que le fou sera arrêté. Il a dit: la fête chez Martial, ce sera pour demain. Il m'a dit: tu diras à maman que le bœuf bourguignon, c'est encore meilleur réchauffé.

Marie ne put s'empêcher de sourire malgré sa contrariété.

— Il a raison, mon chéri. C'est vrai que le bœuf bourguignon, c'est meilleur réchauffé. Et toi, ça va?

Zyto murmura un oui sans conviction.

— Non, ça ne va pas?

— Si. Je suis fatigué.

— Je vais demander à Martial de me raccompagner. Je vais leur expliquer.

— Tu crois qu'ils vont rester à la maison?

— Non, pourquoi?

— Parce que... j'aimerais mieux qu'on attende le coup de fil de papa tous les deux bien tranquilles.

— Tu ne te sens pas trop bien?

Zyto la laissa mariner trois secondes dans son inquiétude, puis il émit un petit «non».

Réussi. L'inquiétude diffuse de Marie prit corps soudain. Léonard était-il en train de «craquer», après toutes ces émotions?

— J'arrive, dit-elle. Tu as raison, on attendra tous les deux. J'arrive tout de suite.

— Tout de suite? Vite vite?

— Le temps que tu raccroches et je suis à la porte, mon petit amour.

«J'espère que non», dit Zyto à voix haute après avoir raccroché.

De nouveau, il devait faire vite.

Il reprit le volant du Nissan Terrano. Ses fesses se remirent à lui faire mal instantanément. Elles devaient être toutes talées. Mais cette fois la course fut brève. Il roula jusqu'au bout du chemin du Maréchal-ferrant, s'engagea dans le chemin de terre qui le prolongeait et traversait la petite forêt, stoppa dès après le premier virage. La voiture serait dissimulée par les arbres.

Il revint à pied, parfois trottinant, parfois marchant à pas lents, plié en deux et soufflant très fort.

Il rangea au garage brouette, diable et pelle. Il eut plus de mal à remonter le diable vide qu'il n'en avait eu à le descendre chargé du corps.

Au premier étage, dans le cabinet de toilette de Léonard, il brûla les masques Quies, les chiffons qui avaient servi à éponger le sang de Marc, et le questionnaire de mademoiselle Lenoir.

Il se regarda dans la glace. Il avait l'air fatigué et tendu à souhait. Des mèches de ses cheveux étaient collées au front par la sueur.

Et il s'installa sur le canapé du salon pour attendre. Il venait d'exécuter à la perfection la deuxième partie de son plan.

Sa mère n'allait pas tarder.

Il se calma, se détendit. Il put savourer la joie profonde, totale qui était en lui. Rien ne lui faisait peur. Il était guidé, tiré, poussé vers un but unique. C'était facile, dans ces conditions, de se détendre. Il n'y était jamais parvenu auparavant.

Quand tout serait fini, plus tard dans la soirée, il téléphonerait à Martial et à Marie-Thérèse et leur raconterait en pleurant les horreurs qui s'étaient passées. Martial et Marie-Thérèse viendraient tout de suite. Pour le prétendu voyage de Marc à Lyon, il avait une histoire toute prête: à la gare, on avait dit à son père que c'était une erreur, qu'il ne s'agissait pas de Zyto, mais d'un fou qui lui ressemblait. Oui, un autre fou qui connaissait Marc, qui l'avait consulté à l'hôpital. Cet autre fou avait vu Zyto à la télévision. Il devait aller à Lyon et, quand il avait remarqué qu'il était suivi par la police, il avait eu l'idée de se faire passer pour Zyto, il avait pris un otage...

Une fantastique coïncidence.

Voilà, leur dirait-il, ce que leur avait raconté Marc, à sa mère et à lui, en rentrant de la gare de Lyon. Marc s'apprêtait à appeler Martial, pour le tenir au courant, lorsque Zyto s'était introduit dans la maison, et là...

Seul Léonard avait échappé au massacre.

Immobile, le regard fixe, Zyto attendait Marie.
Léonard attendait sa mère.

# 50

Martial stoppa la grosse Volvo. Il se rendait compte à quel point Marie était nerveuse, pressée de rentrer chez elle, de retrouver Léonard.

— Je vous laisse. Vous nous appelez, hein? Quelle que soit l'heure?

Marie le regarda avec gratitude.

— Bien sûr, Martial. Merci pour tout. Heureusement qu'on vous a!

Elle se pencha, le prit par le cou et l'embrassa sur les deux joues. Il ne l'avait jamais sentie si près de lui par l'affection, jamais si loin hélas pour ce qui était du sentiment amoureux. Mais la force de sa rêverie ne fut pas vraiment entamée, cette rêverie défiait la réalité, elle appartenait à son conte de fées.

Elle descendit de voiture. Il fit un demi-tour et s'éloigna, agitant le bras par la vitre ouverte. Marie garda sa main levée.

Elle entendit les mille bruits de la campagne. La température était très douce. Il y avait un souffle d'air, on n'étouffait pas comme à Paris.

Les feux arrière de la Volvo disparurent dans la nuit. Marie se dirigea à grands pas vers l'entrée de la maison.

Léonard accourait à sa rencontre. Pauvre gamin! Au premier coup d'œil, elle vit qu'il était très éprouvé, physiquement et nerveusement. Il avait bien tenu le coup ces derniers jours, mais maintenant tout lui retombait dessus.

Elle le couvrit de baisers, le berça de paroles apaisantes. Elle reniflait sa sueur d'enfant. Elle était émue. Zyto résistait à une immense envie de la repousser. Pourtant il ne trouvait pas désagréable d'être ainsi tripoté par Marie, par cette femme avec qui, récemment, dans le lit conjugal...

Ils s'assirent côte à côte sur le canapé. Marie ne lâchait pas les mains de Léonard, elle les caressait sans cesse pendant qu'il lui racontait à nouveau ce qui s'était passé, minute par minute, depuis qu'ils s'étaient quittés.

— Je me demande si j'appelle la police, dit-elle ensuite.

— Non, pas la peine, dit Zyto. Je t'ai tout dit, bien comme papa m'a dit. Il va téléphoner tout de suite, dès que ce sera fini, et après il va revenir.

— Tu as raison, dit Marie.

Il valait mieux, pensa Zyto, qu'elle ne téléphone pas à la police. Comme il valait mieux qu'elle ne déclare pas soudain: «Je descends à la cave.»

Sinon, il serait obligé de précipiter le cours des choses.

Marie reprit possession de sa maison avec plaisir. Elle disposa dans le four un repas de surgelés et bourra la machine à laver de linge sale, surtout des sous-vêtements et des chemises, et son peignoir blanc.

Puis, pendant que la machine tournait, elle prépara un des desserts favoris de Léonard (des myrtilles avec de la crème Chantilly, il y avait un certain temps qu'elle n'en avait pas fait) et passa un petit coup d'aspirateur.

Zyto avait allumé la télévision. Marie n'avait pas pro-

366

testé, au contraire. Qu'il se distraie le plus possible, par tous les moyens! De temps à autre, traversant la grande pièce, elle s'arrêtait pour l'embrasser et le câliner. Elle le sentait alors tendu, près de se raidir. Peut-être Marc lui donnerait-il pendant deux ou trois jours une petite dose de tranquillisants, une dose de bébé.

Et ils partiraient en vacances. Aujourd'hui, ça ne se discutait plus. C'était une nécessité pour tous.

Une fois n'est pas coutume, ils dînèrent devant la télévision. La télévision empêchait de parler. Zyto préférait ne pas être obligé de trop parler à Marie.

— Tu crois qu'on va voir papa? dit-il.

— Non.

— On va parler de lui, alors?

«Ou de Marianne?» pensa-t-il.

— Peut-être. Je ne crois pas. Ça dépend.

— Ça dépend de quoi?

— Des autres informations. Quand ils n'ont pas grand-chose à dire, ils se rabattent sur les faits divers, sinon... En tout cas, ils en parleront demain.

«Ça, c'est sûr qu'on en parlera demain», se dit Zyto.

Il mangea beaucoup et de bon appétit. Le dessert suscita particulièrement sa voracité, mais non ses commentaires habituels, du simple et fameux: «Wouaillou!» au plus élaboré: «Qu'est-ce qu'elles ont l'air chentilles, ces myrtilles!»

Au cas où Marc aurait envie d'un petit dîner en rentrant, il devrait se rabattre sur un autre dessert, se dit Marie, attendrie à la fois par Marc et par Léonard. Peut-être Léonard combattait-il son anxiété par une sorte de goinfrerie. Mais elle le trouvait parfois si lointain, absent aux choses, grave, perdu en lui-même, si différent!

Après le dîner, elle se dépêcha de débarrasser la table pour regarder Zorro avec lui.

Zyto avait du mal à simuler l'attention pendant l'épisode. Marie, elle, regardait sans voir. Elle surveillait surtout la montre à quartz incorporée au poste de télévision. Le temps passait lentement.

Zyto aussi surveillait l'heure. Il était impatient d'agir. Et Marie l'horripilait. Depuis qu'il était devenu Léonard, plus les minutes passaient et plus elle l'énervait.

— Après Zorro, j'irai au dodo, dit-il.

— Tu as très sommeil, hein ?

— Oui. Et toi, tu vas te coucher ?

— Oui. Moi aussi, je suis un peu fatiguée, mon canard. J'attendrai le coup de fil de papa en lisant dans mon lit.

«Parfait», pensa Zyto.

— Tu me réveilleras ? dit-il.

— Oui.

— Même si c'est tard ?

— Oui. Tu peux dormir tranquille.

Il récupéra la télécommande coincée entre deux coussins du canapé et, par nervosité, changea plusieurs fois de chaîne.

Il attendrait que Marie soit couchée pour la tuer.

Il la tuerait dans son lit.

Bientôt...

# 51

Marc dormit un peu plus de cinq heures. Pendant la dernière heure et demie, il tenta dans son sommeil même d'échapper au sommeil, mais ses efforts, contrariés par le Xanox, par ses liens et son bâillon, ne firent que provoquer d'affreux cauchemars.

Il reprit vraiment conscience vers dix heures du soir, étouffant et suant, le corps douloureux, les pensées en déroute.

Il ouvrit les yeux. L'obscurité était totale.

Bâillonné, chevilles et poignets attachés. Bâillonné comme il avait bâillonné Marie-Thérèse. Bâillonné et ligoté par Zyto.

« Je l'ai baisée, vous m'entendez ? Plusieurs fois ! »

Il se souvint des terribles coups de bouteille sur la tête.

Il avait mal partout.

Il entendit une respiration régulière à côté de lui.

Peut-être devina-t-il alors tout ce qui s'était passé, au moment où il entendit cette respiration.

Il était allongé sur le dos. Il se tourna péniblement sur le flanc gauche, du côté de l'autre corps. Il avança les pieds, puis les bras, la tête. Ses pieds touchèrent d'autres pieds, son front une épaule, ses mains la ceinture d'un pantalon. Un corps d'homme.

Il avait trop bien montré à Zyto comment fonctionnait le psycho-ordinateur !

Quelle autre explication, sinon la pire? Et quels actes de folie se préparaient encore?

Où était-il? A Louveciennes? Non. Il ne reposait pas sur de la moquette, mais sur une rude surface cimentée.

Dans la cave, chemin du Maréchal-ferrant?

Il voulut parler, chuchoter : « Léonard ! » Il avait oublié le bâillon, le sparadrap, le mouchoir qui l'étouffait. Et qui devait étouffer Léonard...

Dans la cave de sa maison. Il allait le savoir tout de suite. Il fallait agir, lutter pour la vie, pour plusieurs vies, enrayer avant son terme le mécanisme malfaisant. Sauver ce qui pouvait être sauvé. Sauver Marie, qui risquait de connaître le sort de Marianne...

Marianne !

Il se mit sur les genoux et les coudes, et avança ainsi, dans une posture et une progression d'animal, par reptation. Il atteignit un mur, le suivit à gauche, tomba sur des cartons.

Dans sa cave, chez lui. Pourquoi le monstre les avait-ils traînés là ? Qu'avait-il raconté à Marie, quels mensonges compliqués ? Et comment avait-il réussi à transporter l'autre corps ?

Il se cogna bientôt au vieux meuble empli d'habits.

Deuxième carton après le meuble. Il ouvrit ce carton et le renversa, fouilla dans le noir parmi les objets.

Ses doigts se refermèrent sur l'un des sécateurs, pas le plus gros, le moyen.

Il entreprit de trancher les liens de ses chevilles. Du fil électrique. Celui du laboratoire, d'une rare solidité. Poignets

370

serrés, mains maladroites, il eut du mal à faire jouer le sécateur et à libérer ses pieds. Il s'énerva.

Du mal aussi à dégager sa bouche, et décoller le sparadrap sans s'arracher la peau.

Il se mit debout en geignant, courbatu des pieds à la tête, marcha à petits pas en direction de la porte, tâtonna, trouva l'interrupteur.

Il alluma.

L'autre corps était bien celui de Marc. « Son » corps.

Il s'approcha.

Était-ce parce qu'il était certain maintenant d'avoir deviné juste, le visage endormi lui parut empreint d'une expression enfantine. Pareille horreur était inconcevable, inconcevable aussi la malignité de Zyto, son habileté, son obstination dans l'accomplissement d'un programme que le diable lui-même avait dû inscrire au plus inaccessible, au plus secret de sa matière cérébrale !

Quel projet, quel programme ? Marc résista aux images de cauchemar confuses qui cherchaient à l'assaillir et à le paralyser.

Agir, agir !

Il avait besoin de Léonard pour défaire les liens de ses poignets. Seul, il mettrait bien trop longtemps, il n'y parviendrait pas.

Il le délivra d'abord, chevilles, poignets, sparadrap, guettant le moment de son réveil.

Mais Léonard restait endormi.

La douleur provoquée par l'arrachement du sparadrap le fit seulement gémir. Marc sortit doucement le mouchoir enfoncé dans la bouche. Léonard émit alors un marmonnement plaintif, puis il prononça distinctement le mot « maman ».

Oui, deviné juste...

— Léonard ! C'est moi, c'est ton père..., dit Marc.

Léonard l'entendit dans son sommeil. Il murmura :

«Papa ! », puis de nouveau : « Maaaman », puis : « Bébé...»,
le nom de son berger allemand mort.

Marc se sentit troublé, atterré, saisi d'une pitié infinie
pour son fils, bouleversé par son gémissement et son appel,
et à l'idée de la souffrance et de la peur qu'il avait dû subir
cet après-midi. Il exprima cette pitié par un geste vers son
propre corps, vers son propre visage, et un témoin assistant à
la scène aurait vu Michel Zyto poser sa joue contre la joue du
docteur Marc Lacroix, lui murmurer des paroles tendres, et
l'embrasser sur le front.

Et Léonard s'éveilla. Il ouvrit les yeux d'un coup, après
le baiser. Marc s'écarta vivement. Léonard vit qu'il se trouvait à la cave, il sentit et vit que son corps était resté un corps
d'adulte, revêtu des habits de son père – et il vit le visage de
Zyto. Mais il ne cria pas. Il manifesta seulement un grand
étonnement et une grande détresse, puis aussitôt de l'espoir,
car les premiers mots qu'il entendit et que Marc répétait avec
régularité furent : « Vakou, cipaldesse, téranoque », la formule magique, « vakou, cipaldesse, téranoque, on va gagner,
mon Léonard, on va les faire sauver comme des fourmis ! »

Deux personnes au monde connaissaient la formule, pas
trois, deux, son père et lui. Marc parlait, agenouillé :

— Je suis ton père, mon chéri, n'aie pas peur, je suis ton
père. Ne crois pas ce que tu vois, on est comme dans un rêve,
et tu sais pourquoi ? C'est à cause de la machine, la machine
de Louveciennes, tu te souviens ? C'est elle qui a fait tout le
mal, enfin non, c'est les vampires, ils me l'ont volée et ils
s'en sont servis tout de travers, pour nous embêter. Après, ils
nous ont enfermés dans la cave. Mais on va s'échapper, tout
de suite. Ils ne savent pas qu'on connaît la formule magique,
vakou cipaldesse téranoque, ils ne savent pas qu'on a la clé,
cachée dans le carton, là, sous les jouets, ils ne savent pas
non plus qu'on a le sécateur. Tu vois, je t'ai déjà délivré. On
va s'échapper, les faire sauver comme des fourmis, retourner

372

à la machine, et tout remettre comme avant, on va sortir du rêve ! On va gagner, mon Léonard, c'est sûr ! Tiens, coupe les fils !

Spectacle hallucinant, Léonard, une expression enfantine en effet répandue sur son visage d'adulte, buvait les paroles de « l'autre homme », car, malgré les corps différents, il ne doutait pas qu'il eût bien affaire à son père.

Il s'assit.

Il prit le sécateur et trancha les liens.

Puis ils se regardèrent. Au risque de l'effrayer, Marc le serra contre lui.

Mais il ne l'effraya pas.

« L'enfant » avait-il perdu la raison ? Que se passait-il dans son esprit ? Quelles marques profondes, peut-être irréversibles, peut-être fatales, allaient laisser en lui ces terribles moments ?

Marc le prit aux épaules :

— Je vais m'occuper des vampires et je reviens tout de suite. Je vais leur régler leur compte. Tu sais, c'est eux qui ont peur de nous. C'est pour ça qu'ils nous ont enfermés. Ne t'en fais pas, ton papa s'occupe de tout. Ferme les yeux, dors encore un peu, et quand tu te réveilleras, tout sera fini.

Il l'allongea sur le sol. Léonard se laissa faire. Mais il n'avait aucunement l'intention de dormir. Il ne quittait pas Marc des yeux.

Marc se leva, prit la clé de la cave dans le carton, la montra à Léonard tout en se dirigeant vers la porte :

— Je reviens tout de suite, mon chéri.

Il lui tourna le dos, enfonça doucement la clé dans le trou de la serrure.

Le cri qu'il entendit alors fut si puissant, si perçant, si déchirant qu'il crut qu'il mourait, que son cœur s'arrêtait de battre.

Léonard pouvait tout supporter, mais pas que son père le

laisse seul dans cette cave. Dans son cerveau désorienté, incapable de raisonnement, où s'agitaient, grouillaient, se combattaient des mouvements instinctifs bruts et contradictoires, au plus profond de lui-même s'était éveillée une peur ancienne, aussi ancienne que sa propre vie, plus ancienne encore, et il s'était redressé et mis à crier, appuyé sur les mains, le visage levé vers le plafond, à crier comme un animal.

Marc se précipita, le reprit dans ses bras. Léonard se calma instantanément.

Y avait-il quelqu'un dans la maison ? Avait-on entendu Léonard ? Si oui, qu'allait-il se passer ?

— Viens, mon chéri, vite, vite ! Viens avec moi, lève-toi. Appuie-toi sur moi, là, voilà ! Maintenant, tu vas me suivre, d'accord ? Serre ma main bien fort.

Léonard ne répondit pas, ne fit pas une mimique d'assentiment ou de refus, mais il obéit. Il se leva, il suivit Marc.

Marc fit jouer la clé dans la serrure.

— On ne parle plus, mon chéri, d'accord ? On est les plus forts. On va leur reprendre la machine et on va arrêter le mauvais rêve, et tout ira bien. Allez !

Il ouvrit la porte en grand, s'engagea dans l'escalier. Ils montèrent quelques marches. Marc précédait Léonard et lui donnait la main. Léonard s'appliquait à ne pas faire de bruit, comme Marc, il semblait le singer.

En haut, Marc vit qu'il y avait de la lumière.

# 52

«Oui! », répondit Zyto, poussant la porte assez fort pour qu'elle s'ouvre seule.

Marie avait eut le temps de rabattre à la hâte le peignoir bordeaux sur son corps nu. Elle vit Léonard s'avancer dans la chambre, les mains dans le dos, légèrement penché en avant, comme s'il faisait le pitre.

Elle remarqua son œil fixe, son sourire un peu forcé, presque un rictus.

Bien entendu, elle ne fut pas effrayée. Inquiète seulement à l'idée que son fils ne se sentait peut-être pas bien. Et un peu en colère qu'il soit entré en même temps qu'il frappait, sans attendre qu'elle lui réponde, mais le gronder pour de vrai ce soir était hors de question.

— Tu aurais pu frapper, dis donc! Qu'est-ce qu'il y a, tu n'arrives pas à dormir ?

« Je *vais* frapper », se dit Zyto, qui s'était bien fait aux jeux de mots de la maison...

— Non. Je peux m'asseoir un petit moment à côté de toi?

— Bien sûr, mon chéri.

Il s'arrêta au bord du lit. Il eut l'impression d'un retour aux origines de sa vie. Il se dit : « C'est elle ou moi », il ne se dit rien d'autre, il ne pensa à rien d'autre.

Il avait toujours les mains dans le dos.

De sa main gauche, Marie tenait le peignoir serré sur sa poitrine. Elle avança la droite vers la tête de Léonard, pour l'attirer à elle. Tant mieux. Il la voulait à cet instant plus aimante, plus maternelle que jamais.

Le peignoir s'entrebâilla de trois ou quatre centimètres au niveau du nombril.

C'est là, en plein nombril, qu'il porta le premier coup de couteau.

Il posa le genou gauche sur le lit, son corps tout entier pivota, il fit accomplir à l'arme une trajectoire de plus d'un quart de cercle et la planta jusqu'au manche dans le ventre de sa mère.

Vite, il retira le couteau.

Avant toute sensation de douleur, Marie perçut la lame rougie, les gants, elle reconnut les gants dont Léonard s'était servi pour jouer au flipper chez Martial.

Elle fut incrédule une fraction de seconde. Puis elle inspira profondément et ouvrit la bouche pour hurler le nom de son fils, Léonard, mais « Léonard » ne lui en laissa pas le loisir: malgré un gigotement frénétique des bras et du torse qu'elle eut pour le repousser, il lui enfonça le couteau dans la bouche, au moment où elle allait crier, blessant atrocement la langue et le palais.

Il enfonça la lame jusqu'au fond de la gorge.

Marie cessa presque de bouger, animée seulement de soubresauts.

D'un bond preste, Zyto s'agenouilla sur le lit. Poussant toujours sur la lame, il écarta le peignoir et arracha le léger slip blanc à rayures bleues qui ne tenait que par un fil sur les côtés. Marie, les yeux exorbités, comme s'ils allaient vraiment jaillir de son crâne, parvint à refermer ses mains sur la main de l'enfant et essaya d'éloigner le couteau.

Mais Zyto tenait bon. Il ne cédait pas un millimètre. Il haletait. Il regarda le visage monstrueusement déformé de Marie, puis son ventre, ses longues cuisses, le triangle de poils noirs où affleuraient, bien serrées, les lèvres roses de la vulve.

Il était agenouillé entre ses jambes.

Son sexe d'enfant s'était dressé et durci. Il voulut faire avec Marie ce qu'il n'avait pu faire avec Marianne, c'était le moment, pendant qu'elle mourait.

Il défit le bouton de son pyjama.

Marie comprit. Le sang coulait de sa bouche. Son horreur prit des proportions infinies. Elle lâcha la main de «Léonard» et s'affaissa, privée de connaissance.

Zyto retira le couteau.

Il écarta les jambes de Marie, la droite, la gauche, aussi loin que possible. Il aurait aimé se débarrasser complètement du peignoir, mais c'était trop compliqué. Il se déshabilla lui-même, il ôta son pyjama, pantalon et veste.

Il se coucha sur elle. Sa main restait crispée sur le manche du couteau.

Il la pénétra facilement, son petit sexe dur comme fer s'enfonça dans l'épaisseur des poils et des chairs douces.

Il s'agita avec frénésie.

Aussitôt, tant il était excité, tant était immense et exaltée sa volonté d'accomplir ce qu'il accomplissait, et si impérieux les ordres transmis par son cerveau à ses tendres rouages génitaux à peine aptes pourtant à exécuter ce qu'on leur demandait, aussitôt une goutte de semence, la première que son corps d'enfant eût jamais fabriquée, lui brûla les entrailles, sembla bouger, se déplacer, le traverser de plus en plus vite, provoquant une sensation de plus en plus agréable, et une convulsion de plaisir fugace mais bien perceptible quand elle sortit de lui et se déposa dans le ventre de Marie.

Il sanglotait presque de joie.

Il avait inversé quelque mécanisme redouté depuis toujours.

Il venait de s'engendrer lui-même, et de naître, pour de bon, pour de vrai, se dit-il, il s'était engendré lui-même, il était né enfin !

Marie reprit faiblement conscience. Elle souffrait, sa gorge surtout, une douleur insupportable, un feu qui la dévorait, jusque dans son ventre, même ses jambes lui semblaient en feu.

Elle sentit le poids du corps sur elle, la chatouille des cheveux sur sa poitrine.

Léonard sur elle, en elle, Léonard qui l'avait tuée, poignardée, violée !

Elle aspira l'air. Elle ouvrit grande sa bouche mutilée. Et elle poussa le cri qu'elle n'avait pu exprimer jusqu'alors, un cri de mort et de terreur pour éloigner la mort et la terreur, la folie, le désespoir, un hurlement aigu, éraillé, atroce, que lui arrachait une souffrance physique et morale sans limites.

Zyto, assourdi, glacé de surprise et d'effroi, sursauta et s'agita soudain, comme une bestiole quand on soulève la pierre sous laquelle elle stagne depuis des mois, perdue dans on ne sait quel rassasiement répugnant.

Il brandit le couteau et le lui enfonça dans le sein gauche.

Marc posait le pied sur la sixième marche de l'escalier lorsqu'il entendit le hurlement. Il s'arrêta, paralysé. Quel abominable désastre...?

Marie.

Léonard reconnut sa mère, il sut que c'était sa mère, il

le sut instinctivement et, instinctivement, rejetant la tête en arrière comme il l'avait fait dans la cave, il poussa lui aussi un cri, une sorte de réponse par laquelle il voulait lui manifester son propre malheur et son désir d'être auprès d'elle.

Marc, affolé, se retourna et lui mit la main sur la bouche.

— Non, Léonard ! Il ne faut pas ! Lâche ma main, mon chéri, tu me serres trop fort...

Tout en parlant, il tentait de dégager sa main droite.

— Lâche-moi, Léonard, dit-il plus durement.

Léonard ne lâchait pas, sa main était soudée à celle de son père.

D'un mouvement violent de tout le bras, Marc échappa à son étreinte et se précipita dans l'escalier.

Sans hésiter, avec une surprenante vivacité, Léonard se lança à sa suite.


Le cri était beaucoup plus proche et distinct que celui que Zyto avait perçu avant d'entrer dans la chambre. Cette fois, c'était eux. Ils avaient réussi à s'échapper de la cave. Comment? Peu importait. Au contraire, ils allaient rendre sa mise en scène plus simple, plus vraisemblable. Qu'ils viennent!

Il retira le couteau et, sans réfléchir, porta avec rage un dernier coup, entre les jambes de Marie, entre les lèvres du sexe à peine dérangées par son faible coït, il le planta là jusqu'à la garde.

Marie tressauta légèrement, tourna la tête de côté et se mit à émettre de petits gémissement rapides et rapprochés.

Zyto ne s'occupa plus d'elle. Il se rua hors de la pièce.

En trois bonds il fut dans la chambre de Léonard. Il s'empara des armes, une dans chaque main, le pistolet suisse 9 mm dans la droite, le Colt.38 dans la gauche, et il se posta près de la porte de la chambre entrebâillée.

Un instant plus tard, il entendit les autres arriver à pas précipités.

Il se sentait fort, galvanisé. La troisième partie de son plan allait s'accomplir. Un plan admirable, aussi admirable dans son genre que le psycho-ordinateur de Marc !

Il sortit, braquant les deux armes, hurlant :

— Arrêtez !

Marc saisit le bras de Léonard et s'arrêta net, foudroyé par cette vision d'enfer, par cet enfant qui leur barrait le passage, nu, avec des gants pour seul habit, le torse et le visage barbouillés de sang. *Son* enfant, son fils, le corps de son fils, nu, sanglant, avec son sexe fin encore à demi dressé...

La porte de la chambre conjugale était ouverte.

Marie était-elle morte, ou blessée seulement ?

Il devina ce qui allait se passer maintenant.

Zyto, le malade mental en fuite, s'était introduit chez les Lacroix, il les avait assommés, il avait violé et tué l'épouse. Puis le docteur Lacroix et lui s'étaient entretués. L'enfant, par miracle, avait seul survécu au massacre.

L'enfant. Seul, libre, l'éternité devant lui...

Marc avait immédiatement reconnu les deux armes. Le Colt.38, « son » Colt.38, le revolver qu'il s'était procuré rue Véron. Et le pistolet suisse. Marc Lacroix et Michel Zyto allaient s'entretuer : le monstre allait tirer sur Marc, sur le corps de Zyto, avec le pistolet. Avec l'arme du docteur Lacroix. C'est pourquoi il brandissait les deux armes.

Donc le salopard ignorait toujours que le pistolet tirait des cartouches à blanc.

Un petit espoir pour Marc, le dernier.

Zyto, vigilant, bras tendus, les tenait tous deux en joue, Marc à sa droite, Léonard à sa gauche.

Léonard, hypnotisé par le monstrueux petit lui-même qu'il avait en face de lui, s'était transformé en statue de pierre. Oui, son père avait raison, ils vivaient dans un rêve, un rêve semblable à ceux qu'il avait faits à l'hôtel, la dernière nuit, après qu'il avait regardé les gens sur l'écran de télévision, et écouté à la cloison. Et, comme à l'hôtel, il allait se réveiller – peut-être à l'hôtel ? – et il irait se promener avec sa mère sur la belle place.

Quatre ou cinq secondes au plus s'étaient écoulées depuis l'apparition du monstre métamorphosé en Léonard. Marc s'apprêtait à se ruer sur lui, Zyto tirerait avec l'arme chargée à blanc, et...

Deux mètres les séparaient.

Zyto devança Marc. Pendant ces quatre ou cinq secondes, il l'avait bien ajusté, visant au cœur. Sans bouger, sans que rien dans son regard ou son attitude indiquât son intention, il appuya sur la détente du pistolet.

Il n'éprouva pas de regret. Il tira sur son propre corps, conscient qu'après ce coup de feu, « Zyto » n'existerait plus, plus jamais.

L'arme, fabriquée pendant la guerre, n'avait certes pas été conçue pour être silencieuse. La détonation, dans ce premier étage bien clos de la maison isolée, fut fracassante. Marc, surpris, les nerfs à vif, étourdi par le vacarme, ferma les yeux malgré lui, tout en ayant le réflexe de porter les mains à sa poitrine, comme s'il était touché. Zyto continua d'agir avec l'insensibilité et l'efficacité de robot dont il faisait preuve depuis qu'il était ressorti du sous-sol de Louveciennes. Sans se laisser impressionner par le bruit, il lâcha le pistolet sur la moquette et fit passer le Colt.38 dans sa main droite. C'est avec cette arme qu'il tirerait sur l'autre, sur le corps de Marc Lacroix, sur Léonard.

Et Léonard, désormais, ce serait lui !

Marc ouvrit les yeux. Il vit la main droite de Zyto se refermer sur la crosse du Colt. Il feignait de s'écrouler, mais il prenait un bon appui sur la jambe droite, se préparait à se jeter sur Zyto avant qu'il ne tue Léonard, avant qu'il ne détruise son fils, et son corps à lui, Marc...

Mais quelque chose se produisit.

Après le coup de feu, à l'instant où Marc simulait sa mort, Léonard se mit à hurler.

Ce n'était pas à cause de la détonation.

Il élevait le bras, il désignait un point plus loin dans le couloir, derrière Zyto.

Zyto tourna la tête, Marc regarda aussi.

Marc connut alors le pire de ce qui lui était destiné.

La lame n'avait pas atteint dans le cœur.

Marie, animée d'un reste de vie et d'une volonté surhumaine de comprendre ce qui se passait, de mettre fin au cauchemar, d'être secourue, d'être sauvée, Marie Lacroix était parvenue à se traîner jusqu'à la porte de la chambre.

Elle se tint là une demi-seconde, debout, bien droite. Le peignoir bordeaux semblait la peau rouge foncé d'une métamorphose, une peau qui se détachait d'elle. Et le sang continuait de ruisseler en réseaux compliqués sur son visage, sa poitrine, son ventre, ses jambes, comme une armée d'effroyable vermine liquide.

Le couteau était resté fiché entre ses jambes. Le manche dépassait de son sexe et, à son extrémité, le liquide rouge gouttait.

Le temps sembla suspendre son cours pendant la durée de l'apparition.

Puis, emportant dans la mort sa peur, son désir de savoir et son espérance, elle s'abattit en avant d'un coup, face contre terre.

Quelque chose se rompit, le temps recommença de s'écouler.

Marc se jeta sur Zyto en hurlant.

Zyto se retourna au même instant. Stupéfait, il fit feu avec le Colt.38.

382

Marc sut qu'il était touché. Il s'empara du poignet de Zyto et le secoua comme s'il cherchait à étrangler un serpent. L'arme vola et glissa près du corps de Marie. Zyto se débattait, donnant des coups de pied, le visage déformé par la hargne. Marc le repoussa de toutes ses forces. L'enfant tomba en arrière, si fort que le sol en fut ébranlé. Mais, dans son acharnement, il se retourna aussitôt sur le ventre et se mit à ramper en se tortillant, le bras tendu vers le revolver.

Marc, émettant une sorte de grognement continu, s'avança d'un pas, prit un véritable élan et décocha à Zyto deux coups de pied d'une brutalité qu'il ne contrôla pas. Le premier atteignit l'enfant en plein front, entre les yeux, le second au milieu du corps, sur le sexe, maintenant tout petit et flasque. Zyto poussa un glapissement, se replia sur lui-même et s'évanouit.

Marc résista à la folie qui l'envahissait. Ce corps sur lequel il s'acharnait était celui de son fils. Il leva les yeux. Léonard était resté à la même place et ne regardait rien de particulier. Après son cri, il avait retrouvé son immobilité et son impassibilité de statue.

Puis Marc se rendit compte qu'il avait mal et qu'il saignait. Le sang mouillait ses cuisses. Il baissa la tête. Il avait reçu la balle dans le bas-ventre. Combien de temps pourrait-il tenir ?

Vite, il examina Marie – morte, irrémédiablement morte – et le corps de l'enfant. Les endroits où Marc l'avait frappé, gravement meurtris, prenaient déjà une teinte plus foncée, la racine du nez, les yeux, l'entrejambe. Mais les soins pouvaient attendre. Il le faudrait bien.

Il dit à Léonard, d'une voix rauque :

— Viens avec moi, mon chéri, je vais à la salle de bains me laver les mains.

Il n'avait pas l'intention de se laver les mains. Il avait dit les mots qui lui venaient, les plus simples, sans réfléchir, pour dire quelque chose à Léonard.

Léonard l'accompagna comme un somnambule.

Marc ne se lava pas les mains, mais, devant Léonard qui regardait sans voir, il glissa un paquet de coton entier entre son pantalon et la plaie, et se fit une piqûre de Matargyl contre la douleur. C'était mieux que rien.

Il tiendrait bien deux ou trois heures. Il tiendrait bien le temps nécessaire pour faire ce qu'il avait à faire. Il le fallait. Il le fallait absolument.

De retour dans le couloir, toujours suivi de Léonard, il souleva Zyto évanoui. Il n'arriverait pas à le porter long-temps. Il avait trop mal au ventre. Ce serait dangereux.

Il eut une idée : il tendit le petit corps à Léonard qui le prit dans ses bras et le serra contre lui, sans hésitation, sans peur, sans dégoût.

— Viens, suis-moi ! lui dit Marc.

Et Léonard le suivit. Il obéissait à son père.

Ils descendirent l'escalier.

Ils allèrent au garage. Le Nissan Terrano n'était pas là. Zyto avait dû le cacher quelque part, pour les besoins de sa mise en scène. Où? Sûrement pas loin de la maison. L'Austin de Marie ferait l'affaire. Marc installa Léonard à la place du passager. Il l'aida à asseoir le corps d'enfant devant lui, contre lui, sur le rebord du siège, les fesses entre ses jambes écartées.

Puis il se mit au volant et démarra.

Il s'engagea dans le chemin du Maréchal-ferrant.

La douleur était supportable. Il tiendrait le coup. Il se le jura. Il tiendrait le coup!

Il irait à Louveciennes et il en reviendrait.

# 53

Et Marc se tint parole à lui-même. Il fit ce qu'il avait prévu, au prix de fatigues physiques et d'une tension de l'esprit inhumaines, au prix d'un calvaire dont le monde ne saurait jamais rien.

Car personne jamais n'aurait connaissance de sa machine. Marc l'avait décidé quand il avait su Marie morte.

Il détruirait sa machine. Il haïssait la gloire et la fortune illimitées qu'elle pouvait lui procurer. Il la haïssait d'être à l'origine du désastre.

Et il se haïssait lui-même de l'avoir fabriquée. Elle resterait son secret, et ce secret pourrirait en lui, dût-il le pourrir en même temps !

Michel Zyto, un patient du docteur Lacroix, un malade mental dont on n'avait pas mesuré toute l'étendue de la démence, Michel Zyto s'était introduit chez le docteur Lacroix le soir du samedi 6 août. Sous la menace d'une arme, il avait brutalisé, assommé les membres de la famille Lacroix. Il avait ligoté le docteur et son fils. Puis il avait tué d'abominable façon Marie Lacroix, l'épouse. Marc Lacroix était parvenu à se libérer. Il ne possédait qu'un pistolet d'alarme chargé de cartouches à blanc, mais il avait pu surprendre le fou et, dans le combat qui avait suivi, il avait réussi à s'emparer de son revolver et à le blesser. Immédiatement après, sous l'effet des coups et de l'émotion, il s'était évanoui de nouveau, il n'aurait su dire combien de temps. A son réveil, il avait appelé la police.

Tous les indices matériels, Marc les avait arrangés pour qu'ils concordent avec sa version de l'histoire. Et il avait prévu toutes les questions qu'on pourrait lui poser, et toutes les réponses. Le désir farouche de ne pas parler de la machine le soutint. Il agit et réfléchit avec une rapidité, une efficacité et une lucidité sans faille.

Il avait retrouvé facilement le Nissan Terrano, dans le petit bois, et l'avait garé dans la cour.

Dernière vérification avant d'appeler la gendarmerie de Versailles, dans la pièce où il n'avait pas encore osé entrer, la chambre conjugale.

Il vit le lit défait, les draps imprégnés de sang.

Il vit le signet en cuir posé sur *l'Odyssée*.

Et il trouva, à gauche du lit, le pyjama de Léonard. Il le ramassa. « J'ai déshabillé mon fils, je l'ai examiné en vous attendant, je lui ai donné les premiers soins. »

Il sortit de la chambre. Il dut enjamber le corps de sa femme. Une énorme tache de sang faisait une auréole autour de sa tête.

Plus loin dans le couloir était étendu Michel Zyto, sur le côté, évanoui. Il semblait dormir. Il allait mourir bientôt. Marc ne le regarda même pas et entra dans la chambre de Léonard.

L'enfant reposait sur son lit, allongé sur le dos. Seules ses mains, débarrassées de leurs gants, étaient vierges de sang. Une grosse compresse était posée sur le haut de son visage, dissimulant les yeux, une autre sur ses organes génitaux. Quand il était revenu à lui sur le trajet du retour, le fait de se retrouver dans son vrai corps, d'avoir à côté de lui le père qu'il connaissait depuis toujours et qui lui murmurait sans cesse des paroles de réconfort n'avait rien changé à son état. Il n'avait pas prononcé un mot. Il ne répondait pas aux questions. Il ne se plaignait même pas d'avoir mal, alors qu'il devait avoir très mal. Il était resté muré dans une passivité totale.

Marc éprouva encore de la répulsion. Il voyait encore en Léonard la malfaisante petite créature d'enfer qui lui était apparue deux heures auparavant dans le couloir du premier étage de sa maison, ensanglantée, lubrique et prête à tuer.

Cela passerait. Il faudrait du temps. Ou cela ne passerait pas. L'éternité ne serait pas suffisante.

Il jeta le pyjama sur le sol et s'approcha du lit.

Le sort lui avait réservé un dernier coup.

Léonard ne respirait plus. Il avait cessé de vivre. Ce n'était pas ses blessures, ses blessures n'étaient pas mortelles. Il était mort de trop d'horreur. Peut-être avait-il attendu de retrouver son corps d'enfant pour mourir.

Trop d'horreur et de folie, Léonard avait préféré mourir.

Marc quitta la chambre. Il sortit le Colt.38 de sa poche. Il s'approcha de Zyto. Il lui donna de petits coups de pied du bout de sa chaussure. Zyto se réveilla. Il ouvrit péniblement les yeux. Son regard clair se posa sur Marc. Marc était debout à côté de lui. Il tendait le bras et le visait en pleine tête.

Les deux hommes restèrent quelques secondes les yeux dans les yeux. Zyto était incapable de se défendre. Surmontant sa souffrance, il adressa à Marc un vague sourire sans ironie, l'ombre du beau sourire qui adoucissait ses traits.

Marc ferma les yeux et appuya deux fois sur la détente.

La première balle s'enfonça dans l'œil droit, la deuxième au milieu du front.

« On était tous les deux évanouis. Il s'est réveillé un peu avant moi. Je l'ai vu qui s'approchait, il allait me tuer. Je me suis emparé de l'arme et j'ai tiré. J'étais affolé. Je n'avais pas le choix. »

En descendant l'escalier comme un automate, Marc se souvint que sa mère disait toujours, quand elle était très fatiguée : « Mon pauvre Marc, je marche parce que c'est la mode ! »

Il s'effondra dans le canapé. Il regarda sa montre, la montre de son père: une heure du matin. On était dimanche. Plus de deux heures s'étaient écoulées depuis son évasion de la cave.

Il composa le numéro de la gendarmerie.

Dès qu'il eut raccroché, le téléphone sonna.

C'était Martial, étonné, légèrement anxieux.

— Marc ? Alors? Vous êtes déjà rentré de Lyon ?

Marc ne répondit pas tout de suite. Il fallait abuser Martial, fournir un dernier effort de concentration mentale.

— Qu'est-ce qu'il y a, Marc ? Pourquoi vous ne dites rien? Ça s'est mal passé, avec l'otage ?

Marc comprit. En un éclair, il comprit la ruse de Zyto, il devina dans ses grandes lignes l'histoire que Zyto avait dû raconter pour justifier l'éloignement de Marc pendant quelques heures.

Il réfléchit très vite. Il devait inventer une autre histoire, neutraliser les inventions de Zyto.

— Je ne suis pas allé à Lyon. A la gare, on m'a dit que ce n'était pas Zyto, mais quelqu'un qui lui ressemblait: Un fou. Un autre fou qui me connaissait, qui m'avait consulté à Sainte-Anne. Et qui avait vu Zyto à la télévision. Quand il a remarqué qu'il était suivi par la police, il a eu l'idée de se faire passer pour Zyto. Un fou. Une coïncidence. Incroyable, mais c'est comme ça. Ça a marché un moment. Il a même pris un otage. Ne parlez pas de cette histoire à la police ni à personne, Martial. Ils m'ont dit à la gare qu'ils allaient essayer de ne pas trop l'ébruiter, si c'est possible, et si j'étais d'accord. Trop d'erreurs policières en ce moment.

Martial goba le mensonge sans s'y attarder une seconde. Il pensait à bien autre chose. Il était effrayé par la voix de Marc, sourde, monocorde, une voix d'outre-tombe. Et il trouvait Marc trop bavard.

— Marc... on dirait que vous parlez pour me cacher quelque chose. Il s'est passé quelque chose? Quelque chose de grave ?

— Oui, dit Marc dans un souffle.

Et il lui raconta.


Un peu plus tard, la police arriva, puis Martial et Marie-Thérèse.

# 54

Dès l'instant où les Cazanvielh retrouvèrent Marc, et pendant les dix jours qui suivirent, ils s'occupèrent de lui comme d'un enfant, et Marc se laissa complètement prendre en charge par eux. Ils l'hébergèrent dans leur grande maison de l'impasse des Soldats, à Versailles, dès la nuit du samedi au dimanche. Ils l'entourèrent de soins, ils accomplirent à sa place ou lui allégèrent autant qu'il était possible toutes les corvées, toutes les formalités. Pour ce qui concernait l'enquête, elles furent d'ailleurs réduites : le cas était simple, les indices et les preuves d'une concordance et d'une clarté qui ne laissaient pas place au doute, et l'affaire ne traîna pas.

L'enterrement, civil, de Marie et Léonard Lacroix eut lieu le 9 août au cimetière de Versailles, dans la plus stricte intimité, selon la formule consacrée. Seuls furent présents Gertrude et Marc Leleu, les parents de Marie, Louis, leur autre enfant, Hugues d'Oléons, son bon gros visage ravagé par le chagrin, et bien sûr Martial et Marie-Thérèse, qui ne lâchaient pas Marc d'une semelle.

Marc tenait le coup. Martial et Marie-Thérèse s'en

étonnaient presque. Ils en parlaient entre eux le soir, dans leur lit et leur chambre d'opérette. Ils craignaient un effondrement soudain, plus tard. Dans ce même lit, il leur arrivait de pleurer en cachette la mort de Marie et de Léonard. Ensuite, la crise de chagrin passée, ils faisaient volontiers l'amour. Jamais ils ne firent tant l'amour que pendant le séjour de Marc chez eux.

Il n'y eut pas d'effondrement soudain. L'esprit de Marc était envahi par l'obsession de mettre sa machine hors d'usage. Dès le surlendemain de l'enterrement, sous le prétexte qu'il avait besoin de sortir un peu, d'être seul, et que rouler lui ferait du bien, il se rendit à Louveciennes avec le Nissan Terrano.

Tout d'abord, il brûla au bord de l'étang les plans et les notes concernant son psycho-ordinateur, une masse impressionnante de feuillets qu'il avait enfermés dans un coffre-fort, au deuxième étage de la maison, dans une pièce qui avait été jadis le bureau de son père. Puis il s'en prit à la machine elle-même. En moins d'une demi-heure, il arracha tous les fils, débrancha, déconnecta, séparant chaque appareil des autres et provoquant ainsi comme l'arrêt des fonctions vitales, la mort immédiate.

Il retourna à Louveciennes chaque après-midi entre le 11 et le 16 août. Il ne restait pas absent trop longtemps, une heure et demie environ, parce qu'il n'avait guère de forces et pour ne pas inquiéter Martial et Marie-Thérèse.

A l'exception de ces sorties, il vécut enfermé dans leur maison, assis la plupart du temps, attendant que les heures passent, perdu dans ses ruminations. Marie-Thérèse lui proposa souvent de se faire examiner par un médecin, il refusa. Il refusa également une invitation polie de ses beaux-parents à aller quelque temps à La Colle-sur-Loup. Il ne voulait voir personne, pas même Hugues d'Oléons, qui téléphonait parfois, mais, curieusement, ne manifestait pas lui-même le désir d'une rencontre. Il mangeait normalement, pas moins que d'habitude, et dormait sans médicaments. Les Cazanvielh lui avaient préparé une jolie chambre donnant sur le jardin et ses hôtes de pierre.

Chaque jour, il examinait la blessure au front de Marie-Thérèse, cette blessure dont il se sentait responsable, et il appréciait avec plaisir les progrès de la guérison.

Il recevait son courrier impasse des Soldats. Martial avait fait le nécessaire à la poste. Il consacra deux matinées à répondre aux lettres de condoléances, tâche dont il s'acquitta sans chagrin visible.

De temps en temps, Martial parvenait à l'entraîner dans une petite conversation. Il n'osait pas proposer de partie d'échecs. Lui-même n'en avait pas vraiment envie.

Dès le lundi 7, Marc avait pris l'habitude de lire le journal. Il guettait quelques lignes concernant Marianne.

Le 12, un fait divers retint son attention : il connaissait « bien » la victime, puisqu'il s'agissait de Jacquot. Amédée Hamond, dit Jacquot, avait été assommé et étranglé la veille, pendant qu'il prenait son petit déjeuner. Au même moment, un deuxième agresseur faisait subir le même sort au locataire de Jacquot, un Sicilien nommé Michelangelo Pininfarina. Jacquot avait failli à sa prudence habituelle. Ou plutôt, il avait sans le savoir posé un pied dans un monde qui n'était pas le sien : Michelangelo Pininfarina, petit maffioso de Catane, avait été condamné à mort par ses chefs. Les deux tueurs étaient à ses trousses depuis neuf jours. Aussi muets et aussi sourds que Jacquot lui-même, ils n'avait pas fait de détail. Ils auraient égorgé une colonie de vacances s'ils avaient trouvé une colonie de vacances entassée dans le triste pavillon de la rue Piat.

Le 14, la police découvrit le cadavre de Marianne Matys.

Une de ses copines comédiennes, qui croyait (à tort)

avoir rendez-vous avec elle ce jour-là pour déjeuner, qui voyait du drame partout et que d'ailleurs Marianne n'aimait pas trop, cette copine s'alarma de ne pas obtenir de réponse à ses coups de sonnette et à ses coups de fil. En l'occurrence, elle eut raison de prévoir le pire, et même la réalité dépassa ses craintes, ou ses espérances.

L'inspecteur chargé des premières constatations fit aussitôt le rapprochement avec l'affaire de Versailles. Mais l'examen des empreintes ne révéla rien, de plus Zyto était mort, on ne pouvait plus l'interroger, les personnes à qui on montra sa photo ne le reconnurent pas, ou ne savaient pas, et le rapprochement n'alla pas plus loin, comme Marc s'y attendait.

Il apprit la nouvelle le 15. Pour la suite de l'enquête, il ne craignait rien. Il était insoupçonnable. Sa liaison avec Marianne avait été parfaitement secrète, il n'avait jamais été vu avec elle, et dans la cour du 14, rue du Faubourg-Saint-Honoré, qui desservait des bureaux et quatre montées d'immeubles, défilaient chaque jour des dizaines et des dizaines de locataires, visiteurs, employés. Établir le moindre rapport entre Marc et Marianne était du domaine de l'impossible.

D'ailleurs, Marc n'était pas inquiet. Il n'était plus inquiet de rien. Certain maintenant que sa machine resterait à jamais son secret, il se moquait des autres choses.

Dès le 11, en effet, personne n'aurait su dire à quoi servait ce matériel électrique, informatique et électro-magnétique entassé dans le sous-sol de Louveciennes. L'ensemble représentait une fortune. L'idée effleura Marc de faire don des ordinateurs et des aimants supraconducteurs au Centre de recherches où il travaillait, avenue de Verdun. Mais il y renonça. Son obsession profonde s'y opposait. Son obsession profonde était que tout disparaisse, que rien ne soit récupéré et utilisé. Pour être libérateur, le châtiment devait être à la mesure du mal engendré par la machine, total.

Jour après jour, il continua donc de démonter avec méthode, de disséquer élément par élément, de tout réduire en aussi petites unités qu'il était possible, et ensuite il détruisit, avec un morne acharnement, il cassa, brûla, jeta, dans deux décharges publiques, jusqu'à ce qu'il ne reste plus rien. Il se débarrassa également des sièges, de la petite table ronde, du petit réfrigérateur, de son autoportrait, de tout.

Il abattit même la cloison qui séparait le sous-sol en deux parties. Supprimer cette cloison lui était soudain apparu comme aussi urgent et nécessaire que le reste.

Le 16, à cinq heures de l'après-midi, il avait achevé la destruction complète de son œuvre. Il en éprouva une amère jouissance, le sentiment d'une délivrance, mais qui le laissa nu et démuni.

# 55

Le 17 au matin, sortant de son lit, il eut un vertige. Il tomba et resta dix minutes sans connaissance. Martial appela un médecin. Son pouls était imperceptible, sa tension artérielle était descendue à six.

Il fut transporté à sa demande à l'hôpital Lariboisière, au service de médecine générale du professeur Douot, qu'il connaissait par Cédric Houdé et qui avait repris son travail après les fêtes du 15 août. Durant quatre jours, on fit à Marc toute une série d'examens. Ils ne révélèrent rien, aucune anomalie, sinon un état d'épuisement extrême qui ressemblait, lui dit Éric Douot, à celui d'un homme ayant passé entre six mois et un an dans un camp de concentration. Repos total dans un établissement spécialisé où on lui administrerait toniques divers, vitamines, éventuellement antidépresseurs, il n'y avait rien d'autre à faire. Une amie d'Éric Douot, le docteur Catherine Hamer, dirigeait un tel établissement à Meudon. Elle était formidable, l'endroit était formidable, si Marc voulait...

Marc fut d'accord. Le 21, on le conduisit en ambulance

à la clinique Angèle-Leclair, au numéro 100 de l'avenue Angèle-Leclair à Meudon. On l'installa dans une superbe chambre donnant sur un parc dont Marc ne pouvait voir les limites tant il était vaste et bien fourni en hauts arbres.

Éric Douot n'avait pas menti: Catherine Hamer, une brune un peu forte, de l'âge de Marc, était une femme formidable et un médecin de premier ordre. Elle connaissait Marc de réputation depuis longtemps. Le soir de son arrivée, elle vint le voir dans sa chambre après le dîner et parla une heure avec lui. Ils déterminèrent ensemble le traitement que Marc devait suivre. Marc refusa tout médicament psychotrope.

— Pas même un peu de Minotaryl ? demanda Catherine Hamer en souriant.

Le Minotaryl était l'antidépresseur que Marc avait lui-même mis au point des années auparavant et qui, en inhibant de façon radicalement nouvelle (par à-coups violents) l'activité de la monoamine-oxydase, calmait dans certains cas les ruminations paralysantes des obsessionnels.

Entre le jour de l'enterrement et le jour de son admission à la clinique, il avait perdu six kilos. Il en perdit six autres dans les jours qui suivirent. Son visage, mince de nature, ne porta pas trop les traces de cet amaigrissement. Et ce visage, au dessin pur et original, acquit plus de beauté encore. Le regard prit une profondeur et une intensité frappantes, un rayonnement qui troublait et auquel on avait du mal à s'arracher.

Puis l'amaigrissement cessa. Marc regagna du poids petit à petit.

Il passa deux mois à la clinique. Catherine Hamer s'occupa de lui personnellement, chaque jour. Elle avait compris une chose importante: Marc savait mieux que quiconque ce qui était bon pour lui. Elle trouvait qu'il sortait trop peu de sa chambre, qu'il ne communiquait pas assez avec les autres pensionnaires, fût-ce pour échanger des banalités sur le temps ou la nourriture (admirables l'un et l'autre), mais elle lui ficha la paix sur ce sujet comme sur d'autres.

Martial et Marie-Thérèse lui rendirent des visites quotidiennes et parfois biquotidiennes. Ils venaient par affection pure, fidèle, absolue. Mais aussi, profondément affectés par la perte de Marie et de Léonard, ils avaient besoin de passer du temps avec Marc, de partager leur douleur avec lui. Cela les soulageait, et Marc également. Il n'oublierait jamais à quel point ils avaient adoré Léonard .

Et il savait combien Martial avait aimé Marie.

Il demandait parfois des nouvelles de Cookie, mais il ne souhaita pas revoir le westie.

Chaque début de mois, Marc pensait à envoyer un chèque à la pension pour chiens de Neuilly où il avait laissé Mana. Il avait autorisé le propriétaire du chenil à céder le dogo pour rien à quiconque serait intéressé.

Il ne parlait jamais des événements. Et il n'y eut jamais de moments pénibles, à une exception près. Un soir, les Cazanvielh dînèrent dans un restaurant de Meudon, puis ils rejoignirent Marc dans sa chambre pour regarder avec lui à la télévision un film américain de William Friedkin, dont l'action se passait à Los Angeles et que Martial adorait. Plus tard, ils parlèrent du film et burent du jus de fruit (fourni régulièrement à Marc par Marie-Thérèse, et provenant d'un magasin diététique de Versailles), puis Martial et Marie-Thérèse prirent congé. Et Marc, qui n'avait pas versé une larme depuis la disparition de sa famille, s'assit sur son lit et se mit soudain à pleurer. Marie-Thérèse vint près de lui, le prit dans ses bras et s'abandonna aux larmes qu'elle avait toujours retenues en sa présence. Martial s'approcha d'eux, les yeux humides. Il leur caressa les cheveux de ses deux mains, une main pour Marc et une pour Marie-Thérèse, en un geste apaisant qu'il répéta durant deux bonne minutes, jusqu'à ce que la crise soit passée.

Ce même soir, avant de partir, Martial et Marie-Thérèse proposèrent à Marc de venir s'installer chez eux, à sa sortie de clinique, s'il le désirait. Marc refusa. Il faillit pleurer à nouveau. Il n'avait pas encore bien réfléchi à ce qu'il ferait après, leur dit-il. En tout cas, il n'habiterait plus Versailles.

Hugues d'Oléons lui fit également quelques visites. Timide et maladroit hors de son bureau, hors du fauteuil pivotant qui faisait presque partie de lui-même, il était décontenancé par le malheur de Marc. Il ne savait trop que lui dire, si bien qu'un léger malaise pesa parfois sur leurs rencontres. Marc se rendit compte un jour que quelque chose avait changé dans ses dents de devant, deux d'entre elles étaient toutes blanches. Hugues, presque gêné, expliqua qu'il se faisait poser des dents à tenon, huit, incisives et canines. Il avait été frappé par les nouvelles dents de mademoiselle Ledru et, ma foi, il avait décidé qu'après tout...

Il avait pris l'habitude d'embrasser Marc quand il repartait, comme s'il voulait compenser et se faire pardonner par cette manifestation affectueuse intense le vide de la conversation qui avait précédé.

Les parents de Marie vinrent deux fois.

Cédric Houdé, au visage de bon gangster, quatre fois. La troisième, il dit à Marc :

— Plus de problème d'oreille ?

— Non, dit Marc. Pas pour le moment.

— Parfait. C'est très bizarre, ces neurinomes. Peut-être que les choses vont rester en l'état à perpète.

— Peut-être, dit Marc. J'en suis même certain. Enfin, j'ai confiance.

Cédric Houdé avait trouvé près de Tarascon la clinique

de ses rêves. Il quitterait Paris dans les mois à venir.

Pas d'autres visiteurs. Marc avait chargé Martial et le docteur Hamer de le protéger, de faire barrage. Il ne voulait voir personne pour le moment.

A la mi-septembre, il fit part à Martial de deux décisions qu'il avait prises. La première était de renoncer à toute activité professionnelle, quand il serait sorti, et de se remettre à peindre. La deuxième, de vendre tous ses biens, sa maison et celle de ses parents, y compris les meubles, y compris sa bibliothèque, et de s'acheter un bel appartement à Paris.

— Dans quel quartier ? dit Martial.

Marc réfléchit, puis leva la tête et déclara, comme un simple d'esprit frappé par une lubie:

— Champs-Élysées. Oui, Champs-Élysées.

— Quelle genre d'appartement? Vous y avez pensé?

— Oui. Grand, au dernier étage d'un immeuble avec une grande terrasse. Sur les Champs-Élysées, ou dans une rue proche.

— Vous voulez que je m'en occupe? dit Martial. Je peux m'occuper de tout, vente et achat.

Marc n'exprima pas de refus ou de réticence de politesse: oui, il voulait bien que Martial s'occupe de tout.

Martial, grâce aux relations qu'il avait dans l'immobilier, aiguillonné par son désir de rendre service à Marc, et aidé par la chance, régla le problème en un temps record. Les deux maisons furent vendues au meilleur prix (c'est-à-dire pour une somme phénoménale), et il découvrit (pour une somme également phénoménale) un appartement conforme aux souhaits de Marc, rue de Marignan. Un après-midi, il amena Marc le visiter. Marc fut ravi: c'était l'appartement de ses rêves. Il était situé au dixième et dernier étage du 10, rue de Marignan. Sa superficie était de cent cinquante mètres carrés, plus une terrasse de cent mètres carrés, véritable petit jardin avec gazon, arbres, plantes diverses que l'ancien propriétaire laissait. On avait de tous côtés une vue de carte postale sur Paris.

Puis Marc, étudiant de près divers catalogues, commanda l'ameublement. Martial se trouva sur place les jours de livraison. Marie-Thérèse s'occupa du reste, rideaux, draps, ustensiles de cuisine, de tout, elle acheta même un carton de produits d'entretien.

Ils avaient décidé de faire une surprise à Marc.

Quelques jours s'écoulèrent encore, et le dix-neuf octobre, Marc, en relativement bonne forme, quitta la clinique Angèle-Leclair

Au moment du départ, il remercia le docteur Catherine Hamer, hésita, et l'embrassa sur les deux joues.

## 56

Il emménagea le jour même. Martial et Marie-Thérèse avaient fait un énorme travail, qui tenait du coup de baguette magique : Marc trouva l'appartement prêt à être habité, propre, accueillant, fleuri, sa chaîne stéréo installée, tous ses habits rangés dans des armoires. Il ressentit un élan d'amour pour ses amis. Il se promit de leur faire bientôt un cadeau royal, à la mesure de leur dévouement.

Le lendemain, il se débarrassa du Nissan Terrano et fit l'acquisition d'une petite Fiat Uno. Puis il se procura tout ce dont il avait besoin pour peindre.

Conduisant la voiture bourrée de toiles, chevalets, couleurs, pinceaux, il eut soudain l'idée de reprendre contact avec Martin Vérapoutsmila, le psychanalyste des débuts de sa vie. Mais, tout aussi soudainement, il repoussa cette idée.

Et il s'installa dans sa nouvelle vie. Le soir, il se couchait très tard. Il regardait beaucoup la télévision, écoutait de la musique. (L'*Aria* dite *La Frescobalda* de Girolamo Frescobaldi, jouée par Rafael Puyana, resta son « disque du mois » bien au-delà d'un mois, et ne fut remplacée par aucun autre morceau. Marc ne s'en lassait pas.) Il se levait tard également. Après une demi-heure de gymnastique (consacrée surtout aux muscles du ventre), il se promenait dans le quartier et achetait des provisions. Le reste de la journée, il peignait.

Deux matinées par semaine, la gardienne de l'immeuble, une femme âgée mais vigoureuse, faisait son ménage.

Il ne retourna plus à Versailles. Les Cazanvielh venaient souvent. Quant aux rapports avec Hugues d'Oléons, ils se bornèrent à des conversations téléphoniques.

Un matin, il reçut une lettre de John Joseph, l'antipathique et hyprocrite propriétaire du chien Mana. John Joseph ne semblait pas au courant de ce qui était arrivé à Marc. Il écrivait parce qu'il craignait d'avoir une tumeur au cerveau, derrière l'œil droit, il souffrait. Or, il était incapable de se rendre dans un hôpital, disait-il, il s'évanouissait d'angoisse dans les hôpitaux. Ayant appris peu après la vente du chien que Marc était un spécialiste du cerveau, il se permettait cette démarche un peu déplacée, il en convenait: il souhaitait voir Marc en privé, chez lui, au moins une première fois...

Marc répondit qu'il n'exerçait plus et donna l'adresse d'un confrère en ville. Puis, dès qu'il eut collé le timbre, il appela Germaine Halbronn, à Montmartre, chez son fils le tuyauteur. Germaine Halbronn était, elle, au courant des événements. Elle garda un long silence. Marc non plus ne pouvait pas parler. Enfin, elle lui adressa des condoléances maladroites.

— Je m'étais déjà rendu compte que vous aviez des soucis, quand je vous ai rencontré place des Vosges.

— Place des Vosges ? dit Marc.

— Oui, vous vous souvenez ?

Place des Vosges. Hôtel Pavillon de la Reine. Michel

Zyto, l'usurpateur.

— Oui, bien sûr, dit Marc. En effet, j'avais des soucis. J'ai dû vous paraître bizarre, excusez-moi.

Elle protesta.

Elle était très émue que Marc ait eu l'idée de lui téléphoner. Marc lui dit :

— Je n'ai pas oublié ma promesse, pour Cookie, mais...

Elle protesta à nouveau.

— Plus tard, dit Marc.

— Oui, plus tard !

Ils se dirent au revoir.

Marc fut attristé par ce coup de fil, puis il oublia.


Un après-midi qu'il se promenait avec Martial sur les Champs-Élysées, près de la rue de Marignan, ils passèrent devant une vente-exposition de voitures italiennes hors série. Ils s'arrêtèrent pour regarder.

— J'en ai un peu assez de ma grosse Volvo, dit Martial. Je crois que je vais changer, un de ces jours. J'avoue que cet engin, là...

— La rouge ? dit Marc.

Il désignait une Maserati longue, fine, rutilante.

— Oui.

Martial paraissait vraiment séduit, et Marc venait d'avoir une idée de cadeau.


Marc pensait à Léonard et à Marie, et à Marianne, il y pensait toujours, à chaque seconde. Mais la douleur s'atténuait.

Il était beaucoup chez lui. Il ne se servait guère de sa voiture, garée la plupart du temps dans le sous-sol de l'immeuble. Il marchait volontiers. Le peu qu'il avait à faire, il le faisait à pied. Il évitait plus ou moins le bas des Champs-Élysées, parce qu'un jour il s'était retrouvé par mégarde devant *Le Dragon Rouge*. Le souvenir des déjeuners avec sa femme, des bons moments passés là avec elle, des menus à la vapeur, de la souriante Connie Huong, l'avait rendu malheureux pour des heures.

Il peignit beaucoup, de plus en plus, et toujours la même chose. Il peignait ce qu'il voyait de sa terrasse, c'est-à-dire le ciel et les toits. Il ne se souciait pas de ressemblance, encore moins de la valeur de son travail. Il peignait comme ça venait. Quand il sentait que la toile était finie, il la rangeait dans une pièce de derrière, une immense pièce sur cour, et installait une autre toile sur le chevalet.

Toutes se ressemblaient : la partie supérieure était occupée par une grande surface plutôt bleue, unie, régulière, sans soleil. La partie inférieure par une étendue grisâtre et chaotique, toits, balcons, cheminées, mais peut-être aussi, selon Marie-Thérèse, sol ravagé et déserté d'une autre planète, ou encore, disait Martial de l'ensemble, une côte et la mer vues d'avion au début de l'hiver. (Marc montrait volontiers ses œuvres à ses amis de Versailles.)

C'est cette partie inférieure du tableau qui demandait le plus de travail à Marc. Elle était riche de motifs confus, qui s'échappaient dès qu'on croyait les avoir saisis, et elle était subtile par la juxtaposition d'une multitude de tons infiniment voisins, mais qu'on distinguait bien les uns des autres si on faisait attention, ou si la lumière frappait la toile d'une certaine façon.

Jamais de personnages ni d'êtres vivants.

Un matin de la fin du mois de décembre – deux mois s'étaient écoulés depuis sa sortie de clinique –, il rajouta pourtant sur une toile qu'il venait d'achever un petit personnage à droite, comme debout sur une cheminée, dessiné sans préoccupation de perspective: lui-même. Non

404

bien sûr qu'on pût le reconnaître, mais dans son esprit, c'était lui. Il se sentit mieux que d'habitude quand il avait terminé une œuvre, plus heureux, plus léger de s'être ainsi posé sur la toile.

Il était onze heures. Il ne travaillerait plus aujourd'hui. Il téléphona impasse des Soldats et invita à dîner Martial et Marie-Thérèse. Ils iraient dans un bon restaurant de la rue Beaujon, tout près de l'Étoile, où Marc avait déjeuné deux fois, et qui plairait sans doute au fin gastronome qu'était Martial. Il leur demanda de passer chez lui vers six heures et demie, il préférait que la soirée commence tôt. Marie-Thérèse fut un peu surprise, mais ne songea pas à discuter: très bien, ils passeraient à six heures et demie.

L'après-midi, Marc lui acheta une bague en or avec diamant et diamants calibrés, qui coûtait à peine moins cher que la Maserati.

Et il acheta aussi la Maserati. Il la laissa dans le magasin et dit au marchand qu'il repasserait avant sept heures, heure de fermeture.

Dès que Martial et Marie-Thérèse arrivèrent chez lui, à six heures et demie pile, il leur dit: «Allons-y tout de suite, si vous voulez bien, j'ai besoin de me dégourdir les jambes. Il ne fait pas trop froid. On prendra un apéritif sur le chemin.»

Il enfila un manteau bleu marine qu'il s'était acheté et ils sortirent.

Ils remontèrent les Champs-Élysées. Ils arrivèrent très vite au niveau du hall d'exposition. Marc s'arrêta.

— Elle vous plaît toujours autant? dit-il à Martial en désignant la longue voiture rouge.

— Encore plus, dit Martial.

Marc sortit les clés de la voiture de sa poche et les tendit à Martial:

— Alors, tenez. Vous pouvez la prendre et partir avec.

Sans laisser à Martial le loisir d'exprimer autre chose

qu'un vague bredouillement d'étonnement et d'incompréhension, il s'adressa à Marie-Thérèse:

— Ce sont des voitures tellement chic, dit-il, qu'ils mettent une bague pour l'épouse dans la boîte à gants.

Et, sortant un petit paquet de son autre poche, il le lui fourra dans la main.

— Ouvrez. J'espère qu'elle vous plaira.

Muette, Marie-Thérèse défit le paquet.

— Marc..., dit Martial.

— Rien du tout, dit Marc. Pas un mot. Je reconnais que ma mise en scène est un peu puérile, mais je suis tellement heureux !

Ils s'embrassèrent sur le trottoir avec tant d'élan que Marie-Thérèse faillit perdre l'équilibre. Les embrassades durèrent des minutes. Ils en gênaient le passage des autres piétons.

Martial prit possession de sa nouvelle voiture.

Ils passèrent une soirée d'oubli et de bien-être, comme hors du temps.

Après le dîner, ils s'installèrent tous trois dans la Maserati. Il était assez tard. Les Cazanvielh n'avaient pas l'intention de remonter chez Marc. Ils firent le tour de l'Étoile et redescendirent les Champs-Élysées. Peu après la rue Galilée, Marc reconnut la Volvo.

— Laissez-moi là, dit-il, je vais rentrer à pied.

— Vous croyez ? dit Martial.

— Trois cents mètres, dit Marc. Idéal pour la santé après un bon repas.

Martial stoppa.

— Quel freinage, quelle direction, quelle souplesse, quel silence! dit-il.

Par pure gentillesse, il proposa à sa femme de prendre le volant de la Maserati, sachant d'avance ce qu'elle lui répondrait, et qu'elle répondit :

— Non, j'aurais trop peur de l'abîmer. Je la conduirai en ville quand je me serai bien habituée sur les petites routes.

Marc les embrassa. Avant cette journée, Marc et Martial ne s'étaient jamais embrassés. Ils se serraient virilement la main.

Les deux voitures s'éloignaient lentement, la Volvo, plus pataude que jamais, suivant la fine voiture italienne.

Ils se firent des signes. Marie-Thérèse se pencha par sa vitre et cria : « A bientôt ! »

Marc fit oui de la tête. Il souriait, d'un sourire très fin, très doux, qui se prolongeait.

Il agita la main jusqu'à ce qu'ils aient disparu.

Puis une émotion particulière l'étreignit, comme s'il ne devait plus jamais les revoir.

## 57

Il continua donc à pied. La fin de l'année approchait, il y avait beaucoup de monde dans les rues malgré l'heure.

Il arriva au niveau de l'avenue George-V. Le feu était vert pour les piétons. Il traversa la large avenue. Il regarda une femme dans une voiture, peut-être parce qu'il s'était senti observé par elle.

C'était Katarina.

Elle était au volant d'une voiture ancienne, noire, bien entretenue, dont Marc ne connaissait pas le modèle. Il s'arrêta. Il hésita, s'approcha d'elle. Déjà, elle baissait la vitre. Elle était richement vêtue, comme si elle avait fait fortune depuis leur dernière rencontre. Il aperçut des bagages sur le siège arrière.

Il aurait aimé lui dire quelque chose, mais rien ne venait. Ils ne se quittaient pas des yeux. Au moment où elle allait enfin lui parler, le feu passa au vert et les automobilistes se mirent à klaxonner.

Elle se pencha, ouvrit la portière du passager.

Marc contourna la voiture. Il s'assit à côté d'elle et

claqua la portière.

Elle démarra.

Sa voiture franchit les Champs-Élysées et s'engagea dans une toute petite rue entre la rue Washington et la rue de Berri.

Les klaxons avaient cessé.

Par contraste, et malgré l'animation, le silence sembla s'abattre sur le quartier.

La voiture s'enfonça à vive allure dans la petite rue, où elle disparut bientôt.

Achevé d'imprimer
en janvier 1991
par Printer Industria
Gráfica S.A.
08620 Sant Vicenç dels Horts 1991
Depósito Legal B. 922-1991
Pour le compte de
France Loisirs
123, Boulevard de Grenelle,
Paris

Numéro d'éditeur : 25309
Dépôt légal : janvier 1991
Imprimé en Espagne